GW01045908

PICKWICK

HERNÁN HUARACHE MAMANI

# LA PROFEZIA DELLA CURANDERA

Traduzione di Barbara Cavallero

PIEMME

www.pickwicklibri.it
www.edizpiemme.it

*La profezia della curandera*
di Hernán Huarache Mamani
Titolo originale dell'opera: *Kantu. El Poder de la Mujer*
Pubblicato da Tiki Edicones
Calle Ampatacocha N 109 Yanahuara, Arequipa - Perú


ISBN 978-88-6836-649-0

I edizione Pickwick novembre 2013

Anno 2022-2023 - Edizione 42 43 44 45 46 47 48 49

*Finché nel cuore della donna*
*continuerà a brillare la luce dell'amore*
*il mondo sarà salvo, ma se quell'amore scemerà,*
*allora l'odio e l'indifferenza*
*dilagheranno e finiranno col distruggerlo.*

*A Rosa Mamani, mia madre, dalle cui labbra ho ascoltato i miti e le leggende del nostro popolo e che mi ha insegnato ad amare tutti gli esseri viventi della terra. A lei, che chiuse gli occhi al chiarore della stella che segnala l'inizio di una nuova era di luce per l'umanità e la fine dell'oscurità.*

*A Mama Qoyllurchiy, curandera andina che viveva nella comunità di Ipana, Serpente dell'Acqua, guardiana delle sacre conoscenze degli Incas, che mi ha illuminato con il suo sapere.*

*A Tomasa Qespi, curandera levatrice che viveva nel villaggio di K'aqsiri e mi ha permesso di entrare in contatto con la comunità segreta delle donne, ancor oggi esistente, prima che i 13 anni di terrore (1980-1993) si abbattessero sulle Ande.*

*A Matilde Casa, il cui amore privo di frontiere ha rallegrato la mia infanzia e che mi ha insegnato che gli animali e le piante parlano.*

*Ad Adriana Huarachi, la mia madre spirituale, il cui amore disinteressato ha illuminato la mia vita.*

*A tutte le donne indie che oggi lottano per conservare e difendere la nostra cultura.*

*A tutte le donne del mondo che lottano per un mondo migliore basato sulla pace, l'amore e il rispetto.*

# *NOTA DELL'AUTORE*

Ho meditato a lungo sulla natura di questo libro e mi sono più volte domandato: che autorità mi legittima a parlare di quest'argomento? Non era più logico che fosse una donna a scrivere?

Ma mi sono tornate alla memoria le parole della mia maestra, Mama Qoyllurchiy, che amava ripetere che le madri parlano al mondo attraverso i loro figli e le maestre attraverso i loro allievi. Per questo, come alunno, ho deciso di trasmettere ciò che lei mi ha insegnato sulle creature più belle e misteriose della terra: le donne.

Conobbi questa maestra andina nella comunità di Ipana, un luogo dove tutt'oggi si conservano e si trasmettono le conoscenze e le tradizioni andine. È stata lei a insegnarmi che la vita è una scuola dove bisogna imparare ad amare e servire il prossimo.

Dalle labbra di Mama Qoyllurchiy venni a sapere che, nel passato, la donna andina aveva giocato un ruolo assai importante che l'aveva vista partecipare attivamente alla costituzione di una nuova società: il *Tawantinsuyo*, la società perfetta, il governo delle quattro regioni o il favoloso Impero dell'Oro e dell'Argento degli incas, com'è conosciuto da quasi tutti gli storici occidentali. Fu lei che mi parlò dell'*Ajllawasi*, un centro educativo femminile esistito più di cinque secoli fa. Nell'*Ajllawasi*, un'istituzione creata dalle *Mamakuna*, le maestre impartivano la scienza della *Pachamama*, una scienza che insegnava a capire e a rispettare la natura. Sulla base di questi insegnamenti si formarono gli incas chiamati anche i «Figli del Sole»; furono loro a diffondere la luce della spiritualità sulle Ande, fino all'arrivo degli spagnoli.

Grazie a Mama Qoyllurchiy mi resi conto della reale importanza della donna, del grande potere che possiede e con il quale potrebbe guidare le società. Attualmente, nel mondo, si stanno verificando grossi cambiamenti. A causa dell'uso irresponsabile della tecnologia e della scienza, la terra sta vivendo una vera e propria catastrofe ecologica. E nessuno, meglio della donna, può comprendere la gravità del problema perché è lei che deve lavorare con la terra, con l'acqua, con l'aria, con il fuoco.

Poco a poco, migliaia di donne prendono coscienza che il nostro pianeta sta correndo un serio pericolo e, istintivamente, ritrovano la forza e l'energia per cercare una via d'uscita. Ogni volta che le guardo, ripenso a ciò che dicono le nostre tradizioni: «La chiave per entrare nella sesta umanità, nel nuovo millennio, è nelle mani delle donne». E, come se questa profezia fosse stata loro rivelata, molte, consapevolmente o inconsapevolmente, stanno cercando questa chiave che permetterà loro di giocare un ruolo molto importante e riprendere le redini dell'umanità che erano state loro sottratte.

La donna non è ancora cosciente del ruolo che svolgerà in futuro, così come non lo è delle immense capacità che possiede e delle quali si è dimenticata.

Ho deciso di scrivere questo libro per diffondere gli insegnamenti della mia maestra e per mostrare la via iniziatica andina che seguirono le donne sagge del nostro popolo mantenendo in segreto le sacre conoscenze della PACHAMAMA.

Le esperienze vissute da Kantu sono applicabili a qualsiasi donna. Tutti gli eventi narrati in questa storia mostrano ciò che una donna è in grado di fare pur di riconquistare il ruolo che la natura le aveva assegnato. Nel lungo tragitto del suo riapprendistato, Kantu, la nostra protagonista, ci dimostrerà che è possibile trovare in se stessi la forza di volontà, il coraggio, la conoscenza e l'energia necessarie per cambiare il corso della propria storia individuale, facendo di ogni dolore, di ogni solitudine, di ogni tristezza, un mondo di gioia, d'amicizia e di pienezza. Ci dimostrerà anche che per propiziare la nascita di una nuova relazione basata sulla collaborazione fra uomo e donna è necessario distruggere la gabbia che certi uomini hanno creato allo scopo di sottomettere la donna.

I personaggi di questo racconto sono reali, ma i loro nomi e quelli dei luoghi di questa storia sono stati cambiati allo scopo di proteggerne la pace e la tranquillità.

Ho cercato di narrare la storia il più fedelmente possibile sacrificandone, però, una parte allo scopo di rendere comprensibile e amena la lettura.

HERNÁN HUARACHE MAMANI

# 1
# TU HAI POTERE

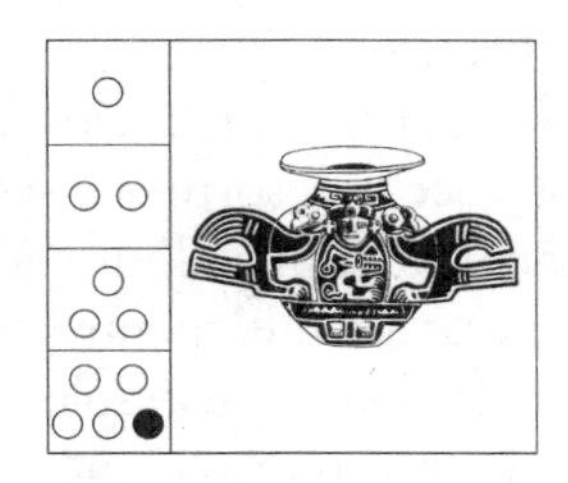

Il temporale cessò, ma sulle aride e assetate terre di Coporaque continuò a cadere una pioggia torrenziale. Le nubi tempestose coprirono il cielo come ad annunciare che, in quella parte del Perú, il periodo delle piogge era ormai cominciato. Poi lentamente la pioggia si fece più fine. Il piccolo Tilico, di sette anni, si precipitò nel cortile per giocare con le pozzanghere. Si divertiva a sguazzare a piedi nudi schizzando l'acqua di qua e di là. Ma, improvvisamente, si arrestò sbigottito: la casa vicina era avvolta dalle fiamme! Corse in casa gridando: «La casa di fronte sta bruciando! Il tetto è in fiamme!» ma, in quel momento, le parole "Fuoco!" e "Incendio!" erano già sulla bocca di tutti. Pochi minuti dopo la campana della chiesa dava l'allarme.

Uomini e donne scesero in strada urlando: «La casa dei Quispe ha preso fuoco!». Alcuni accorsero, muniti di secchi, scale e zappe. Dalla paglia del tetto, inumidita dalla pioggia, si alzavano grosse fiamme. Varcarono il cancello d'ingresso, superarono il piccolo giardino e, per terra, vicino alla porta dell'abitazione in fiamme, videro Kantu. Giaceva priva di sensi, gli abiti completamente fradici. Con grande cautela quattro persone la sollevarono da terra e la adagiarono in un luogo sicuro, mentre giovani e adulti cercavano disperatamente di spegnere il fuoco.

Ignara di quanto era accaduto, la giovane si svegliò come da un sogno. Aprì gli occhi e, sorpresa, si ritrovò circondata da gente che la osservava stupita. Tata Facundo, un anziano vicino, piangeva disperatamente, mentre Mama Santusa, sua moglie, la guardava triste massaggiandole l'addome e il petto.

Kantu li conosceva: tutti indios come lei. Indossavano indumenti variopinti tessuti in lana grezza di pecora, alpaca o lama. Alcuni di loro avevano il capo scoperto ancora grondante di pioggia. Altri indossavano berretti o *chullos*[1] fradici. Alcuni calzavano i tipici sandali andini, ricavati dalle camere d'aria dei copertoni usati, altri erano scalzi.

«È viva! È viva!» esclamò Facundo smettendo di piangere, mentre l'espressione cupa lasciava il posto a un radioso sorriso.

«Svelti! Dobbiamo cambiarle questi vestiti bagnati» disse Mama Santusa continuando a massaggiarla energicamente e prendendo a frizionarle anche le mani. Poi ripulì il viso di Kantu, le sollevò la testa e la adagiò sul suo braccio.

«Ah, colombina bella, credevamo che ci avessi lasciato per sempre» esclamò emozionato Tata Facundo, asciugandosi le lacrime. «Prendete coperte e abiti asciutti. Presto, portiamola a casa mia!»

Facundo era un anziano semplice e sincero, sempre attento a ciò che accadeva attorno a lui. Amava il suo prossimo e considerava il suo popolo come una famiglia. Non c'era persona al mondo che potesse lamentarsi di lui. Molto sensibile, condivideva il dolore altrui come se si trattasse del suo stesso

1 Copricapo a punta munito di copriorecchie.

dolore. Non sapeva leggere né scrivere, ma conosceva il significato dell'amore paterno. A casa sua si poteva trovare sempre pane, riparo e buoni consigli. Sebbene non fosse sua parente, amava molto Kantu e la considerava come una figlia. Gli piaceva chiamarla «colombina», espressione affettuosa che gli andini usano sovente per rivolgersi alle donne e che deriva dall'amore e dalle tenerezze che i colombi usano scambiarsi.

Poco dopo giunse anche Mama Josefa. Era una donna magra, taciturna e un po' scontrosa, dall'aria pensierosa, talvolta enigmatica. Eppure, quando si trattava di aiutare gli altri, era sempre disposta a dare una mano. Nonostante vivesse alcune case più sotto, non parlava mai con Kantu; si limitava a osservarla e a sorriderle. Quel giorno Josefa indossava una gonna blu scuro, una camicia grigia con intarsi color fucsia e portava una coperta sulle spalle. Aveva in mano delle coperte per coprire la giovane, ma appena la vide, esclamò: «Servono degli abiti asciutti, e bisogna anche medicarla perché sta sanguinando».

Mentre la stavano trasportando a casa di Facundo, Kantu vide il suolo completamente bagnato dalla pioggia sul quale correvano ancora rivoli d'acqua. Guardò la sua casa: sul tetto di paglia annerito dal fuoco si era formato un grande squarcio attraverso il quale si potevano scorgere tronchi e travi. In una grande confusione, alcuni uomini tentavano di domare l'incendio passandosi secchi d'acqua, alcuni battevano la paglia ancora fumante con coperte inumidite. Per strada vecchi, donne e bambini, nelle loro vesti variopinte, osservavano attenti quella battaglia contro il fuoco.

In quell'istante Kantu Quispe ricordò cos'era successo qualche ora prima... Appoggiata alla porta principale, stava guardando il cielo: minacciose nubi nere si stavano ammassando velocemente. Aveva pensato che, forse, quel pomeriggio, sulla terra inaridita dalla siccità, sarebbe finalmente scesa la prima pioggia. In lontananza, oltre l'orizzonte, le nuvole che sorvolavano le montagne si erano scurite tanto da nasconderne il profilo. Improvvisamente il vento aveva cominciato a soffiare con violenza, agitando le foglie degli eucalipti. Nel patio si era formato un vortice d'aria che, come un gigantesco aspirapolvere, aveva preso a risucchiare foglie secche, pezzi di carta, di plastica e piccoli oggetti leggeri.

Kantu era rimasta sulla porta a guardare. I suoi lunghi capelli le giocavano sul viso mossi dal forte vento. Una camicia e un paio di pantaloni proteggevano il suo corpo dall'aria. Sembrava che la massa nera stesse per avvicinarsi ancor più rapidamente, quando il vento aveva cominciato a cambiare direzione. Improvvisamente il cielo si era tinto di grigio e di nero. Qualche minuto dopo aveva cominciato a lampeggiare. Sembrava che il cielo si fosse aperto, trafitto da un'infinità di coltelli e di spade dorate. Stava per arrivare uno di quei temporali che si vedono assai raramente, con lampi, fulmini e tuoni che squarciano il cielo come cannonate.

Kantu non era preoccupata né impaurita; da quando viveva in quel paesino arroccato sulle montagne, le era capitato più volte di assistere a temporali di grande violenza.

Era nell'abitazione centrale, quando, improvvisamente si era sentita inquieta. Il frastuono si avvicinava. Una voce dentro di lei le aveva urlato di fuggire. Aveva indugiato un istante, poi era corsa fuori, veloce. In quel momento aveva sentito un rumore assordante, e subito dopo aveva provato la sensazione di essere punta da un migliaio di aghi che si conficcavano nel suo corpo e aveva sentito odore di bruciato, poi non aveva visto più nulla e le era sembrato di precipitare in un pozzo senza fondo.

Riprendendo i sensi, Kantu sentì il corpo indolenzito in ogni sua parte, il naso e le orecchie le sanguinavano. Gli anziani l'adagiarono su un letto rustico. Poi uscirono dalla stanza per rassicurare tutti coloro che aspettavano in pena per la vita della giovane: «La signorina Kantu è stata colpita da un fulmine, ma è viva. Ha bisogno di cure. Rimarrà qui a riposare finché non arriveranno i suoi genitori».

Fortunatamente la scarica elettrica non l'aveva colpita in pieno. Era riuscita a schivarla appena in tempo: se l'avesse colpita direttamente sarebbe sicuramente morta. Non era riuscita però a evitare di essere sbattuta violentemente a terra ad alcuni metri dalla casa.

Kantu cercò di muoversi ma un dolore fortissimo alle spalle e alla schiena la inchiodò al letto. La testa le ronzava e le faceva male. Tutto era successo troppo in fretta. Non riusciva quasi a crederci. E non riusciva a muoversi: era come se il corpo fosse intorpidito. Mama Santusa e Mama Josefa la spogliarono e le infilarono i vestiti asciutti ma, appena gli abiti le sfiorarono la pelle, sentì un brivido. La sua percezione tattile non era più la stessa: era come se la pelle si fosse staccata dal corpo. Lo sterno le schiacciava i polmoni, ostacolando la respirazione, e sentiva un forte dolore correrle lungo la colonna vertebrale.

Cercò di alzarsi, ma le sue membra non risposero. Cercò di parlare, ma dalla sua bocca non uscì nemmeno un filo di voce. Il suo sguardo era sofferente. Si sentiva impotente, indifesa, debole. La paura della morte la pervase e dentro di lei cominciò a urlare: «Sono viva! Non voglio morire! Voglio vivere!». Erano parole che nascevano nella sua coscienza, mentre dai suoi occhi scendevano grosse lacrime.

Nel vedere che Kantu piangeva, Mama Santusa le accarezzò la testa e con una coperta cominciò a tamponare la nera chioma bruciacchiata e ancora umida.

«Riposa, cerca di non fare sforzi. Il fulmine non ha leso alcun organo e vedrai che presto starai bene» le disse massaggiandole il petto con un tiepido composto di erbe medicinali. Kantu cominciò a respirare molto meglio. Subito dopo tutto il suo corpo fu scosso da brividi. La mandibola le tremava a tal punto da farle battere i denti.

Le fecero bere un infuso di erbe medicinali. Era stata Mama Jovita, la levatrice, a prepararlo. Era una donna anziana con i capelli ormai completamente bianchi e il viso coperto di rughe, ma la luce dei suoi occhi lasciava scorgere una grande forza interiore e un animo forte e indomabile. Conosceva i segreti delle erbe ed era accorsa non appena aveva saputo che in paese c'era una persona ferita. Bastarono alcuni sorsi di quel liquido tiepido per dare a Kantu l'impressione di recuperare le forze. Poi le venne sonno; le palpebre si fecero pesanti e, non riuscendo a tenere gli occhi aperti, si addormentò.

«Lasciamola riposare. Se fra tre giorni si sentirà meglio vorrà dire che è guarita, altrimenti bisognerà cercare un curandero. O forse il fulmine l'ha scelta proprio per fare di lei una curandera...» disse uno degli anziani presenti.

Secondo un'antica credenza, gli uomini e le donne colpiti da un fulmine erano destinati a diventare guaritori. Tale convinzione era legata alla medicina della *Pachamama*[2], praticata da guaritori noti come *Hampi kamayoq*[3]. Sebbene si trattasse di una pratica assai poco diffusa, veniva ancora esercitata in alcune comunità. Nella società del *Tawantinsuyo*[4], organizzata secondo una distribuzione tecnica del lavoro, i problemi di salute venivano affidati alle persone più abili e capaci. Per questa ragione il medico veniva conside-

2 Madre Cosmica, Madre Natura.

3 Medico sacerdote o curandero.

4 Indica l'intero territorio appartenente all'Impero Inca, suddiviso in quattro regioni che aveva la sua sede nella città di Cuzco.

rato alla stregua di un saggio. Poiché il compito che doveva svolgere non era affatto semplice, doveva possedere doti speciali e una forte personalità. Non si limitava, infatti, a curare semplicemente gli esseri umani ma s'incaricava anche di combattere le piaghe e le epidemie che colpivano animali e piante. Per questa ragione il *Hampi kamayoq* era circondato da un alone di mistero e di potere. Possedeva grandi capacità di immaginazione, raziocinio, astrazione e osservazione, in misura superiore alla media e apparteneva a un rango ben determinato all'interno del nucleo sociale.

Gli *Hampi kamayoq* si raggruppavano in congregazioni in seno alle quali venivano loro trasmesse le formule segrete, i riti e le tecniche di guarigione. Ricevevano una preparazione specifica e completa, sia da un punto di vista teorico che pratico, e appartenevano quasi sempre alla casta sacerdotale. Il rigido processo d'iniziazione cominciava nel *Wamaq*. Venivano inoltre sottoposti a digiuni, privazioni, prove di resistenza, esercizi fisici e mentali ma, soprattutto, veniva loro insegnato a superare la paura dell'ignoto. La loro alimentazione era quasi esclusivamente vegetariana e prevedeva il consumo di erbe, radici, frutta e, soprattutto, di chicchi di granturco. Non potevano mangiare né carne, né pesce e non potevano consumare bibite alcoliche.

Il loro apprendistato era lento, rigoroso e arduo. La meta che dovevano raggiungere era il controllo fisico e mentale. Vivevano in luoghi appartati, organizzati in piccoli nuclei guidati da un *Amauta*, ovvero da un saggio in grado di spiegare loro i misteri dei fenomeni umani. Dovevano, tra l'altro, imparare la storia dei loro antenati, le leggende, i miti e conoscere le feste e le cerimonie durante le quali venivano trasmesse le diverse metodologie di guarigione. Digiunare per loro non doveva costituire un problema e avevano l'obbligo di prendere parte ai riti che ogni anno venivano celebrati per purificare il corpo. I futuri guaritori dovevano assimilare molte conoscenze, apprendere il potere curativo delle erbe medicinali, degli amuleti e dei massaggi e giungere alla comprensione del mondo invisibile. Coloro che acquisivano queste conoscenze e accettavano la tradizione, venivano riconosciuti *Hampi kamayoq*.

Tra loro vi erano individui che potevano conoscere il passato, il presente e il futuro usando semplicemente foglie di coca, chicchi di grano o viscere di animali, specie quelle dei porcellini d'India e dei lama. Ve n'erano altri che sapevano entrare in contatto con le forze della natura e riuscivano a comunicare con i fulmini, con il sole e la luna. Alcuni potevano parlare con gli spiriti degli antenati, mentre altri erano in grado di comunicare con gli *Apukuna*[5], gli spiriti protettori degli uomini.

I futuri guaritori potevano essere scelti dalla comunità, sulla base di loro particolari capacità e attitudini, o ereditare questo delicato compito da un genitore o da un parente prossimo. Ma accadeva talvolta che fosse il fulmine a scegliere. Le persone prescelte in questo modo venivano istruite direttamente da un curandero che trasmetteva loro tutte le sue conoscenze.

Dopo la prima invasione spagnola del Perú, questo tipo di guaritori parve estinguersi e le loro conoscenze andare perdute. Ma l'antica tradizione veniva tramandata rigorosamente di padre in figlio e i detentori di questo antico sapere si riunivano in segreto. A disposizione del popolo rimase solamente una conoscenza di tipo rudimentale che potrebbe essere definita come medicina popolare, una specie di farmacologia generale nota come *Hampi Qhato*. I guaritori, le levatrici, gli indovini a cui si rivolgevano le persone erano i depositari di una parte di antiche conoscenze e insegnamenti e potevano

[5] Spiriti, protettori degli uomini, che vivono sulle più alte montagne.

prescrivere erbe medicinali e altri medicamenti. Ancora oggi, in diverse zone del Sud America, si possono trovare uomini di medicina che custodiscono parte delle conoscenze antiche. Nel sud del Perú e in Bolivia sono assai famosi lo *Yatiri*[6] e il *Qamile*[7], detentori dei segreti curativi delle erbe, che percorrono i paesi della Sierra, con le loro bisacce colme di rimedi, amuleti ed erbe medicinali.

Vi sarebbe ancora molto da aggiungere a proposito delle persone colpite dal fulmine. Ma per il momento ci è sufficiente sapere che ancora oggi molti popoli credono che colui che viene colpito da un fulmine debba diventare un curandero. Per questo, i vecchi di Coporaque erano convinti che Kantu fosse stata prescelta per divenire un giorno una curandera. Ma ciò che ignoravano era che Kantu non credeva affatto a tutto questo. Lei viveva a Cuzco, una moderna città con più di duecentomila abitanti che possedeva due università, venticinque centri di studi superiori e un'infinità di scuole, un aeroporto internazionale e migliaia di autobus che circolavano per le sue strade.

Cuzco, mezza andina e mezza occidentale, era la terza città del Perú. Sebbene in passato fosse stata la capitale del *Tawantinsuyo*, ora era un importante centro turistico e, non invano, era stata dichiarata la capitale archeologica del Sud America. E Kantu viveva in una casa costruita dai suoi genitori in un quartiere piuttosto centrale di questa animata città, la cui popolazione era costituita da bianchi, turisti occidentali, meticci e indigeni.

Kantu era una splendida ragazza india, un bocciolo che si stava schiudendo alla vita. Era di statura media e aveva la pelle morbida e vellutata, color rame. Sul viso dai fini linea-

6 Maestro o saggio che vive in riva al lago Titicaca.
7 Curandero boliviano.

menti risaltavano gli occhi vivaci e dolci e le labbra rosse e sensuali. Il suo collo sottile ricordava la grazia della vigogna, l'animale più elegante delle Ande. Sul corpo, slanciato e proporzionato, risaltavano i seni turgidi, la vita sottile, i fianchi robusti e le belle gambe. Una vera Venere india nata sulle alte montagne andine.

Kantu era una ragazza di nobili sentimenti, sorridente e sempre pronta a trovare il lato buono della vita. Intelligente e sensibile, fin da piccola aveva dimostrato un grande intuito e l'innata capacità di capire la gente ma, poco interessata a coltivare queste sue facoltà, aveva preferito dedicarsi allo studio. Aveva dato grandi soddisfazioni ai suoi genitori e non amava abbandonarsi al puro divertimento come invece facevano molte giovani della sua età; raramente partecipava alle feste che organizzavano i suoi coetanei. I suoi genitori desideravano che i figli studiassero e si costruissero una posizione e, sulla scia di questi insegnamenti, Kantu cercava di prepararsi al futuro che l'attendeva.

Quando José Quispe e sua moglie tornarono dalla campagna, trovarono la casa in parte bruciata e la figlia ferita, sotto le cure di Mama Santusa, la loro vicina. Non appena fu possibile si procurarono un mezzo di trasporto e portarono Kantu all'ospedale di Cuzco affinché ricevesse le migliori cure e si rimettesse in fretta. Qualche giorno più tardi, Kantu lasciò l'ospedale e ritornò nella sua casa di Cuzco.

Dopo l'incidente iniziarono ad accaderle cose piuttosto strane. Cominciò ad avere delle visioni: nella sua mente, come sul grande schermo di un cinema, vedeva proiettarsi le immagini di ciò che sarebbe successo ad altri. Sopraggiunse inoltre una crisi nervosa e fisica che la costrinse a letto per vari mesi e che cercò, invano, di curare ricorrendo alla medicina tradizionale.

Afflitta dalle condizioni della figlia, la madre di Kantu decise di accompagnarla da Anselmo, il curandero di Coporaque, il loro paese. La ragazza dubitava che quell'uomo, con le sue scarse conoscenze mediche, potesse risolvere i suoi problemi. Lei aveva vissuto a Cuzco sin da piccola. Lì aveva frequentato le scuole elementari e le superiori e lì stava seguendo i suoi studi di Pedagogia presso l'università, oltre a corsi di lingue e informatica. Lì quel poco che era rimasto della sua cultura ancestrale era stato cancellato e aveva assorbito i modelli della civiltà occidentale: un nuovo modo di pensare e di vivere, una nuova scienza, una nuova religione, una nuova lingua, un nuovo modo di essere e di agire.

Si era sempre rifiutata di recarsi da un curandero, aveva preferito consultare numerosi medici che, non riscontrando nulla di anomalo nel suo fisico, le avevano suggerito di rivolgersi a uno psichiatra. Dopo averla sottoposta a una lunga serie di esami e di analisi, questi erano giunti alla conclusione che Kantu era «affetta da disturbi nervosi» e le avevano suggerito il soggiorno in una clinica psichiatrica. Ma sua madre continuava a credere che un curandero avrebbe potuto aiutarla e così un giorno, all'ennesima supplica della donna, Kantu accettò di incontrare Anselmo.

Un pomeriggio si recarono insieme al paese e s'incamminarono verso la capanna dell'uomo. Era il primo curandero che Kantu incontrava perché non credeva in queste cose e aveva accettato solo per porre fine alle insistenze della madre. Lungo la strada camminava di malavoglia, mentre sua madre non si stancava di ripeterle: «Anselmo è bravo, vedrai».

Il che voleva dire che era un curandero vero e non uno dei tanti ciarlatani che c'erano in circolazione.

Kantu, infastidita, le rispose con tono pessimista: «Mamma, smettila. Non credo a queste cose. Come puoi pensare che uno di questi ciarlatani mi possa curare? I medici hanno detto che la mia è una malattia nervosa e che ho bisogno di riposo: non devo lavorare, devo distrarmi ed evitare le preoccupazioni».

La madre era una donna di mezza età, tarchiata, ma piuttosto agile. I suoi piccoli occhi vivaci donavano vita al suo viso color rame scavato da qualche ruga. Acconciava i lunghi capelli neri in due grosse trecce che le cadevano sulla schiena. Aveva sempre cercato di risolvere i problemi della sua famiglia con allegria e ottimismo ed era riuscita a conquistare la fiducia e l'affetto di tutti quelli che la conoscevano: era una persona piena di pregi.

Lavorava in un piccolo chiosco di generi alimentari e di bevande. In città indossava abiti occidentali, ma quando tornava a Coporaque vestiva in modo tradizionale: berretto di lana marrone con lacci colorati, coperta di lana sulle spalle, sottane di diversi colori che stonavano con le scarpe che usava sia in città che nella comunità per proteggersi dal freddo della montagna.

Camminava lentamente, seguita da Kantu. A un certo punto, per rompere il silenzio, si girò verso Kantu e disse con tono assai preoccupato: «Figlia mia, dammi retta almeno questa volta. Non hai nulla da perdere e poi la visita la pagherò io».

«L'unica cosa che farà quest'uomo sarà portarci via dei soldi» le rispose Kantu seccata.

La madre replicò mortificata: «Ah, Kantu, sei incorreggibile! Se i medici non sono riusciti a curare il tuo male, non vuol dire che altre persone non possano farlo. Anselmo forse ti potrà aiutare. L'ho pregato di aspettarci per visitarti prima di andare a lavorare. Devi sapere che questi guaritori non vivono di ciò che guadagnano grazie al potere del quale sono dotati, ma di ciò che ricavano lavorando la terra. E se ci aspetta è solo perché mi conosce e mi stima».

Quando giunsero alla capanna del curandero, bussarono alla porta. Non ricevendo risposta la donna gridò in quechua: «*Hampusqayki*? (C'è qualcuno in casa?)».

Da un'abitazione assai modesta uscì un indio sui sessantacinque anni. Era di statura media, aveva la pelle color rame, il torace ampio, leggermente muscoloso, i capelli brizzolati e il volto abbronzato e indurito dal sole e dal freddo. I suoi occhi neri si posarono prima sulla madre e poi sulla figlia. Sembrava che le stesse studiando quando le sue labbra abbozzarono un sorriso lievemente misterioso.

Kantu lo osservò attentamente. Appena cominciò a parlare con sua madre, l'espressione dell'uomo cambiò: sul suo volto si dipinse un sorriso sincero e cordiale. Indossava i tipici sandali andini, un paio di pantaloni consumati e sbiaditi che un tempo dovevano essere stati grigi e una camicia a strisce. Kantu vide che si era arrotolato i pantaloni fino all'altezza del polpaccio. Il suo viso ispirava fiducia: difficilmente poteva essere un impostore. Aveva il naso ampio, le labbra carnose e le ciglia folte; i suoi occhi erano leggermente arrossati a causa della pressione e dell'età.

«Avanti» disse, facendo segno con le mani.

Kantu entrò seguita da sua madre che disse immediatamente: «Don Anselmo... il favore di cui ti parlavo... Vorrei che guarissi mia figlia. È malata di nervi. Non riesce a fare sforzi. C'è qualcosa che la turba, le succedono cose strane. Te l'ho portata perché credo che tu possa aiutarla a guarire...».

Don Anselmo osservò con attenzione la ragazza. I suoi occhi le scrutarono il viso, il corpo, le mani, i piedi. Sebbene Kantu fosse completamente vestita aveva la sensazione che lui potesse vedere dentro di lei. Poi le afferrò i polsi usando l'indice, il medio e l'anulare e infine poggiò le dita sulle tempie della ragazza chiedendole: «Che cosa ti senti?».

Kantu, sempre maldisposta e per nulla desiderosa di collaborare, rispose freddamente: «Non lo so esattamente. Io mi sento bene, anche se loro dicono di no. Sono qui solo perché mia madre mi ha costretta a venire».

«Davvero?» disse Anselmo. «Vediamo un po' cos'hai e come ti potrei aiutare.» Anselmo si soffermò un momento a pensare senza smettere di osservare la ragazza. Poi, rivolgendosi alla madre, le chiese: «Potresti uscire un momento, per favore? Vorrei fare due chiacchiere a quattr'occhi con lei».

Kantu non voleva rimanere sola con il curandero. Non immaginava cosa le avrebbe fatto o cosa le avrebbe chiesto. Guardò timorosa la madre, ma questa le fece cenno con gli occhi che doveva rimanere. Kantu non poté che obbedire. Anselmo la guardò amichevolmente e, in silenzio, le fece segno di accomodarsi. Mentre lei si sedeva a un tavolo rustico, il curandero stese un panno quadrato, di una quarantina di centimetri di lato con tre frange in ognuno degli angoli. Sopra il panno adagiò un fazzoletto colorato. Poi estrasse da un piccolo sacchetto alcune foglie di coca e le sistemò sopra il fazzoletto. Piegò quest'ultimo in modo da formare una specie di quadrato e cominciò a pregare a bassa voce. Poi volse il fazzoletto in direzione dei quattro punti cardinali, eseguì una serie di flessioni e pronunciò delle preghiere per benedire le foglie di coca che avrebbe usato per diagnosticare la malattia di Kantu.

Da millenni gli andini utilizzano le foglie di coca per conoscere il passato e il presente, per predire il futuro, per leggere nella mente dell'uomo e per diagnosticare malattie e problemi fisici e spirituali, perché secondo la loro tradizione questa pianta non è semplicemente un alimento e un medicinale, ma è soprattutto una sostanza munita di poteri magici grazie alla quale è possibile mettersi in contatto con il mondo dello spirito.

Kantu guardava con stupore e curiosità quello che l'anziano stava facendo. Nel tentativo di distogliere lo sguardo da lui, si mise a osservare la stanza. Si rese conto solo allora che il pavimento era di semplice terra battuta. Le pareti erano di pietra e di mattoni crudi. La paglia del tetto, consumato dal tempo, era annerita dal fumo del focolare posto in un angolo della stanza. Da una delle travi pendeva una corda la cui estremità era stata fissata a una parete e che serviva a sorreggere un cesto. Forse serviva a tenere gli alimenti fuori dalla portata di cani, gatti e roditori.

Anselmo si sedette di fronte a Kantu. Le avvicinò alla bocca il pacchetto che aveva in mano e le ordinò: «Soffiaci sopra tre volte e poi rimani in silenzio».

Kantu obbedì. Il curandero aprì l'involto e sparse nuovamente le foglie su tutto il fazzoletto; ne sollevò una manciata e le fece cadere ritmicamente. Guardò quelle che erano cadute e cominciò a separarle dalle altre. Poi disse: «Non occorre che mi racconti nulla. Ti dirò io quello che vedo. La gente crede che tu sia pazza perché hai cominciato a leggere il futuro. Tu puoi vedere il domani, puoi predire cose assai sgradevoli e questo infastidisce gli altri. Ciò che ti sta facendo star male è la visione del futuro. La tua salute è perfetta, il tuo corpo sta bene, ma ciò che la tua anima riesce a vedere s'insinua nella materia del tuo corpo ed è questo che ti sta creando problemi».

L'anziano la osservò con gravità, poi aggiunse: «Fanciulla, tu possiedi il dono della profezia. Potrai diventare una grande veggente».

Kantu lo ascoltava attentamente, cercando d'imprimere nella sua mente ogni singola parola. Lo fissò negli occhi con uno sguardo triste e gli disse: «Temevo che mi avrebbe detto proprio questo».

«Ma è la verità. Tu hai il dono della profezia.»

«Lo so» disse lei mentre le lacrime scendevano lente. Con

la voce rotta dall'emozione continuò: «La gente crede che io sia pazza, ma non è così».

«Tu non sei pazza» la rassicurò il curandero. «In te si sono semplicemente risvegliati i poteri di cui sei dotata e che non sai come controllare. Con l'esercizio, potrai svilupparli maggiormente, ma dovrai imparare anche a controllarli e a ricorrere a essi solamente quando tu lo vorrai.»

«Io voglio essere normale, voglio essere come prima. Voglio stare con le mie amiche e con le persone che conosco. Le cose che dico danno fastidio e la gente cerca in tutti i modi di sfuggirmi.» La stanchezza di Kantu esplose. «Qualche settimana fa, per esempio, venni qui in paese, in visita. Mentre stavo passeggiando con mia zia, vidi passare un'anziana che conosco da parecchi anni. Con immensa tristezza dissi: "Quest'anziana non vivrà più di quindici giorni". "Morirà...?" mi chiese mia zia piuttosto allarmata. Feci cenno di sì. E prima dello scadere dei quindici giorni quella donna è morta.

Un giorno, mentre stavo riposando nella nostra casa di città, mio padre stava parlando con un suo collega di un furto verificatosi nel posto di lavoro. Non appena udii quella conversazione, mi alzai improvvisamente, mi avvicinai a lui e gli sussurrai all'orecchio: "Papà, è stato quest'uomo a rubare ma incolperanno te". E andò proprio così.

E poi, a una mia cugina che stava per sposarsi e che venne a trovarci, non appena la vidi, le dissi: "Il tuo fidanzato ti abbandonerà sull'altare". Non potei evitare di fare quell'affermazione che poi, qualche tempo dopo, si rivelò purtroppo esatta. Mia cugina non me l'ha perdonato, è convinta che le abbia lanciato una maledizione, ma io non le ho mai augurato del male. Si tratta semplicemente di immagini e di idee che affiorano nella mia mente. Mi limito a dire ciò che vedo», aggiunse sconsolata Kantu. Il suo bel viso si contrasse in una smorfia di dolore e iniziò a piangere in silenzio.

«Ti capisco, piccola» le disse il curandero cercando di consolarla. «Se vuoi ridiventare una persona normale, io ti aiuterò. Ma, perché vuoi essere normale? Questo è un dono che non tutti possiedono. Alcune donne, se davvero lo desiderano, possono con il tempo riuscire ad acquisire questa capacità, ma sono poche quelle che nascono con quest'energia e questo potere. Madre Natura è stata generosa con te. Se vuoi noi guaritori possiamo insegnarti a usarlo; ma se preferisci, io posso restituire al tuo corpo la cosiddetta "normalità" e annullare questo potere.»

«Sì, la prego. Non voglio più vedere certe cose. Basta!» ribadì. «Voglio tornare a essere normale.» Le lacrime continuavano a rigarle il volto.

«D'accordo. Ma devi sapere che non sei pazza, che non lo sei mai stata. Si tratta semplicemente di uno stato mentale, dell'effetto provocato dal potere che possiedi. Ma se vuoi ritornare com'eri prima, io ti curerò» le disse il vecchio guardandola con compassione.

«Faccia tutto ciò che è necessario, ma io voglio essere come prima.» La sua era una supplica disperata.

Il curandero cercò ancora di dissuaderla: «La natura ti ha regalato un dono e tu, anziché essergliene grata e imparare a usarlo, preferisci sprecarlo. Ma, in fondo, è sempre così: a volte questo potere giunge a chi meno lo desidera. D'accordo... Ti spiegherò cosa dovrò fare».

Quando madre e figlia se ne andarono, Anselmo si mise a riflettere sul potere che si era risvegliato nella giovane. Grazie a un fulmine un essere umano, uomo o donna che fosse, poteva ricevere in dono, direttamente dagli *Apukuna*, i grandi spiriti della luce, capacità sorprendenti. Nel caso di Kantu, il fulmine non l'aveva colpita direttamente, ma era stato sufficiente a risvegliare in lei un potere che possedeva già.

"Questa giovane non conosce il suo potere e quanto le

potrebbe essere utile per aiutare gli altri" pensò rattristato mentre preparava il suo pranzo nella piccola capanna che gli serviva al tempo stesso da cucina, soggiorno e stanza da letto. La pentola di terracotta emise un sibilo indicando che l'acqua stava cominciando a bollire. Versò nel liquido bollente alcune patate, un pezzo di carne secca e farina di grano. Continuò a rimestare con un mestolo di legno, fino a quando il composto non si addensò.

Mentre mangiava continuava a pensare ai "colpiti dai fulmini", ai famosi *Alto Misayoq*[8]. In città chiamavano così i *Paqos*, coloro che, dopo essere stati colpiti da un fulmine, divenivano sacerdoti guaritori. Secondo la tradizione, ricevevano tre scariche successive: la prima li uccideva, la seconda disintegrava il loro corpo in piccole parti e la terza lo ricomponeva nella sua forma originaria. Quando rinvenivano, si ritrovavano sempre piuttosto lontano dal luogo nel quale erano nel momento in cui il fulmine li aveva colpiti e avevano sempre una ferita a forma di croce. Accanto a loro giaceva una pietra dalla forma bizzarra, a strisce rosse, la *Qhaqya Mesa*[9]. Ogni striscia rappresentava la protezione di uno spirito della luce. Colui che veniva prescelto da dieci *Apukuna* era considerato particolarmente potente, fosse egli un *Paqo* o un *Kallpaq*[10], e godeva della loro protezione per tre o più anni, periodo al termine del quale perdeva il potere concessogli.

Nei giorni successivi all'incontro con il curandero, Kantu si sottopose a una serie di trattamenti che comprendevano

8 Oggigiorno con questo nome si indica la più alta gerarchia dei medici sacerdoti del Perú meridionale.

9 Meteorite, quarzo che si ritrova vicino a coloro che sono stati colpiti da un fulmine.

10 Curandero che entra in contatto con le energie vitali della Natura.

massaggi, una dieta particolare, alcuni esercizi che doveva eseguire in casa e l'assunzione di alcune erbe medicinali a ore determinate. In breve, le visioni che tanto la infastidivano sparirono. Ritornò a essere la ragazza di un tempo e riprese le sue consuete attività quotidiane.

Conoscere Anselmo era stata per Kantu un'esperienza completamente nuova. Per la prima volta in vita sua aveva compreso che esistevano modi diversi di affrontare i problemi: da una parte, la medicina tradizionale esercitata da medici e specialisti, dall'altra, la medicina popolare esercitata da guaritori che ricorrevano a pratiche e tradizioni che si tramandavano di generazione in generazione. Anselmo, nel frattempo, aveva conquistato la sua fiducia; era riuscito a dimostrarle con fatti concreti di essere un curandero e non un impostore, come lei aveva creduto all'inizio. Egli le aveva dimostrato la sua straordinaria capacità di comprendere cose e persone e la sua profonda conoscenza tanto della psicologia maschile che di quella femminile, che superava di gran lunga quella di tante persone colte. Tra i due nacque una sincera amicizia e la ragazza capì che, grazie a lui, sarebbe riuscita a comprendere molte cose che ancora la inquietavano.

Kantu voleva capire come era avvenuta la sua guarigione e comprendere la natura di quei poteri che possedeva per il semplice fatto di essere stata colpita da un fulmine. Un giorno domandò ad Anselmo: «Come può una persona cambiare tanto dopo essere stata colpita da un fulmine?».

L'uomo le sorrise: «Piccola, la Natura concede a tutti gli esseri umani grandi poteri ma, di solito, rimangono come addormentati dentro di noi. La vita che conduciamo, tutto ciò che facciamo, pensiamo o sentiamo fanno in modo che, poco a poco, i canali che ci permettono di comunicare con la Natura, si chiudano. Di solito, sono le donne, esseri più spirituali e meno materialisti degli uomini, ad accostarsi più facilmente a questi poteri. Come tutte le donne, anche tu possiedi questi poteri assopiti dentro di te. Uno di essi si era risvegliato grazie al fulmine che ha colpito il tuo corpo. Se ti avesse colpita in pieno saresti morta; sei viva perché ti ha solo sfiorato. La sua potenza aveva modificato il tuo essere; aveva aperto i canali che scorrono dentro di te e che io ho dovuto richiudere per poterti guarire».

Kantu guardò lontano, al sole che tramontava dietro le alte montagne. Le parole di Anselmo riecheggiavano in lei. Fu l'uomo a spezzare il silenzio dicendole dolcemente: «Piccola, è ora di tornare a casa. Sta scendendo la notte e presto comincerà anche a fare freddo».

Ma prima che Kantu se ne andasse, aggiunse: «Tu eri dotata di una capacità, di un dono che si era risvegliato in te e che avresti potuto usare. Tu possiedi una grande forza interiore che potresti utilizzare a beneficio tuo e degli altri. Se vuoi, lo puoi ancora fare».

Kantu pensò che era superfluo continuare a parlarne. La capacità di predire il futuro le aveva creato troppi problemi. E si accomiatò: «Anselmo, devo proprio andare. Buona notte». E s'incamminò velocemente verso l'uscita.

Era una bella serata. Guardò il sole sulla linea dell'orizzonte. Davanti a lei si apriva un magnifico spettacolo: il disco dorato si era fatto color vermiglio e tutto il cielo si era tinto di rosso, incorniciato soltanto dalle alte montagne grigie che proiettavano tutt'intorno enormi ombre, mentre le nuvole cambiavano continuamente colore.

Mentre contemplava quel magnifico panorama, nelle orecchie di Kantu riecheggiavano le parole di Anselmo: «Possiedi un potere che potrai usare solo quando tu lo vorrai».

# 2
# PER AMORE SI PUÒ PERDERE LA RAGIONE

Nelle sue successive visite al curandero, Kantu evitò di parlare della sua guarigione o dei suoi poteri di veggente: non gli faceva domande e cercava di non sfiorare nemmeno l'argomento. Un giorno si recò da Anselmo per interrogarlo sul suo futuro. Aveva conosciuto un giovane ingegnere che ultimamente stava frequentando. Sognava di sposarsi con lui, ma c'era qualcosa che la inquietava e spesso si ritrovava a chiedersi: "Riuscirò mai a diventare sua moglie?".

I suoi dubbi nascevano dal fatto che lei era un'india, mentre lui era un bianco. Nella città in cui vivevano la discriminazione razziale, con i problemi economici, politici, ma soprattutto sociali che inevitabilmente porta con sé, era ancora ben radicata e forse i genitori di lui non avrebbero mai accettato un tale matrimonio. Ma sarebbe stata davvero felice con lui? Quando avrebbe chiesto la sua mano? Avrebbero avuto dei figli? Voleva delle risposte a tutte le domande che l'assillavano e sapeva che Anselmo avrebbe potuto dargliele. Le aveva dimostrato di essere in grado di predire il futuro sin dal giorno in cui l'aveva guarita, e aveva avuto modo di sperimentare questa sua capacità nelle visite successive. Anche gli abitanti del paese credevano ciecamente nelle sue capacità e ripetevano: «Anselmo vede tutto con estrema chiarezza; nulla sfugge al suo sguardo quando legge le foglie di coca» perché, oltre a essere un curandero, era un veggente.

Quel pomeriggio Kantu gli avrebbe chiesto di leggerle il futuro: desiderava sapere sopra ogni cosa se la sua vita si sarebbe unita a quella dell'uomo al quale si era donata completamente e del quale era perdutamente innamorata.

Lungo la strada che portava alla casa di Anselmo, la sua mente la riportò al momento in cui aveva conosciuto Juan.

A quei tempi era praticamente fidanzata con Lucho, un giovane profondamente innamorato di lei che, con insistenza, le chiedeva: «Kantu, quando ci sposiamo?». Lei provava per Lucho l'amore che si sente per un amico o un fratello ma, certamente, non aveva mai pensato a lui come al compagno con cui trascorrere tutta una vita.

Tutto era accaduto improvvisamente mentre lei e Lucho ballavano in una festa organizzata da un'associazione culturale. Lei si accorse che qualcuno la guardava con insistenza. Cercò di vedere chi era. Davanti a lei stava uno sconosciuto dallo sguardo penetrante, deciso, senza incertezze. Per un attimo che parve lunghissimo i loro occhi si incontrarono e restarono fissi gli uni negli altri. Un brivido gelido la percorse. C'era qualcosa di fatato, di magico in quell'uomo. Rabbrividì non riuscendo a sottrarsi a quello sguardo ammaliatore, continuò a guardarlo come se la sua anima ne fosse ormai ineluttabilmente attratta. Era riuscita a rientrare in sé solo nel momento in cui un'amica che le stava ballando accanto l'aveva urtata con il gomito: «Kantu, che ti prende? Sembri incantata. Non è che ti piace quel tipo, per caso?».

Lei non aveva detto nulla, ma i suoi occhi luccicanti lasciavano trasparire il fascino che Juan era riuscito a esercitare su di lei. Non appena la musica si era fermata, c'erano state le presentazioni. Li aveva presentati il suo fidanzato Lucho che era anche amico di Juan: «Juan, ti presento Kantu, la mia fidanzata» gli aveva detto Lucho.

Nel corso della serata, Juan l'aveva invitata a ballare diverse volte coprendola di lusinghe: «Balli magnificamente. Sei un'autentica ballerina. I tuoi movimenti sono perfetti» le aveva detto. «Come mi piacerebbe avere un'amica come te.»

Quando lui l'aveva guardata con dolcezza lei era arrossita: non aveva mai provato nulla di simile. Le era sembrato di galleggiare sulle nuvole o di muoversi in un mondo incantato. Il suo cuore batteva all'impazzata come se avesse voluto uscire dal petto. Juan si era subito accorto dell'effetto che aveva avuto su di lei.

«Potrei essere tua amica o anche qualcosa di più» gli aveva risposto lei, profondamente sorpresa dalle sue stesse parole.

Quell'audacia era piuttosto insolita in lei ma, in quel momento, era stato il suo cuore e non la sua mente a parlare. Una strana sensazione l'aveva invasa: quell'uomo le aveva fatto perdere la testa facendole dimenticare tutti gli altri, anche Lucho.

Juan, ormai certo d'averla sedotta, le aveva sussurrato dolcemente all'orecchio: «Che ne diresti di uscire a prendere un po' d'aria? Fa molto caldo qui dentro».

Lei lo aveva seguito, senza dire nulla. In quella gelida notte si erano incamminati verso un parco vicino. Lì, alla luce di una luna piena, che in quel momento era sembrata loro ancora più grande, si erano guardati. Uno strano bagliore era apparso nei loro occhi. La luce della luna riflessa sul suo viso aveva rivelato tutta l'arrendevolezza, tutta la sua bellezza di donna innamorata. Per un istante si era sentita smarrita. Juan, guardandola teneramente, le aveva teso le braccia e lei si era stretta a lui. Lui l'aveva baciata teneramente prima sulla guancia e poi sulla fronte; lei si era sorpresa della passione con la quale aveva risposto a quei baci. Si erano guardati negli occhi e le loro labbra si erano unite in un bacio appassionato. Si erano baciati come se si fossero conosciuti e amati da sempre. Completamente inebriata aveva premuto il suo corpo contro quello di lui. Il fuoco della passione aveva completamente travolto tutti i loro sensi. Non appena si erano resi conto di ciò che stava accadendo, si erano subito staccati.

«Dobbiamo tornare dai nostri amici ma, prima, devo confessarti che la tua bellezza mi ha fatto perdere completamente la testa» le aveva sussurrato Juan con un sorriso.

«Anch'io mi sento sconvolta vicino a te. Ma, per favore, prima di rientrare e di lasciarci, abbracciami un'altra volta» lo aveva implorato lei, con gli occhi colmi d'emozione.

Juan non si era fatto pregare e, avvicinandosi nuovamente, l'aveva stretta fra le braccia e baciata ancora. Lei aveva sperato che quel momento non terminasse e il tempo si fermasse per sempre. Juan l'aveva scostata un poco da sé per guardarla quindi, con voce profonda e commossa, le aveva sussurrato: «Kantu, ti desidero tantissimo. Vorrei stare con te, tenerti stretta a me. Conoscerti mi ha sconvolto».

«E tu hai sconvolto me. La mia mente è impazzita: non riesco a pensare, non riesco a fare altro che seguire ciò che sento» aveva risposto, stringendosi a lui, cercando le sue labbra mentre provava emozioni fino a quel momento sconosciute.

Cercando di evitare che la situazione si complicasse ulteriormente, Juan le aveva chiesto: «Non credi che stiamo facendo qualcosa di cui poi potremmo pentirci?».

«No» rispose lei. «Sei l'uomo che tutte sognano d'incontrare, un uomo per cui si farebbe qualsiasi cosa. Juan, non l'ho mai detto a nessuno, ma con te mi riesce tutto così naturale: io... ti amo. È qualcosa che non posso controllare.»

Lui, allora, era indietreggiato un po' e, guardandola seriamente negli occhi, aveva esclamato: «Dobbiamo rientrare».

«Hai ragione, Juan. So che devo tornare dal mio fidanzato, ma c'è qualcosa che me lo impedisce. Le mie gambe non obbediscono. Davvero vuoi rientrare?» gli aveva chiesto con gli occhi lucidi, guardandolo come se lo volesse attirare dentro di sé.

«Per l'amor di Dio, Kantu. Non precipitiamo le cose, andiamo» le aveva risposto lui, cercando di capire se davvero lei era così presa dal sentimento.

«Juan, non allontanarmi da te. Voglio restare con te» lo aveva implorato.

Lui l'aveva guardata cercando di dare il giusto peso alle sue parole, cercando di capire cosa stava realmente accadendo e, infine, le aveva risposto: «E va bene. Per colpa della tua follia probabilmente perderò un amico, ma come posso dirti di no». E, stringendola nuovamente a sé: «Andiamocene prima che me ne penta. Sono confuso. Stavo cercando di evitare qualcosa che sicuramente rovinerà la mia amicizia con Lucho e farà soffrire anche te. Ma sei riuscita ad annientare anche quella poca volontà che ancora mi restava».

Stretti in un abbraccio, si erano allontanati lungo le vie deserte. Lui l'aveva coperta di baci che lei aveva ricambiato con passione.

Quante volte nel suo cuore aveva vissuto quella situazione! Il suo primo incontro con l'amore. Non si era soffermata a pensare che ciò che stava accadendo non era un sogno; qualcosa, dentro di lei, spingeva per venire a galla. Per un momento aveva desiderato sfuggire a quel cerchio che le si stava stringendo attorno; un cerchio dolce e pericoloso. Si era sentita come un uccellino ammaliato dal serpente che, pur sapendo che finirà con l'esserne divorato, anziché eluderlo gli si fa incontro.

«Vuoi che andiamo in un posto dove potremo stare insieme?»

Lei aveva accettato con assoluta naturalezza. Juan l'aveva condotta verso una casa e, nell'aprire la porta, le aveva detto: «Io vivo qui».

Erano entrati: la sua casa era vecchia, all'antica e piuttosto disordinata. Lei aveva esitato quando si era resa conto che Juan, invece di invitarla a rimanere nella sala, la conduceva verso la camera da letto. Si era fermata di colpo davanti alla porta. Juan aveva compreso le sue paure, era tornato verso di lei e l'aveva baciata appassionatamente. Il suo sguardo dolce e profondo l'aveva commossa, sciogliendo ogni suo dubbio, ogni sua resistenza. Juan l'aveva guidata verso il letto.

Lei provava vergogna: non aveva mai fatto l'amore. Gli rivolse un timido sorriso mentre confessava: «Sono felice di essere qui, ma ho paura».

«Hai paura che ti faccia del male?» le aveva chiesto guardandola con un sorriso più simile a quello di un ragazzino che di un adulto.

«Non lo so... è la prima volta che...» Aveva alzato lo sguardo su di lui: «A star qui, così come siamo adesso».

«Oh, Kantu.» Le aveva sorriso gentilmente, l'aveva accarezzata teneramente, sussurrandole: «Io ti voglio bene, sei un tesoro, ti amo».

Per un attimo che era parso interminabile erano rimasti in silenzio: poi lui aveva fatto due passi avanti e stringendola a sé l'aveva baciata con tutta la tenerezza e la passione di cui era capace. Kantu aveva sentito il suo calore e il suo profumo e, per ragioni che non avrebbe saputo spiegare, non aveva respinto quell'abbraccio, anzi si era stretta a lui e si era resa conto che le sue labbra rispondevano con passione al suo bacio. Le era parso che passassero ore prima che Juan si staccasse da lei.

«Ti desidero Kantu, lo so che hai paura, ma ti amo, davvero.» Juan continuava a sorriderle mentre le sbottonava la camicia. Le sue mani si muovevano lentamente sulle sue spalle. Lei si era lasciata sfuggire un gemito lieve: «Juan... per favore... io...».

Lui l'aveva stretta ancora di più a sé avvertendo la passione che divampava in lei, lei aveva appoggiato la testa contro il petto di lui, senza più opporsi a quelle carezze sensuali.

«Dove sei stata per tutta la vita Kantu?» le sussurrava mentre prendeva il suo viso fra le mani e continuava a fissarla in silenzio. Come risposta lei lo aveva stretto come se volesse legarlo a sé per l'eternità.

Tra baci e abbracci Juan continuava a ripeterle: «Kantu, Kantu, ti desidero tanto».

Erano scivolati sul letto, Juan le aveva accarezzato le mani, l'aveva baciata teneramente sul viso e, delicatamente l'aveva spogliata. La sua pelle era morbida e vellutata. Aveva respirato il suo profumo. Si era scostato un po' per contemplare la sua bellezza. Il colore della sua pelle color rame e brillante contrastava con quello abbronzato della pelle di lui. Gli occhi di Juan avevano percorso tutto il suo corpo, le sue forme armoniose. Poi si erano abbracciati, accarezzati, baciati appassionatamente.

Lei era sicura di amarlo, il loro era davvero un amore a prima vista. Le parole d'amore appena percettibili sussurrate da Juan le erano parse una musica dolcissima che le aveva procurato un piacere immenso.

Il suo cuore batteva sempre più forte: tutto era stato molto più bello di quanto non avesse mai immaginato. Il contatto con quella pelle forte, vigorosa ma, allo stesso tempo delicata e morbida l'aveva completamente soggiogata.

L'impulso di scappare via che aveva avvertito inizialmente era svanito; qualcosa dentro di lei era cambiato e si era abbandonata completamente. Si era sentita come un'offerta sull'altare dell'amore; stesa al fianco di quell'uomo, con gli occhi raggianti e le labbra schiuse, aveva sentito affiorare le grida, i gesti ancestrali che accompagnano l'amore profondo fra uomo e donna.

Le carezze, i baci di Juan l'avevano inebriata trascinandola poco a poco in un mondo magico, incantato: aveva vissuto momenti di immensa felicità.

Juan si era sdraiato sopra di lei e le aveva cinto le spalle con un braccio; lei aveva avvertito la forza pacata del suo corpo e il caldo tocco della sua mano. Quando aveva sentito il ginocchio di lui premerle sulle gambe, aveva ripensato che quella era la sua prima volta... Juan aveva visto una lacrima scivolarle lenta sulla guancia.

«Sei triste amore?» la sua voce era tenera e profonda.

«Non è tristezza, ma felicità per essere con te, adesso.» Lo aveva guardato, prima di aggiungere: «Forse penserai che sono una donna libera, spregiudicata, ma io sono vergine».

Juan si era fermato, non aveva detto nulla. Era stata lei a rompere quel silenzio per chiedergli: «Ti inibisce il fatto che sia ancora vergine?».

«No, no. Ma forse, la prima volta ti farà un po' male. Cercherò di essere attento» aveva risposto baciandola ancora.

Era stato così che Juan aveva fatto l'amore con lei, con tutta la tenerezza, la capacità, la cautela di un uomo esperto e aveva saputo rendere bellissimo quel momento.

Nel momento culminante lei si era stretta con forza a Juan e si era sentita completamente felice di sentirsi sua, di appartenergli. Quando era giunta al culmine della passione si era sentita la donna più fortunata, più importante dell'universo, le era sembrato che tutto il mondo ruotasse attorno a lei.

Quel suo primo incontro con Juan le aveva fatto provare un sentimento nuovo, un piacere indescrivibile. In quella notte d'amore Juan aveva saputo toccare le corde più intime del suo essere e aveva fatto di lei una donna innamorata, folle di passione. E aveva continuato a sussurrarle: «Vita mia, amore mio, sei la più bella del mondo. Ti amo con tutto il cuore. Sono pazzo di te».

«Stringimi forte a te» lo aveva supplicato. «Oh, Juan, quanto ti amo, ti amo, ti amo follemente.»

«E io ti adoro! Passerei tutta la notte a dirti quanto sei bella, quanto sei meravigliosa» le aveva detto lui accarezzandole i capelli. Quella notte entrambi avevano offerto la loro passione sull'altare dell'amore!

Alla fine, si erano sentiti stanchi, svuotati; l'uno accanto all'altra, i corpi intrecciati, Juan le aveva sussurrato: «Credo che dovremmo dormire un po'...».

«Mi piacerebbe! Non vorrei proprio dovermi separare da te, ma devo andare. In casa si preoccuperanno se non rientro questa sera» gli aveva risposto, rivestendosi in fretta.

Dispiaciuto, anche Juan si era vestito per riaccompagnarla a casa. Ma fuori faceva molto freddo e lui aveva insistito ancora: «Amore mio, ti prego, rimani. Voglio svegliarmi con te fra le mie braccia».

Lei lo aveva baciato sulla fronte e posandogli un dito sulle labbra gli aveva detto: «Sarà per un'altra volta, Juan; questa notte devo tornare a casa».

Mai si era sentita così vicina a un uomo. Si era sempre chiesta come sarebbe stato il primo incontro con l'amore e, quando finalmente era successo, aveva scoperto che l'amore era qualcosa di fondamentale, era la sua unica ragione di vita.

Avevano preso un taxi che in pochi minuti li aveva condotti fino alla casa di Kantu. Lei viveva in una costruzione moderna a due piani, dipinta di verde e dalle ampie finestre. Appena arrivati aveva estratto le chiavi dalla borsetta e si era incamminata verso una delle porte laterali.

«Io vivo qui... Spero di rivederti domani, spero di vederti tutti i giorni», l'aveva baciato a lungo, poi si era divincolata dalle sue braccia. Aveva aperto silenziosamente la porta ed era scivolata fino in camera sua. In quella fredda notte aveva sentito abbaiare dei cani, mentre il suo amato fermava un altro taxi.

Una volta a casa, Juan si era rimesso a letto senza nemmeno spogliarsi: era troppo eccitato. Si era messo a pensare a quanto era accaduto poc'anzi, aveva rievocato ogni parola, ogni gesto, ogni movimento. Com'era successo? In fin dei conti lui non aveva fatto nessun piano per quella serata e non si era certo immaginato che avrebbe vissuto un'esperienza simile. Kantu aveva un bel corpo ed era la donna più tenera, bella e desiderabile con la quale fosse mai stato. Sulla scia del ricordo di quei momenti meravigliosi era caduto in un sonno profondo dal quale si era risvegliato quando il sole era ormai alto.

Quello fu il loro primo incontro al quale ne seguirono molti altri. Il fuoco della loro passione straripò come la lava di un vulcano in eruzione. Nella mente di Kantu c'era solo Juan, colui che le aveva fatto provare le gioie dell'amore, colui con il quale aveva sperimentato le sensazioni più piacevoli. Finalmente aveva imparato cos'era l'amore: non era più la ragazzina di un tempo, ora si sentiva una vera donna.

Kantu, desiderosa di trascorrere la vita al fianco di Juan, pensava che la cosa più ovvia sarebbe stata quella di sposarsi.

«Juan, è già molto che stiamo insieme e mi piacerebbe che fosse così per sempre. Mi piacerebbe che ufficializzassimo la nostra unione» gli aveva confessato un giorno.

Nell'udire quelle parole, colto di sorpresa, lui si era irrigidito. Solo dopo qualche istante, le aveva risposto con un sorriso: «Non pensiamoci, per il momento. Godiamoci il nostro amore. Conosciamoci meglio e poi... ne riparleremo».

Erano passate diverse settimane da allora e lei era impaziente: voleva sposarsi al più presto.

Quel giorno, non appena giunse in casa di Anselmo, gli disse, porgendogli le foglie di coca: «Ti prego, leggimi la sorte. Voglio sapere che cosa mi riserva il futuro e, soprattutto, se mi sposerò con l'uomo che amo».

L'anziano osservò la ragazza e dai suoi occhi capì quanto fosse innamorata.

«Vediamo cosa ci dicono le foglie di coca» le rispose sorridendo.

Con calma e sicurezza compì quei gesti che Kantu ormai ben conosceva e che gli permettevano di stabilire un contatto con le forze misteriose della natura. Non era certo un caso se tutti lo consideravano un grande veggente; la sua straordinaria capacità di viaggiare attraverso il tempo e di conoscere il passato, il presente e il futuro era nota in tutto il paese.

«Da quello che vedo, non mi pare che il matrimonio sia vicino» le disse. «Ma, se davvero vuoi sposarti con lui, ce la farai. Sii decisa! Se tu davvero lo vuoi con tutte le tue forze riuscirai a indurlo a chiedere la tua mano. Tu possiedi una forza interiore, un potere tale che ti permetterà di fare tuo questo o qualsiasi altro uomo tu scelga.»

«E cosa devo fare per riuscirci?» chiese lei ansiosamente.

Il curandero la fissò con lo sguardo di un padre che consiglia la figlia smarrita.

«Figlia mia, nei tuoi occhi vedo una parte della tua forza ma, tutto il resto, è imprigionato nel tuo corpo: usala e vincerai. Solo così potrai avere l'uomo che ami. Fra una settimana ci sarà la luna piena. Gli chiederai di accompagnarti a fare una passeggiata e lo condurrai in un posto tranquillo nel quale potrete star soli, senza correre il rischio di essere disturbati. Non appena vedrai spuntare la luna, grande e luminosa, che si farà sempre più piccola mano a mano che si alzerà al di sopra delle montagne, la fisserai intensamente con gli occhi spalancati. Inspirerai profondamente e tratterrai il fiato per qualche istante, quindi, volgerai i tuoi occhi verso quelli del tuo amante e fissandolo, gli ripeterai mentalmente, facendo scaturire con forza quelle parole dalla parte più profonda del tuo essere: "Tu sarai mio, sarai il mio sposo". Una volta fatto ciò lui ti amerà ancora di più, ti cercherà e ti chiederà di sposarlo. Tu dovrai fingere di doverci pensare un po' ma, se dovessi vedere che lui insiste e tu dovessi essere davvero sicura di volerlo, be', allora accetta immediatamente.»

La voce di Anselmo era tranquilla, rassicurante, ma lei si sentiva incerta, insicura di se stessa e gli chiese sorridendo: «Ma davvero è così semplice? E se non succederà quello che dici?».

«Succederà. Devi aver fiducia nel potere che possiedi. È questo potere che ti distingue da tutte le altre donne» le garantì il curandero, rimettendo in una piccola borsa le foglie di coca usate per la lettura.

«E in base a cosa lo sostieni? Come fai a sapere che possiedo dei poteri?» lo interrogò lei.

«Lo seppi fin dal primo momento in cui entrasti in casa mia, la prima volta» le rispose sorridendo con benevolenza. «Capii che possiedi un potere dal tuo modo di guardare: hai lo sguardo tipico delle *Akllakuna*.»

«E chi sono? Di che donne mi stai parlando?» chiese Kantu sorpresa.

«Uhm...» fece lui evasivo, come chi non vuole entrare in particolari, cercando di porre fine all'incontro. «Ora non ho tempo di spiegarti. Devo andare a lavorare. È tardi. Forse un giorno ne riparleremo.»

Anziché denaro Kantu gli lasciò dei viveri come ricompensa e se ne andò quasi a malincuore. Strada facendo si chiese se il piano di Anselmo avrebbe mai potuto avere qualche effetto sul suo fidanzato: "Staremo a vedere " si diceva. "Forse non sarà poi così facile."

A passi svelti si diresse verso la casa dei suoi genitori, situata ai piedi di una collina. Lì vivevano i suoi genitori al momento della sua nascita. Sebbene qualche tempo dopo si fossero trasferiti nella città di Cuzco, conservavano ancora quella casa a Coporaque, un paesino di un migliaio di abitanti, ricco di appezzamenti terrazzati coltivati a mais, patate, quinoa, eredità incas, nonché orzo e grano che, invece, erano stati introdotti dagli spagnoli.

Per strada incrociò diversi contadini indios, avvolti nei loro variopinti abiti, che la salutarono affettuosamente. Essendo figlia di un membro della comunità, spiritualmente era considerata la figlia di tutti. Lì era amata non solo per il fatto di essere un bel fiore della comunità, ma anche per il profondo rispetto e affetto che tutti provavano per suo padre. José Quispe era riuscito a farsi apprezzare per il suo modo di fare cordiale e generoso e per la sua grande disponibilità. Questi contadini spesso le si rivolgevano in quechua e lei si limitava a rispondere loro con un tenero sorriso poiché, nella città nella quale si erano trasferiti, era solita parlare in castigliano.

Sebbene fosse molto bella, lei era un'india ed era un po' imbarazzata dal fatto che il suo innamorato fosse un bianco e per di più desiderato da altre donne, che facevano a gara per conquistarlo. "Staremo a vedere se Anselmo dice il vero. Io mi sposerò con Juan anche se la sua famiglia si dovesse opporre o non mi dovesse accettare", diceva fra sé mentre si avvicinava alla sua casa che faceva parte di un gruppo di costruzioni che sorgevano alle pendici di una montagna, costellata da piccoli arbusti che da lontano parevano capelli spettinati.

In paese vi erano eucalipti, pini e cipressi che qualcuno aveva portato fin lì dalla città. Ai lati di quella di Kantu s'innalzavano altre case dai tetti di zinco, di paglia o di tegole e dalle pareti color mattone, costruite in pietra o mattone crudo, sebbene qualcuna, specie quelle a due piani, fosse stata dipinta di bianco. Nel centro si ergeva la chiesa cattolica, l'edificio più alto del paese. Era affiancata da due torri quadrate dal tetto spiovente che terminavano con un lucernario coperto da lamiere di zinco. Le strade del paese, sempre dissestate, erano coperte di polvere durante i periodi secchi, pericolose e sdrucciolevoli in quelli di pioggia.

Coporaque si trovava a tremilaseicento metri di altitudine ed era bagnata da un ruscello sulle cui sponde cresceva una vegetazione assai povera, tipica di quelle zone. La maggior parte dei suoi abitanti discendeva dai famosi Incas, i fondatori dell'Impero dell'Oro e dell'Argento.

Guardare i visi rassegnati di quegli indigeni che si muovevano nei loro umili e grezzi abiti di lana di pecora, lama o alpaca, era come guardare in faccia il passato e la povertà. Gli uomini vestivano per lo più di nero, blu, grigio chiaro o beige. Portavano cappelli o *chullos* adornati da frange e fettucce. Le donne, invece, indossavano abiti dai colori più vivaci e abbellivano le loro coperte con frange e le camicie e i cappelli con nastri variopinti oppure fiori.

Conducevano una vita semplice. Le loro povere case, dai tetti cadenti, erano maltenute, senza acqua né luce e avevano pochi abiti con i quali coprirsi. Sopravvivevano a stento, cibandosi di quinoa, grano, orzo, mais e patate che coltivavano con immani sforzi e mezzi rudimentali. Erano disorganizzati e incolti, rassegnati alla loro sorte. I pochi che avevano deciso di cambiare modo di vivere erano emigrati in città o in zone dal clima più favorevole.

Anche i genitori di Kantu avevano deciso di andarsene.

Di tanto in tanto, quando sentivano il bisogno di scappare dalla frenesia della città, si rifugiavano nella loro casa di paese. Ogni volta che José e sua moglie Manuela tornavano a Coporaque portavano con loro anche i figli ma, nei loro ultimi viaggi, era soprattutto Kantu a dimostrarsi desiderosa di andare con loro. Convinti che li seguisse perché si sentiva a suo agio in seno alla comunità, ignoravano che lei, in realtà, li accompagnava solo per andare da Anselmo che, nel frattempo, era diventato il suo confidente e consigliere.

Quel giorno quando Kantu rientrò, suo padre stava leggendo un vecchio giornale seduto su una panca addossata al muro, mentre sua madre era in cucina intenta a preparare il pranzo. Kantu si avvicinò a suo padre sedendoglisi accanto; lui, allora, richiuse il giornale e le chiese: «Figliola mia, ma dov'eri finita? Sei via da due ore!».

«Non esagerare, papi. Sono stata via soltanto un'ora. Ho passeggiato un po' per il paese», mentì lei cercando di riordinare i suoi pensieri.

«C'è qualcosa che turba la tua bella testolina, colombina mia?» le chiese sorridente.

«A dire il vero, sì. Sto pensando che sia giunto il momento di farmi una mia famiglia, di sposarmi con Juan» gli rispose, mentre il suo sguardo tradiva la sua ansia. «Vorrei avere il tuo permesso e la tua approvazione.»

Il padre rimase sbigottito di fronte a quelle parole che lo coglievano assolutamente impreparato. Superato lo sconcerto iniziale, le chiese preoccupato: «E così, ti vuoi sposare?». Cercava invano di apparire severo ma amava così tanto quella ragazza! «Sei ancora così giovane, non hai ancora terminato gli studi e ti vuoi già sposare. Perché tanta fretta? Finisci di studiare, prima, laureati.»

Kantu era al quarto anno di Pedagogia e se avesse finito gli studi sarebbe diventata un'insegnante.

«Papà, per favore, non sono più una bambina» disse lei arrossendo e nascondendo gli occhi per non mostrare quanto fosse innamorata. «Ho compiuto ventun anni già da un po'. E se non mi sposo entro i venticinque sarò una zitellona isterica oltre che un grande peso per te.»

A quell'osservazione l'uomo rise e aggiunse: «Figlia mia, tu non resterai mai una zitella. Ho visto, sai, come ti guardano i ragazzi».

Lei sorrise; amava molto suo padre, quell'uomo allegro, sempre con il sorriso sulle labbra. Da quando vivevano a Cuzco aveva sempre lavorato sodo per poter dare a lei e ai suoi fratelli una buona educazione. Di giorno faceva le pulizie in un ufficio del governo e di notte era la guardia della scuola serale nella quale aveva imparato a leggere e a scrivere. Per arrotondare lo stipendio, i fine settimana lavorava in un piccolo appezzamento fuori città dove coltivava la verdura per tutta la famiglia. Aveva faticato per molti anni, ma lo aveva fatto volentieri perché sperava che i suoi figli avessero un'esistenza migliore della sua.

«Paparino, non ti preoccupare, terminerò gli studi. Mi laureerò dopo essermi sposata: te lo prometto. Studierò sodo» gli garantì Kantu.

Il padre, scrollando la testa, ribadì con tono triste: «Figliola, i miei occhi hanno già visto molte situazioni simili e le mie orecchie hanno udito tante volte storie come questa. Se ti sposi, presto avrai dei figli; dovrai badare a loro e a tuo marito e finirai con l'abbandonare lo studio. Dammi retta, figlia mia. Prima finisci di studiare e poi, una volta laureata, ti potrai sposare con chi vorrai. E poi, se questo ragazzo ti ama davvero, ti saprà aspettare».

Ma Kantu, che non si rassegnava e che non voleva saperne di aspettare ancora, aggiunse quasi con rabbia: «Papà, per favore, finiremo col litigare. Voglio sposarmi con lui, e tu mi neghi la tua approvazione. Io te l'ho chiesta, io ho fatto ciò che era mio dovere fare» e, così dicendo, si precipitò fuori dalla stanza.

Il padre rimase seduto a capo chino, ferito da quell'atteggiamento così scortese. L'aveva vista poche volte comportarsi così. Forse stava solo vivendo un momento particolarmente difficile. Glielo leggeva negli occhi e lo percepiva dalle sue parole: Kantu era profondamente innamorata di Juan Camargo. Per questo gli aveva chiesto il permesso di sposarlo, ma non aveva affatto bisogno del suo consenso: era un'adulta, ormai, sebbene dipendesse ancora economicamente da lui.

Juan era un ragazzo di razza bianca, alto, piuttosto magro, con la barba e i capelli castani, il naso lungo e sottile, le sopracciglia ben disegnate e le labbra carnose. Aveva uno sguardo attraente, da divo del cinema e riusciva con una certa facilità a far sussultare qualsiasi donna. Il suo corpo era muscoloso, i suoi movimenti agili. Aveva un modo di fare fiero e battagliero e vestiva con eleganza. Evitava sempre d'incontrare José; e non aveva in nessun modo cercato di conquistarsi la sua amicizia. Nonostante fosse un bravo ragazzo, c'era in lui qualcosa che non lo convinceva. E se Juan avesse desiderato Kantu solo per divertirsi e poi abbandonarla? I bianchi avevano quest'abitudine... Lui sperava che, con il tempo, una volta che la febbre d'amore si fosse placata, sua figlia si sarebbe ravveduta.

José era compiaciuto della bellezza di sua figlia: "La *Pachamama* è stata generosa con lei" si diceva. E oltre a essere bella, aveva anche un carattere dolce e affettuoso ed era sempre allegra. Nei momenti in cui si sentiva stanco era lei quella che gli sussurrava parole dolci, che lo incoraggiava... Kantu nutriva un gran rispetto per gli altri e le esperienze nuove non la intimorivano. Vestiva con eleganza e avrebbe potuto essere scambiata per una principessa: era un gioiello che non avrebbe voluto donare a Juan.

Lui avrebbe preferito che sua figlia s'innamorasse di Felipe, un giovane professore, un ragazzo per bene, e indio come loro. Juan non era antipatico, ma non era certo una persona piacevole. Le poche volte che era andato a casa loro a prendere Kantu, non aveva dimostrato di provare né affetto né simpatia per lui o per la sua famiglia, si era limitato a una fredda cortesia. Ricordò anche gli sguardi di rabbia e disprezzo che la sorella di Juan rivolgeva a sua figlia e pensò con preoccupazione: "Sarà difficile per Kantu vivere in quell'ambiente. E se Juan venisse a vivere qui con noi, si sentirebbe come un uomo civilizzato che vive in mezzo a un branco di selvaggi, come sono soliti pensare molti bianchi di noi indios".

José amava profondamente sua figlia e, come ogni buon padre, desiderava il meglio per lei. Nel corso degli anni aveva dovuto convivere con la discriminazione razziale in un paese in cui i discendenti degli spagnoli si sentivano superiori per il semplice fatto di essere bianchi e di avere un cognome ispanico. La famiglia di Juan un tempo possedeva vaste miniere e continuava a considerarsi parte dell'élite della società, nonostante le loro ricchezze si fossero notevolmente affievolite.

José, da parte sua, non era più un umile contadino, ma aveva ricevuto una certa istruzione. Il suo modo di vestire era quello tipico della città e, lavorando presso il Ministero, aveva occasione di rapportarsi con gente di ogni categoria. Solo il colore della sua pelle rivelava che era indio.

José aveva preferito non dire nulla alla figlia. Sperava che con il tempo sarebbe tornata a essere la ragazza di sempre.

Sola nella sua camera, Kantu rifletteva. Juan non le aveva ancora chiesto di sposarla, né aveva chiesto la sua mano e lei stava già cercando di ottenere l'approvazione dei suoi genitori. Continuava a ripensare alle parole di Anselmo e attendeva la notte di plenilunio. Le indicazioni su quanto avrebbe dovuto fare quella sera le parevano fin troppo semplici per poter avere un esito favorevole, ma la fiducia che riponeva nel curandero la induceva a credere che avrebbe comunque funzionato.

Era passato molto tempo dal giorno in cui aveva conosciuto Juan e molte cose per lei erano cambiate: Juan era ormai in cima a tutti i suoi pensieri.

Infine il plenilunio tanto atteso arrivò! Era una notte fresca e, da dietro le montagne, si scorgeva appena il bagliore della luna. Kantu e Juan erano seduti sulla panchina di un parco vicino alla casa di lei, al riparo dalla luce dei lampioni. Se ne stavano lì abbracciati stretti, a baciarsi appassionatamente tenendosi per mano. Seguendo i consigli di Anselmo, Kantu aveva scelto un posto dal quale poter vedere nitidamente la luna, che si stava ormai facendo alta in cielo. Con gli occhi spalancati, fissò l'astro notturno. Inspirò a fondo e poi volse lo sguardo verso Juan, ripetendo dentro di sé con tutta la sua forza: "Tu sarai mio, sarai il mio sposo". Gli occhi negli occhi, i due giovani rimasero immobili per alcuni lunghissimi istanti. Fu Juan a interrompere la magia di quel momento sussurrando: «Amore mio, questa notte i tuoi occhi sono più brillanti che mai. C'è stato un momento in cui mi è sembrato che una strana luce uscisse da loro e penetrasse profondamente dentro di me».

«Doveva essere la luce del mio amore», disse lei dolcemente «di tutto l'amore che provo per te, dell'enorme desiderio che ho di vivere per sempre con te.»

«Allora ci dovremmo sposare» rispose Juan emozionato.

Al suono di quelle parole Kantu sussultò di gioia e lo baciò sulle mani, sul volto, mormorando: «Grazie, amore mio.

Mai mi sono sentita più felice e più fortunata. Sarà bellissimo essere tua moglie».

Da quel giorno ebbe inizio il loro fidanzamento. Trascinato da un'emozione che mai aveva conosciuto, Juan si era lasciato trasportare e aveva pronunciato la fatidica parola "matrimonio" e, ormai, era troppo tardi per tirarsi indietro. Kantu aveva accettato, scambiando le sue parole per una dichiarazione formale. Quella donna gli piaceva davvero; era stata per lui come un regalo caduto dal cielo. Non era semplicemente bella: aveva anche una personalità straordinaria, un modo di essere elegante e raffinato ed era molto sensuale. Sapeva donarsi completamente a lui con passione e con amore. Adorava i loro incontri e non voleva per nulla al mondo interromperli. Ma non si sentiva pronto per il matrimonio, il suo era stato un momento di debolezza. Aveva sempre pensato di sposarsi in età piuttosto avanzata: ciò che voleva in quel momento era godersi la vita.

Molto spesso i pensieri degli innamorati corrono su strade parallele, destinate a non incontrarsi mai; entrambi hanno uno scopo nella vita, ma non sempre l'uno coincide con quello dell'altro. Lei lo amava; lui le voleva bene. E amare e voler bene non sono affatto la stessa cosa.

# 3

# NON SEMPRE SI PUÒ

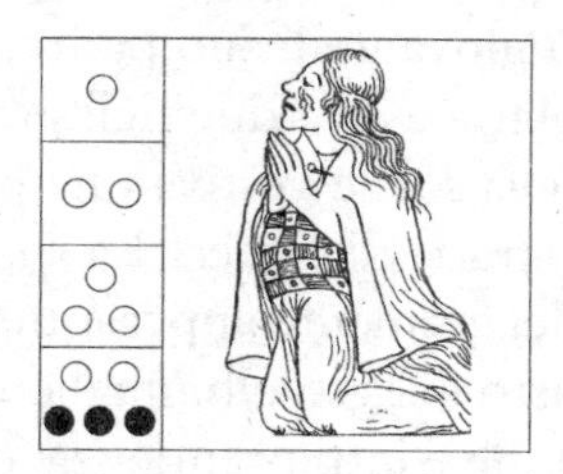

Le case dai tetti rossi di Cuzco apparivano ormai annerite dagli anni e dall'inquinamento atmosferico che, già da qualche tempo, si respirava nella città. Erano ancora poche le persone che a quell'ora si aggiravano per le vie del quartiere di San Blas. Kantu stava andando a lezione all'università, camminando lentamente lungo quelle strade ripide e strette. Era uscita presto perché in casa non era rimasto più nessuno e pensava che, se avesse passeggiato un po' in mezzo alla gente, forse sarebbe riuscita a distrarsi.

Era una mattinata fresca e umida. Uomini, donne e bambini vestiti all'andina o all'occidentale camminavano da una parte all'altra della strada. Kantu avanzava in mezzo alla folla. Quel giorno indossava una giacca turchese, dei blue jeans, un paio di scarpe scure e portava una borsetta a tracolla. I capelli lunghi e folti erano raccolti da un elastico variopinto in una pettinatura che accentuava tutta la bellezza del suo viso. Camminava assorta, pensando agli esami ormai vicini e non si accorse che qualcuno le si era avvicinato: «Kantu, che ti prende? Sei distratta? Ti ho chiamata ma non mi hai nemmeno sentita» le disse una donna toccandole una spalla.

Kantu si voltò e vide con stupore che si trattava di sua zia María, la sorella più giovane di suo padre, di qualche anno più vecchia di lei. María aveva due figli piccoli ed era separata dal marito. Viveva sola e gestiva una piccola bottega di vernici in una delle strade di Cuzco. La sua corporatura, un tempo snella, si era leggermente appesantita con gli anni, ma il carattere era rimasto allegro e battagliero. Proprio grazie alla sua determinazione e intraprendenza, era riuscita a farsi strada nella vita. Vestiva all'europea, con molto gusto. Quel giorno era particolarmente elegante con una giacca lilla, un'ampia gonna nera e un paio di scarpe col tacco.

«Zia María, che bella sorpresa! Che ci fai da queste parti?»

«Sono venuta a comprare del materiale per il negozio e a riscuotere dei soldi» rispose sorridendo. «Mi hanno detto che stai per sposarti, è vero? Immagino che sia con quel ragazzo "biancuccio" con il quale esci ultimamente. A proposito, come si chiama? Di cosa si occupa?»

«Sì zia, sto per sposarmi. Lui si chiama Juan Camargo. È ingegnere e vive a Santa Monica» asserì Kantu entusiasta.

«E la sua famiglia ti accetta? Come va con loro?»

«Ho conosciuto solo la sorella e non le devo essere molto simpatica. I suoi genitori non li conosco ancora.»

«Speriamo che tu ci vada d'accordo. Molto spesso la felicità di una coppia è minata proprio dai familiari. Ma, dimmi, lui ti ama?»

«Sì, zia. Dice che mi adora, che vuole rendermi felice.»

«Speriamo che sia sincero. Alcuni di questi bianchi sono veri e propri avventurieri: usano le donne per divertirsi e poi, chi s'è visto s'è visto. La cosa migliore da fare è cercarsi un compagno della nostra razza» dichiarò María.

«Ma zia, Juan non è così, lui mi ama davvero» affermò Kantu prendendo le sue difese.

«Col tempo si vedrà. È vero che ci sono bianchi buoni, provenienti da famiglie altrettanto oneste, ma ve ne sono anche di tremendi. A questo proposito ti racconterò una storia, così saprai cosa fare nel caso in cui le cose dovessero prendere una brutta piega.»

Kantu non aveva fretta quindi annuì e si dispose ad ascoltare.

«Si narra che un tempo, nel Mercato Centrale della città di Puno, lavorasse una tal Mercedes, una giovane venditrice originaria di Putina, india come noi. Gli affari le andavano bene e lei metteva da parte tutti i suoi soldi nella speranza di potere un giorno tornare al suo tranquillo e pacifico paesello. Ma il demonio è sempre in agguato e lei, presto, cominciò a interessarsi a un giovane alto, bianco, un buon ragazzo che girava intorno a tutte le giovani venditrici tra cui lei, per l'appunto. Il giovane, che si chiamava Marcial Salcedo, non lavorava e non aveva alcuna intenzione di farlo; grazie al suo bell'aspetto riusciva sempre a farsi mantenere da qualche donna.

Con gli anni Marcial aveva sviluppato un buon fiuto che gli consentiva di riconoscere all'istante chi lo avrebbe potuto mantenere e chi no. E fu così che, quando conobbe Mercedes, non le diede più tregua fino a quando la ragazza non cedette alle sue lusinghe. Presto si stabilì nella casa della giovane; mangiava e dormiva da lei senza contribuire minimamente alle spese di casa. Raccontandole un sacco di fandonie riusciva addirittura a estorcerle denaro: "Devo saldare un debito" oppure "Ho bisogno di denaro per mia sorella malata; fammi un prestito, te lo restituirò non appena i miei mi manderanno dei soldi". Ma, con i soldi di Mercedes, lui si comprava vestiti eleganti: giacche, pantaloni, camicie bianche, cravatte.

"Andrò a lavorare. Sto cercando lavoro" le prometteva. "Indianina, io ti amo, per questo sto con te. Ma fammi un prestito; qui c'è bisogno di soldi per ogni cosa" le ripeteva costantemente. Mercedes, profondamente innamorata di lui, non glieli negava mai. Fortunatamente non gli aveva detto di avere anche dei risparmi, altrimenti chissà cosa sarebbe riuscito a fare quel ragazzo. In realtà Marcial non stava affatto cercando lavoro, tutt'altro: aveva preso di mira la figlia di un commerciante, una ragazza di pelle bianca come lui, ricca e di buona famiglia. "Questa sì che potrebbe diventare mia moglie. Mi sposerò con lei e abbandonerò Mercedes. Se ora sto con lei è solo per interesse. Io le do il mio corpo e lei, in cambio, mi dà dei soldi" pensava Marcial che, allora, era già riuscito a conquistare quell'altra ragazza e a fissare addirittura la data delle nozze.

Nel frattempo il corteggiatore continuava a vivere alle spalle della povera Mercedes, ignara di tutto. Fiduciosa che questi trovasse presto un lavoro, gli faceva sempre trovare le camicie pulite e stirate, le scarpe lucide e dei soldi. Venne a sapere che Marcial si sarebbe sposato con un'altra solo pochi giorni prima delle nozze. Non fece scenate e non gli rinfacciò nulla; si limitò a piangere sconsolatamente per l'uomo che amava e che aveva creduto un giorno di sposare. Scoperto, Marcial le disse senza alcun pudore: "Per tutti questi anni ti ho dato il mio corpo. Che cos'altro vuoi da me? I tuoi soldi? Te li restituirò appena mi sarò sposato. Perché io mi sposerò con questa signorina e tu non riuscirai a mettermi il bastone fra le ruote. Se ti azzardi a fare qualcosa per impedirmelo, la pagherai: non sai ancora ciò di cui sono capace. E poi, di che ti lamenti? Io non mi dimenticherò di te: continueremo a vederci, a dormire insieme, continuerò a darti ciò che ti ho sempre dato". Ma non era certo questo ciò che lei desiderava. Lei non voleva essere una sua amante occasionale: voleva essere sua moglie.

Quella notte Marcial consolò Mercedes prodigandole ogni sorta di carezze e di baci, facendole l'amore come mai prima, sperando di riuscire, in quel modo, a mantenere la situazione sotto controllo.

Non appena si fece giorno Mercedes andò a Layqa Qota[1] in cerca di un curandero, suo parente. In lacrime gli raccontò l'accaduto: "Smetti di piangere, Mercedes!" le disse il curandero. "Cosa vuoi che faccia? Che lo faccia ammalare, che cambi il colore della sua pelle, oppure che lo uccida con le mie arti?"

"No, no" disse lei. "Voglio solo che Marcial dimentichi quella donna e che resti per sempre con me. Io lo amo e non posso vivere lontano da lui" affermò lei disperata. Il curandero rifletté un momento e poi le disse: "Torna domani. Ti darò una medicina che risolverà il tuo problema".

L'indomani il curandero diede a Mercedes due boccette di colore diverso e le spiegò: "Per fare in modo che dimentichi quella donna dovrai somministrargli il contenuto di questa prima boccetta e poi lo dovrai portare con te lontano da qui. Ma se un giorno ti dovessi stancare di lui, allora gli farai bere il contenuto di quest'altra boccetta e così lui si desterà come da un sogno e ti lascerà".

Dopo aver ascoltato quelle raccomandazioni Mercedes se ne andò, decisa a risolvere il problema.

Completamente all'oscuro dei suoi piani Marcial continuava ad andare a mangiare a casa sua, come se nulla fosse successo. Ma, nel frattempo lei, decisa a vendicarsi non solo di Marcial, ma anche della giovane fidanzata, decise che gli avrebbe somministrato la pozione solo poche ore prima delle nozze.

1 Mercato popolare della città di Puno. Anticamente esisteva una laguna chiamata «Laguna dello stregone».

"Ti preparerò una deliziosa cenetta d'addio. Passa da me prima della cerimonia. E vieni vestito da sposo che ti voglio vedere bello e di tutto punto per l'ultima volta" gli aveva raccomandato lei.

Il giovane, contando sulle sue doti di seduttore, decise di accettare l'invito. Quando mancavano solo poche ore alla cerimonia, l'uomo si presentò a casa di Mercedes. Trovò ad accoglierlo la sua pietanza e la sua bevanda favorita nella quale lei aveva precedentemente versato il contenuto della boccetta. Non appena ebbe finito di mangiare, Marcial sprofondò nell'oblio più assoluto, come sommerso in uno stato di ebbrezza. Fidanzata, genitori, testimoni e invitati lo aspettarono invano in chiesa. Lo cercarono ovunque, ma non riuscirono a trovarlo; qualche ora prima, infatti, lo sposo era stato portato in camion a Putina assieme a Mercedes e a tutti i suoi averi.

I due trascorsero molti anni insieme. Mercedes, ormai, non era più la giovane e robusta venditrice di un tempo: il rimorso l'aveva consumata trasformandola in una donna scarna, vecchia, gracile. Nemmeno lui era più un giovane simpatico ed elegante, ma un uomo dai capelli canuti e la fronte segnata dalle rughe, con la barba incolta, lo sguardo assente e privo di volontà, totalmente succube di Mercedes.

Fino a quando, un bel giorno, lei si ammalò di polmonite acuta e, presagendo che l'ora della morte era ormai arrivata, decise di liberare Marcial.

"Marcial, prima di morire voglio che mi perdoni per tutto ciò che ti ho fatto: l'ho fatto solo perché ti amavo. Ti prego, perdonami" gli disse.

"D'accordo ti perdono, anche se non so per cosa" rispose lui distrattamente. "Ma ora riposa, cerca di non fare sforzi."

"Appena morirò, dovrai aprire questo baule e tirare fuori i tuoi vecchi vestiti; li indosserai quindi berrai il liquido della bottiglietta che troverai in un cofanetto. Queste sono le chiavi per aprire baule e cofanetto. Promettimi che lo farai" lo supplicò la moribonda, estraendo le chiavi che custodiva in un piccolo astuccio legato al collo.

"Te lo prometto, ma ora cerca di riposare" le rispose Marcial.

Dopo il funerale Marcial si ricordò della promessa fatta a Mercedes, quindi aprì il baule che gli era stato indicato e vi trovò un frac e un paio di scarpe. Li indossò e, successivamente, aprì il cofanetto e bevve il contenuto della boccetta. Qualche istante dopo, come risvegliatosi da un sogno, esclamò: "Devo correre in chiesa! Manca solamente un'ora alle nozze!".

Si precipitò fuori di casa e solo in quel momento si accorse di non trovarsi affatto a Puno ma da un'altra parte. Notò che i suoi movimenti non erano più agili come un tempo e che gli dolevano le articolazioni. Rientrò in casa e quando si guardò allo specchio per poco non svenne: il suo volto non era più quello di un giovane, ma quello di un adulto dai capelli bianchi, le rughe sulla fronte e lo sguardo triste. Cercò di capire in che anno si trovava e non appena lo seppe gli venne un colpo. Erano trascorsi più di vent'anni e a lui sembrava che fosse passato solo un breve istante!»

Dopo aver terminato il racconto, María disse a Kantu: «Ora sai cosa dovrai fare se le cose con questo ragazzo non dovessero andare a finire bene».

«Spero che tu stia scherzando, zia. Juan non mi lascerà mai. E poi, anche se mi lasciasse, io non gli farei mai nulla del genere, se è poi vero che queste cose si possono fare. Sono sicura che sono solo delle leggende.»

«Un tempo i guaritori di Layqa Qota erano famosi in tutto il sud del Perú. Non per nulla Layqa Qota significa "Laguna dei Curanderos". Forse oggigiorno non vivono più in quella zona ma, e di questo ne sono certa, qui a Cuzco ce ne sono ancora» le assicurò María aggiungendo, poi: «A proposito, ti consiglio di fare un'offerta alla *Pachamama* prima di sposarti; se lo farai il tuo matrimonio riuscirà, altrimenti sai cosa ti aspetta».

«Io non credo a queste cose, zia; non credo che funzionino» le rispose Kantu manifestando tutto il suo scetticismo.

«Funzionano, funzionano, figliola. Cerca un curandero e affidati alla *Pachamama*. Tua madre sicuramente saprà dove trovarne uno. È un rito imprescindibile prima di qualsiasi matrimonio. Ti consiglio di farlo proprio perché ti voglio bene. Ciao, figliola, buona giornata.»

«A presto, zia e grazie del racconto. È stato divertente.»

Non appena María Quispe si fu allontanata, Kantu si mise a pensare alla vita della zia. Si era sposata piuttosto giovane con un uomo del quale era molto innamorata. Aveva lavorato sodo per contribuire al benessere della famiglia, ma il marito non l'aveva aiutata affatto. Ben presto si rivelò un giocatore incallito e dedito all'alcol, che frequentava gente malfamata conosciuta nei casinò e che una volta si vide addirittura immischiato in affari di droga. Dopo il matrimonio era cambiato molto e quando beveva diventava violento e aggrediva sia la moglie che i figli.

María lo aveva sopportato a lungo sperando che un giorno si sarebbe stufato di condurre quella vita da ragazzino immaturo e che sarebbe cambiato. Ma non fu così: il tempo passava e le cose non accennavano a migliorare. Stanca di aspettare, alla fine si convinse che suo marito non sarebbe mai cambiato e così, un giorno, lo aveva lasciato. Grazie al suo carattere deciso, era entrata presto nel mondo degli affari e si era rifatta una vita. Ora viveva con i suoi figli, gestiva un negozio e non dipendeva più da nessuno.

Era solita dire: «La vera ricchezza delle persone risiede

nel carattere e nel talento, nel potere creativo della mente. Tutti nasciamo con determinate qualità regalateci dalla natura e, se vogliamo riuscire a vivere bene, dobbiamo usarle».

Oltre a essere una persona estremamente pratica, María era anche una donna assai generosa, sempre disposta a dare un consiglio o un aiuto. Nessuno usciva da casa sua con il cuore o le mani vuote. Diceva che per poter chiedere bisognava prima dare, che colui che dà, deve poi poter ricevere.

Per quanto riguardava Juan, María non lo conosceva, non aveva mai avuto a che fare con lui; lo aveva solo visto qualche volta da lontano. Kantu pensò che sarebbe stato un bene presentarlo alla zia per vedere che impressione le avrebbe fatto.

Qualche giorno dopo Kantu ritornò a Coporaque. Era ormai riuscita a ottenere l'approvazione dei suoi genitori che, nonostante tutte le loro riserve, di fronte all'ostinazione della figlia non poterono fare altra cosa che accettare il matrimonio. I tre stavano chiacchierando nella cucina, quando Kantu domandò: «Mamma, vorrei che mi accompagnassi da Anselmo e che gli chiedessi di fare un'offerta alla *Pachamama* affinché il mio matrimonio sia felice».

Il rito della *Pachamama* appartiene alla religione andina. Anticamente sulle Ande esisteva una religione di tipo femminile: era la religione della Madre Natura, della Madre cosmica. Per millenni gli andini abbracciarono le credenze e si fecero guidare dai princìpi di quella religione.

*Pachamama* significa Madre Cosmica, Madre Celestiale, Madre Natura, colei che comprende ogni cosa. È l'entità che fa in modo che gli esseri viventi facciano parte di un immenso ingranaggio cosmico, di un piano universale che comprende tutto ciò che è stato creato. *Pachamama* è una sorta di riconoscimento che l'uomo fa alla natura, è l'unione fra uomo e natura. E ciò che la zia María aveva consigliato di fare a Kantu era proprio di entrare in contatto con le forze della natura, operazione che realizzavano i sacerdoti noti in quelle terre con il nome di *curanderos*. Anselmo era uno di loro: manteneva ancora vive le antiche tradizioni e sapeva come stabilire quel contatto.

L'uomo che comunica con la natura è un uomo che conosce la verità, che comprende e che vive con maggior semplicità. Lontana dai concetti, dalle disquisizioni filosofiche, dai ragionamenti, la natura è chiara, semplice e complessa allo stesso tempo. Essendo il punto di contatto con la realtà, in occasione di eventi particolarmente importanti, gli andini si rivolgono alla *Pachamama* per chiederle consiglio.

«Figlia mia, devo di nuovo andare a pregare questo curandero? Perché non glielo chiedi tu stessa?»

«L'ho già fatto, mamma, ma mi ha detto che non è ancora il momento buono. Dice che Juan è una persona piuttosto complessa e che avrò dei problemi con lui. Ma dice anche che se mi darò da fare potrò stare meglio ed essere felice» rispose Kantu.

«E perché non dai retta alle parole di Anselmo? Ha ragione, non è ancora il momento giusto per te, piccola mia. Hai ancora tante cose da fare, come laurearti, ad esempio.»

«Ah, mamma! Sempre la stessa storia, come con papà!»

«Non fai altro che dire "Ah, mamma, mamma", ma dovresti ascoltarmi, invece. Ma quando mai voi giovani ascoltate i consigli degli adulti? Quello che vi diciamo vi entra da un orecchio e vi esce dall'altro, specie quando siete ciecamente innamorati» aggiunse la madre lanciandole uno sguardo preoccupato.

«Mamma, io amo Juan» le rispose Kantu con fermezza. «Ciò che più desidero al mondo è sposarlo. Lo amo, capisci? Lasciami essere felice!»

«Spero tanto che tu possa esserlo davvero, figlia mia!» replicò la madre. Il suo sguardo era triste e sul suo volto si poteva leggere tutta la sua profonda angoscia. «Invocherò gli *Apukuna* affinché tu sia felice» disse e infine aggiunse, con accondiscendenza: «Ma per maggiore sicurezza, forse è meglio fare anche un'offerta alla *Pachamama*. Forza, andiamo da Anselmo».

Le due donne s'incamminarono, allora, verso la casa del curandero, poco distante dalla loro. Era una giornata splendida: il cielo era terso e una leggera brezza rinfrescava l'aria; in lontananza si scorgevano le terre coltivate indorate dalla luce del sole. Kantu lasciò vagare lo sguardo sulle montagne che in quel momento brillavano in una spettacolare varietà di colori: dal colore dorato dei campi di grano baciati dal sole, al nero delle zone coperte dall'ombra.

Giunte davanti alla casa di Anselmo, la madre gridò ripetutamente in quechua: «*Hampusqayki*, don Anselmo». Non ricevendo risposta, Manuela disse alla figlia: «Forse non è in casa».

«Invece io credo che ci sia, mamma. Dalla finestra sta uscendo del fumo» rispose Kantu.

Ed, effettivamente, pochi istanti dopo, sulla porta della capanna quasi completamente immersa nel buio, si affacciò Anselmo. Fissò le due donne e sul suo viso si disegnò un tenero sorriso di benvenuto. Sembrava fosse una buona giornata per lui: lo si vedeva contento.

«Perché mi cercate?» chiese alla madre di Kantu, sorridendole affettuosamente.

Lei, con fare umile, rispose: «Mia figlia sta per sposarsi. Il suo fidanzato ci ha chiesto la sua mano e la data delle nozze è già stata fissata. Anselmo, vengo a chiederti un favore: benedici la loro unione con un'offerta alla *Pachamama*, affinché il loro matrimonio sia libero dai diverbi e la loro relazione duratura, affinché lei venga accettata e amata dalla famiglia di Juan. Prega per noi la *Pachamama* e chiedi agli *Apukuna* che l'aiutino a risolvere ogni difficoltà a venire».

Manuela confidava nel fatto che questa cerimonia sarebbe stata sufficiente ad appianare ogni difficoltà. Lei sapeva che la *Pachamama* era un'alleata potente e conciliatrice, quando voleva. Anche il curandero la pensava allo stesso modo. L'uomo esitò per un istante e, infine, disse alla madre preoccupata: «Lo so, lo so. È venuta già varie volte a chiedermi: "Mi ama o non mi ama?" "Sarò o non sarò felice?"».

«Che cosa vuoi farci! I giovani d'oggi sono fatti così» commentò rassegnata la madre. «Impazienti in amore e idealisti per quanto riguarda il matrimonio. Non sanno che, in realtà, non sempre la vita coniugale corrisponde a ciò che uno si aspetta.»

Kantu ascoltava in silenzio, sorridendo speranzosa: "Anselmo non può dire di no alla mamma, la rispetta troppo" pensava.

L'affetto che Anselmo provava per la madre di Kantu era di vecchia data. Era rimasto orfano quando era solo un adolescente e, ben presto, era entrato al servizio dei genitori di Manuela, che lo avevano sempre trattato come uno di famiglia. Alla morte dei suoi genitori, Manuela lo aveva aiutato a inserirsi nella comunità prestandogli denaro, e fornendogli attrezzi e semi. Quando lei e il marito si erano stabiliti in città, gli aveva affidato la cura delle sue terre, accompagnando il gesto con poche parole: «Con il ricavato di queste terre, ne comprerai delle altre per te: per ora abbine cura e falle fruttare». Grazie a quel gesto Anselmo era riuscito a comprarsi alcuni appezzamenti sui quali ora coltivava mais, patate, e orzo.

Fu per questi motivi che quando la donna gli chiese quel favore non poté negarglielo. Sapeva che per il momento non ci sarebbe stato nessun matrimonio, così almeno dicevano le foglie di coca, ma forse il *qoymi*[2] avrebbe potuto cambiare il corso delle cose. Anselmo aveva fiducia in quella possibilità.

«Mia cara, venerdì prossimo celebreremo la cerimonia e allora vedremo se la *Pachamama* accetterà di proteggere quest'unione. In certi casi, quando le circostanze non sono favorevoli, sarebbe molto meglio rassegnarsi e cercare di usare l'energia della quale siamo dotati per volgere la *Pachamama* a nostro favore» le rispose con l'autorità che gli conferivano i suoi anni di esperienza come curandero.

Il venerdì successivo, all'imbrunire, padre, madre e figlia si presentarono puntuali all'appuntamento. Quella notte si sarebbe celebrata una delle cerimonie dell'antica religione andina, sopravvissuta grazie ai sacerdoti itineranti che continuavano a officiarla secondo i rituali degli antichi Incas. Anselmo era uno di quei sacerdoti della natura che, sotto le sue umili vesti da contadino, seguiva la tradizione spirituale del popolo andino.

Dopo essersi salutati, i presenti si sedettero su coperte e pelli di cuoio ad aspettare l'ora propizia per dare inizio alla cerimonia. Mentre Anselmo terminava gli ultimi preparativi, padre, madre e figlia conversavano fra loro sottovoce. Di tanto in tanto Anselmo scrutava il cielo dalla finestra per determinare se fosse l'ora di procedere.

«Credo che sia giunto il momento» dichiarò con voce sicura dopo aver osservato attentamente l'orizzonte. «Possiamo cominciare.»

La figura del curandero, con quei suoi capelli leggermente spettinati, acquisì un'aria solenne come se si stesse addentrando in un'altra dimensione. I suoi occhi, generalmente

2 Miscela incenerita che viene usata quale offerta alla *Pachamama* e agli *Apukuna*.

allegri, si fecero seri: c'era una forte determinazione nel suo sguardo. Accese un piccolo braciere e ravvivò le fiamme soffiandoci sopra ripetutamente. Quando le braci si furono accese, le cosparse di estratti di piante sacre e d'incenso. Passò poi tutti i suoi strumenti da curandero in mezzo al fumo sprigionato dal braciere, come se li volesse pulire, quindi s'inginocchiò e si soffiò sul petto il fumo di una sigaretta.

Successivamente estrasse dal telo nel quale aveva avvolto tutti i suoi strumenti da lavoro, una piccola coperta quadrata di colore rosso e la stese per terra; sopra la coperta sistemò un fazzoletto variopinto, grande la metà, con tre frange di diversi colori su ogni angolo. Afferrò poi un foglio di carta bianca con il quale fece una specie di ciotola. Con grande maestria e abilità prese a sistemare ai quattro angoli del fazzoletto alcuni oggetti: nell'angolo destro una rosea conchiglia marina nella quale versò del liquore; nell'angolo di sinistra una conchiglia nera, più profonda della prima, che riempì di un liquore rossastro che brillava alla luce del fuoco; nel terzo angolo dei chicchi di mais e, nell'ultimo, un po' di grasso estratto dal petto di un lama.

«È giunto il momento di stabilire il contatto» annunciò solennemente Anselmo, con una voce diversa dal solito.

Subito dopo ordinò a Kantu e ai suoi di rimanere in silenzio e di scegliere delle foglie di coca intere che avrebbero dovuto sistemare in mazzette da tre. Essi obbedirono. Da una borsa estrasse degli oggetti concatenati tra loro, chiamati *wallqa*[3] e li fece passare attraverso il fumo. Senza esitare agguantò poi il braciere e cominciò a farlo oscillare anche al di sopra di tutti gli altri oggetti presenti. Prese, quindi, un secondo involto e lo fece passare più volte in mezzo al fumo senza aprirlo e a bassa voce pronunciò delle frasi incompren-

[3] Collana sacra che i guaritori usano durante il rito dedicato alla *Pachamama*.

sibili. Afferrò poi, una per volta, tutte le conchiglie marine infilandovi le dita e cominciò a rovesciare il liquido che contenevano, prima sull'involto chiuso e poi nel recipiente di carta che conteneva le altre offerte. Quindi prese con le mani tutte le conchiglie e uscì dalla capanna.

Kantu, incuriosita, lo seguì con lo sguardo. Dal posto in cui si trovava, vide che Anselmo, dopo aver fischiato, e non soffiato, sui recipienti che aveva in mano, lanciò il contenuto di una delle conchiglie prima verso est e poi verso ovest e quello dell'altra in direzione sud-nord quindi rientrò e mise le conchiglie marine al loro posto, sul fazzoletto.

«Passatemi le foglie di coca che avete raggruppato» disse Anselmo.

E così ebbe inizio la cerimonia sacra alla *Pachamama* durante la quale si cantava e si pregava ad alta e a bassa voce. Una volta pronta, Anselmo benedisse l'offerta per poterla finalmente bruciare. Prima di uscire nuovamente, disse: «Aspettatemi qui: vado a bruciare questo nel fuoco. Vedremo cosa ci risponderà la *Pachamama*».

Mentre era rimasto dentro casa a preparare il rituale, fuori una persona era stata incaricata di ravvivare il fuoco che Anselmo aveva precedentemente acceso, allo scopo di ottenere molte braci. Al momento dell'offerta queste, infatti, dovevano essere grandi e senza fiamme. Una volta fuori, Anselmo ordinò al suo assistente di ritirarsi e diede inizio al rito finale. Rimasto solo, fischiettando e suonando un piccolo sonaglio, sistemò l'offerta sulle braci. Invocò le colline, le montagne, i laghi e la terra con canti e preghiere. La luce del fuoco illuminò il suo volto e lasciò intravedere il copricapo decorato a simboli geometrici con il quale era solito ripararsi dal freddo delle notti di montagna.

«*Fiuuu! Fiuuu! Hamuriychis, Pachamama, qollana mama, qocha mama, tukuy Apukuna hamuriychis.*» (Fiuuu! Fiuuu!

Madre del tempo e dello spazio, Madre Sacra, Madre Acqua, venite. Spiriti protettori dell'uomo, avvicinatevi).

Qualche istante dopo, conclusasi la cerimonia, ritornò alla capanna a capo scoperto e con il poncho allacciato in vita. All'improvviso, una delle candele che rischiaravano di un bagliore danzante la stanza cominciò a gocciolare cera per terra. Anselmo la guardò preoccupato.

«Aspetteremo che le braci brucino completamente l'offerta e così conosceremo la risposta della *Pachamama* e degli *Apukuna*.»

In quell'istante si udì un botto. I quattro volsero la testa e, con loro immenso stupore, videro che un bicchiere di vetro posto sul davanzale della finestra si era frantumato senza che nessuno lo avesse toccato.

«Questo è un brutto segno, comunque aspettiamo la risposta nelle ceneri dell'offerta» disse Anselmo con tono preoccupato, cercando comunque di tranquillizzare i presenti.

Nella stanza si cominciò a respirare una certa tensione. Madre e figlia si guardarono: la figlia intimorita, la madre sconsolata. Il padre si limitò ad ascoltare, senza dire nulla. Visibilmente allarmata, la madre disse: «Speriamo che vada tutto bene. Anselmo, hai eseguito correttamente la cerimonia?».

«Sì, mia cara, ma spetta alla *Pachamama* dirci cosa riserba il futuro a tua figlia: se questa unione seguiterà oppure no» disse Anselmo impensierito. «Io sono semplicemente il servitore della *Pachamama*... Aspettiamo.»

Trascorse qualche minuto. Dopo aver lanciato qualche foglia di coca sul *wallki*[4], il curandero comunicò: «È arrivato il momento di vedere il risultato dell'offerta».

Uscì e quando rientrò riferì con voce afflitta: «La *Pacha-*

[4] Scialle sul quale si è soliti sistemare le foglie di coca, usato durante la divinazione.

*mama* non acconsente. Sulla cenere bianca si è formato uno strato di cenere nera, il che non è di buon auspicio. Il matrimonio di tua figlia non si farà. Nostra madre ci sta dicendo che c'è qualcosa che non va... Staremo a vedere cosa accadrà in futuro». In quello stesso istante dei cani cominciarono ad abbaiare.

«Anche questo è un brutto segno. L'abbaiare dei cani non indica nulla di buono» aggiunse Anselmo.

Non appena la cerimonia si fu conclusa padre, madre e figlia, tristi e sconfortati, s'incamminarono verso casa.

Ciò che successe nelle settimane immediatamente successive fu molto triste. Raccontano i compaesani che, pochi giorni prima delle nozze, Juan venne chiamato con urgenza dai suoi genitori. Nella loro miniera si era verificato un crollo e la sua presenza sul posto era indispensabile. Juan si vide costretto a raggiungerli per far fronte al problema e così le nozze dovettero essere rinviate. Prima di partire andò a salutare Kantu, assicurandole che sarebbe tornato non appena fosse riuscito a risolvere i problemi alla miniera. Le disse che non sapeva per quanto tempo sarebbe dovuto rimanere lontano: forse alcune settimane o addirittura mesi. Sul suo viso si leggeva il dispiacere che provava nel doverla lasciare, ma non poteva proprio non rispondere alla chiamata dei suoi genitori. Fu l'ultima cosa che Kantu seppe di lui.

Ciò che lei non sapeva era che, in realtà, la faccenda della miniera non era che un pretesto escogitato da Juan per allontanarsi da lei. Non aveva mai avuto l'intenzione di sposarla e così, con l'aiuto di un amico, si era inventato quello stratagemma. In quel modo ne sarebbe uscito vincente e pulito e, se le cose non fossero poi andate come voleva, sarebbe anche potuto tornare da lei. Juan, in realtà, non era mai stato innamorato di Kantu; aveva solo cercato di godersi il più possibile la sua bellezza e la sua gioventù.

Kantu era assai lontana dall'immaginare le vere intenzioni di Juan; non aveva molta esperienza in questioni d'amore e ignorava i sotterfugi ai quali erano soliti ricorrere uomini come lui. In tutta quella storia, Juan era lo sparviero e Kantu la colomba sprovveduta.

Juan non fece più ritorno dalla miniera. Trascorsero settimane, mesi senza che lui tornasse o si facesse vivo. L'ultima cosa che Kantu seppe di lui, tramite amici, era che aveva iniziato a lavorare in una miniera d'argento per conto di una compagnia straniera. Profondamente preoccupata di non ricevere sue notizie, stanca di aspettare e dispiaciuta del fatto che i suoi familiari non la tenessero informata, decise di rivolgersi ad Anselmo per farsi dire dove si trovasse e come stesse Juan.

Come aveva già fatto nelle occasioni precedenti, Anselmo tirò fuori tutti gli strumenti necessari per la divinazione e cominciò a viaggiare attraverso il tempo e lo spazio, penetrando i misteri e i segreti della natura. Misteri inaccessibili ai più, ma non ad Anselmo, grande conoscitore dei meccanismi che permettono all'uomo di viaggiare nel tempo per sapere, scrutare, chiedere e verificare.

Dopo aver osservato attentamente le foglie di coca sparse sul fazzoletto, l'anziano curandero rimase in silenzio, cercando di trovare le parole adatte per riferire a Kantu ciò che aveva visto. Poi, con fare rassegnato, la guardò attentamente e, infine, disse: «Figliola, Juan sta davvero lavorando dove ti hanno detto, ma io lo vedo assieme a un'altra. Pare che stia vivendo con una donna».

«Non è possibile! Non può essere! Mi ha giurato amore eterno. Mi ha promesso che sarebbe tornato e che ci saremmo sposati» disse lei prendendo le sue difese, speranzosa di riaverlo presto di nuovo al suo fianco.

Sovente, quando una donna s'innamora, si immerge in un

mondo di fantasie e di illusioni che le impediscono di pensare e di ragionare, un mondo nel quale l'uomo diventa il suo principe azzurro. Ed era proprio ciò che stava succedendo a Kantu. Lei nutriva la speranza che Juan sarebbe tornato; glielo aveva giurato così tante volte che continuò ad aspettarlo fiduciosa e paziente. Immaginò che il suo innamorato stesse attraversando delle difficoltà che gli impedivano di scriverle. Doveva proprio essere così! Per qualche motivo non poteva mettersi in contatto con lei. Ma di una cosa era certa: lui la amava.

Sebbene avesse piena fiducia in lui, a poco a poco, le parole di Anselmo cominciarono a insinuarle il tarlo del dubbio. E fu così che un giorno salì su uno di quei camion che facevano la spola tra la miniera e la città per andare alla ricerca di Juan. Il conducente, un indio corpulento, dalla pelle color rame e piuttosto taciturno, le aveva offerto di viaggiare in cabina con lui. I suoi capelli neri erano leggermente spettinati e le sue mani, grosse e forti, erano screpolate dal freddo. Indossava un casco da minatore, un passamontagna, una giacca imbottita, un paio di pantaloni di lana e degli stivali da minatore. Prima di partire le aveva raccomandato: «Signorina, si vesta bene per proteggersi dal freddo e si prepari perché il viaggio sarà duro. La strada è sterrata e fa molto freddo».

Durante il viaggio Kantu ebbe modo di accorgersi che l'uomo aveva proprio ragione: faceva un freddo glaciale. Il camion avanzava lentamente lungo la strada piena di buche che la facevano sobbalzare fino a farle sfiorare il tetto della cabina con la testa. Nuvoloni di polvere si alzavano al passaggio del veicolo che si spingeva verso l'altopiano grigiastro. Vi erano solo terra, sassi e piccoli arbusti che costituivano la scarna vegetazione. Di tanto in tanto incontravano case di mattone crudo e tetti di zinco costruite sul bordo della strada dagli abitanti della zona. All'orizzonte l'azzurro intenso del cielo contrastava col grigiore delle montagne, alcune ancora innevate. La strada si perdeva nell'immensità di quel paesaggio.

Avevano già percorso buona parte del tragitto quando il conducente fermò il veicolo davanti a una casa di fango e pietra. Il tetto di paglia, che un tempo doveva essere stato di un dorato brillante, ormai era completamente annerito. La porta di legno si aprì e sull'uscio si affacciò un'anziana signora.

«Nonna, hai del tè, del caffè o qualcosa da mangiare?» chiese il conducente scendendo dal camion. Poi, rivolgendosi a Kantu, disse: «Signorina, se desidera mangiare o bere qualcosa lo faccia adesso, perché questa è l'ultima locanda che incontreremo prima della miniera. Ci aspettano ancora molte ore di viaggio. Arriveremo all'imbrunire».

«Sì, grazie. Berrò qualcosa» disse Kantu scendendo dal camion. Guardò le montagne in lontananza: alla luce del sole che stava ormai tramontando, avevano preso a tingersi di un rosso vivo.

Quando ebbero consumato quel poco che la vecchietta aveva loro da offrire, ripresero il viaggio. Kantu chiese al conducente se conosceva l'ingegnere Juan Camargo.

«Credo di no, signorina. Dev'essere uno dei nuovi ingegneri della compagnia» gli rispose lui rimanendo poi nuovamente in silenzio.

Kantu decise di chiudere gli occhi per cercare di dormire un po' ma non riuscì a conciliare subito il sonno. Il camion procedeva faticosamente: si trovavano già a più di cinquemila metri d'altezza.

«Fra poco saremo arrivati» fu l'ultima cosa che udì prima che il sonno la sorprendesse.

Quando furono alla miniera Kantu s'incamminò verso l'unico hotel della zona. Mentre camminava, vide farsi avanti, di fronte a lei, una figura familiare che si avvicinava accompagnata da una donna.

Era il suo amato Juan! Colui che lei tanto amava avanzava mano nella mano con un'altra donna. Senza accorgersi della presenza di Kantu, la coppia proseguì verso l'hotel fino a quando i due fidanzati non si ritrovarono l'uno di fronte all'altra. Juan rimase impietrito, come se qualcuno gli avesse appena gettato un bicchiere d'acqua gelata sulla faccia, come se il vento gelido gli stesse sferzando le guance.

Faceva molto freddo su quelle alte montagne. Gli indumenti pesanti che Kantu indossava nascondevano le sue forme aggraziate. Da lontano, Juan non l'aveva riconosciuta e, ora che si trovavano a pochi metri di distanza, non sapeva proprio cosa fare. Il suo volto si contrasse e impallidì; le sue labbra presero a tremare: non poteva credere ai suoi occhi. Passato il primo attimo di sconcerto, riuscì a recuperare il controllo dei nervi. Pensò rapidamente a come uscire da quell'imbarazzante situazione quindi, fingendosi tranquillo, le sorrise con estrema naturalezza, la guardò e, con la massima impassibilità, le disse: «Ciao Kantu! Quando sei arrivata?». «Ti presento la mia fidanzata...» aggiunse dopo una breve pausa.

Kantu avrebbe voluto sprofondare. Il tremendo dolore che provò in quel momento la disarmò tanto da non sapere più se doveva piangere oppure gridare, se correre fra le sue braccia oppure picchiarlo. Un nodo le stringeva la gola. Pensieri contraddittori le ronzavano per la testa. Nel vedere che Kantu non riusciva ad articolare parola, la donna che accompagnava Juan le sorrise e poi, rivolgendosi a lui, disse: «O la tua amichetta è muta oppure non ti ha sentito. Forse è solo colpa dell'altezza. Lasciamo che si riprenda; parleremo con lei più tardi. Molto piacere di conoscerti» aggiunse e si allontanò. Kantu rimase lì ferma, profondamente ferita. Se ne stette lì agghiacciata, immobile, con il volto profondamente provato.

Fingendo di non accorgersi della sua sofferenza, Juan le disse: «Alloggerai nell'hotel? Ci vedremo lì. Mi piacerebbe parlarti». Poi raggiunse la sua compagna e i due si allontanarono. Lei era una donna meticcia, elegante e di bell'aspetto, probabilmente era un'impiegata della miniera.

Gli occhi di Kantu si riempirono di lacrime; il suo corpo prese a tremare. Ancora una volta non riusciva a capire se era sveglia oppure se stava solo sognando, se era un brutto incubo o una triste realtà. Stretta in un dolore acuto si sentì mancare il respiro. Attorno a lei tutto prese a girare trascinandola in un vortice oscuro: Kantu si accasciò a terra svenuta. Alcuni passanti la soccorsero e l'accompagnarono dal medico della miniera.

Quando rinvenne si ritrovò sdraiata su un lettino dell'infermeria. Accanto a lei, un medico e un'infermiera. Stordita udì delle voci che dicevano: «Sta riprendendo i sensi».

Poi sentì una voce familiare. Era Juan che era tornato indietro a cercarla: «Fatemi passare! Devo parlare con lei!» disse.

Nel vedere il volto sofferente di Kantu il medico intervenne per salvare la drammatica situazione e affermò: «Per il momento è meglio che riposi. Non può ricevere visite. La prego di ritornare domani o non appena si sentirà un po' meglio».

Poi, mentre compilava la cartella medica, chiese a Kantu: «Lavori nella miniera? Sei di queste parti?».

«No, sono appena arrivata. Stavo andando all'hotel» gli rispose lei profondamente affranta e priva di forze.

«Stai tranquilla. Probabilmente sei svenuta per via dell'altitudine. Devi riposare. Ti porteremo all'hotel, ma cerca di non fare troppi sforzi. Ti terremo sotto controllo» le comunicò il medico mentre le faceva un'iniezione.

Kantu sapeva bene che non era stata quella la causa del suo malore, quanto piuttosto l'insostenibile dolore che stava provando: Juan, l'uomo che lei adorava, l'aveva tradita.

Quando quella sera s'incontrò con Juan nell'hotel, lo guardò negli occhi senza dirgli nulla. Si limitò a piangere in silenzio, senza osare correre fra le sue braccia. Lui, incapace di reggere il suo sguardo, abbassò gli occhi. Kantu, allora, capì che non vi era più nulla da dire.

Il giorno dopo salì sulla prima macchina che andava verso la città. Ritornava con il cuore a pezzi, con gli occhi rossi per il pianto, con un dolore e una tristezza infiniti. Juan l'aveva usata solo per soddisfare le proprie voglie, senza aver mai avuto alcuna intenzione di sposarla; lei gli si era donata completamente, aveva vibrato fra le sue braccia. Per amore gli aveva dato tutto ciò che una donna può dare a un uomo, ma lui non l'aveva capito. Si convinse che ciò che Anselmo le aveva detto era la cruda realtà: per il momento Juan non l'avrebbe sposata. E se davvero voleva cambiare il corso degli eventi, avrebbe dovuto ricorrere al potere che possedeva. Senza armi è impossibile combattere e quello non era certo il suo caso.

Mentre la macchina correva sulla strada polverosa, Kantu ripeteva a se stessa che avrebbe dovuto pensarci prima di donarsi a un uomo che non conosceva bene. Ma ricordò anche che Anselmo le aveva detto che, se avesse voluto volgere a suo favore i disegni della *Pachamama*, avrebbe dovuto fare appello alla sua energia interiore: «Se lo vuoi, puoi» le aveva ripetuto un sacco di volte. Lei non gli aveva dato retta e ora se ne stava lì, di ritorno verso la città portando con sé tutto il suo dolore e la sua tristezza. Improvvisamente il suo mondo le era crollato addosso; tutte le sue speranze si erano infrante come una fragile coppa di cristallo.

## 4
# QUANDO TU VUOI, PUOI

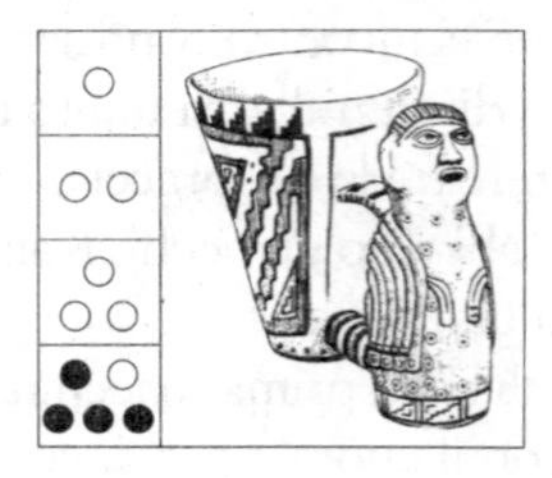

L'amore è un sentimento magico, ma il disincanto è qualcosa di veramente tragico. Sia l'uomo che la donna hanno propositi e scopi che spesso, purtroppo, non coincidono: il loro modo di pensare, il loro modo di vedere il mondo è, di fatto, assai differente.

Schiava della passione, fino ad allora Kantu aveva conosciuto solo una piccola parte di Juan, senza capire chi realmente fosse. Ma, alla miniera, aveva conosciuto anche l'altro aspetto dell'uomo che amava: il suo cinismo, la sua sfacciataggine, la sua spietatezza, la sua incapacità di rispettare e di stimare il prossimo. Da quel momento, il futuro le era parso più nero che mai, perché senza Juan la sua vita non avrebbe più avuto senso. Profondamente addolorata, Kantu se ne stava lì, afflitta, a rimuginare: perché non aveva parlato con Juan? Perché non aveva chiarito la faccenda? Non era stata capace di dirgli nulla; si era semplicemente limitata a guardarlo. Nemmeno lui le aveva detto nulla. Si era silenziosamente allontanata da lui, rifugiandosi nella solitudine della sua stanza; Juan, dal canto suo, non aveva insistito.

"Devo tornare da Anselmo, ho bisogno di sapere la verità" pensava. Ricordava che, prima d'intraprendere quel viaggio, Anselmo le aveva predetto l'esistenza di una rivale. Che cosa faceva? Perché non era ritornato da lei? Che cosa lo tratteneva al fianco di quella donna? Decise di verificarlo una volta per tutte.

Come sempre andò da Anselmo portando con sé una borsa di foglie di coca. Per l'ennesima volta gli chiese di leggerle il futuro, senza accennargli al viaggio che aveva fatto, né a quello che era successo alla miniera.

Il curandero cominciò a proiettarsi verso l'ignoto, giochereIlando con la cascata di foglie di coca che scendeva sul fazzoletto. Per lui quelle foglie erano come un libro aperto.

Dopo averle lanciate in aria varie volte disse, guardandola dritta negli occhi: «Lo hai sorpreso con un'altra donna! Proprio come ti avevo detto! Sei andata a cercarlo e ciò che hai visto ti ha fatta soffrire molto. Allora, piccola mia, era proprio vero che quell'uomo non aveva buone intenzioni. Eppure non hai combattuto, ti sei fatta soffiare il fidanzato da quella donna: non hai combattuto in quel momento proprio come non lo avevi fatto prima d'allora».

«Ma ora sì che voglio combattere!» affermò lei rabbiosa. «Chi è quella donna?»

«Ora è la sua compagna. Dorme assieme a lei tutte le notti. Quell'uomo avrebbe potuto essere tuo, ma tu non hai voluto. Possiedi un potere che non stai affatto usando» concluse Anselmo.

«Ma qual è questo potere?» chiese lei decisa, con aria di sfida. «Non me lo hai mai voluto spiegare» aggiunse, sprigionando un po' dell'odio che aveva cominciato ad annidarsi dentro di lei.

«Piccola, ti ho ripetuto un sacco di volte che potevi, ma che in realtà non lo volevi davvero.»

«Io voglio, ma non posso» rispose Kantu sconsolata e afflitta.

«No, no, no. Non è affatto così» la contraddisse Anselmo. «Tu sostieni di volerlo, ma non è assolutamente vero. È per questo che non puoi. Chi davvero vuole, può. Ma per potere e volere, bisogna prima sapere e, soprattutto, osare. Ma tu non hai voluto sapere, non hai voluto potere, né tantomeno hai voluto osare.»

«Non capisco, Anselmo. Me lo devi proprio spiegare.»

«In questo momento non ti servirebbe a nulla. Ormai è troppo tardi. Fai quello che ti dicono i tuoi genitori, ascoltali» sentenziò il curandero continuando a scrutare le foglie di coca. «Non nutrire false speranze e non preoccuparti più per lui, perché non hai perduto un granché con quell'uomo.»

Nell'udire quelle parole Kantu pensò con amarezza: "Se sapesse quanto l'ho amato e quanto lo amo ancora non parlerebbe così".

Con lo sguardo ancora fisso sulle foglie di coca, il curandero proseguì: «Ti senti profondamente ferita perché lo ami ancora, ma lui non vale la pena, non fa per te. È stato meglio così: non ti avrebbe mai resa felice. Le sue intenzioni non sono mai state buone o forse sì ma, non appena se n'è andato, si è subito cercato un'altra. Ciò significa che quello che provava per te non era vero amore, quindi, dimenticalo. Qui vedo che ci sono altri uomini interessati a te: potresti deciderti per uno di loro».

Kantu sapeva che stava dicendo il vero: altri uomini la stavano corteggiando, ma a lei interessava solo Juan. Era ossessionata da lui; quell'uomo le era entrato nel sangue. Ma ora lei si sentiva ferita ed era decisa a vendicarsi.

Come se potesse leggere i suoi pensieri, il curandero le disse: «E adesso stai pensando di vendicarti cominciando a frequentare altri uomini? Attenta che così facendo farai solo del male a te stessa: le ferite d'amore devono cicatrizzarsi da sole. Cerca di non pensare più a lui e vedrai che, con il tempo, lo dimenticherai».

Dopo essersene andata Kantu ripensò ai consigli di Anselmo: avrebbe cercato di seguirli il più possibile, anche se sapeva che sarebbe stato impossibile perché, da quando Juan se n'era andato, Cuzco le era divenuta insopportabile. Pur sapendo che era una follia, in fondo al suo cuore, lei lo amava ancora. C'era solo una cosa che la inquietava: cosa voleva dire Anselmo con quel suo "tu potresti, ma non vuoi sapere come"? Non riusciva a comprendere il vero significato di quelle parole.

Fin dal giorno del suo disincanto, aveva cercato di dimenticare Juan, ma invano: troppi ricordi la legavano a lui.

Un bel giorno, mentre camminava per le strade di San Blas, incontrò sua zia María. Kantu si sforzò di essere cortese e briosa come sempre: «Zia María, quanto tempo!» disse emozionata.

«Davvero» disse la zia osservandola. «A proposito, come stai?»

«Bene, zia» rispose Kantu con un velo di tristezza.

«Come va?» chiese di nuovo la zia, guardandola attentamente.

«Bene, zia» rispose ancora Kantu sforzandosi di sorridere.

«Non fingere con me, Kantu, ti conosco troppo bene. Anche se cerchi di sembrare felice, so che non lo sei affatto. Cos'è successo? Hai litigato con quel tuo ragazzo? Come mai non vi siete ancora sposati?» domandò la zia.

Un senso di amarezza e di tristezza invase la povera Kantu mentre le lacrime presero a scorrere sulle sue guance.

«Mi ha lasciata, zia. Mi ha tradita» disse singhiozzando e abbassando lo sguardo.

La zia, come chi ha molta esperienza in fatto di uomini, ribatté: «Te l'avevo detto. Non c'era da aspettarsi nulla di buono da una persona come quella. Ho più esperienza di te in fatto di uomini. Nella mia vita ho imparato a conoscerli bene: ho vissuto con uno e, ricorda, gli uomini sono molto diversi da noi».

«Ma zia, io lo amavo!» esclamò Kantu. «Per lui sarei andata anche in capo al mondo.»

«Piccola, succede quando si ama per la prima volta. Non per niente dicono: il primo amore è d'oro, il secondo d'argento e i successivi di metallo. Ma vedrai, ti passerà.»

«Anche la mamma e altre persone alle quali ho raccontato l'accaduto mi dicono la stessa cosa.»

«Ed è proprio così» le confermò la zia. «Ricorda, ragazzina, che uomini e donne pensano in modo diverso e che, spesso, confondono il significato della parola amore. Per gli uomini, amore significa una cosa, mentre per le donne ha un altro significato. Credo che Juan non sia mai stato capace di amare qualcuno, credo che non abbia mai amato. Un uomo che agisce così, che recide ogni legame ferendo i sentimenti di una donna, è incapace di amare profondamente. Tieni sempre presente che esistono uomini buoni e uomini malvagi, questi ultimi giocano con i sentimenti di una donna e proseguono per la propria strada senza rimorsi, il loro ego è talmente forte da avere sempre la precedenza su tutto. Sei ancora giovane e, proprio per questo, devi prestare attenzione. E se ti capiterà d'incontrare un uomo buono, un vero uomo, allora amalo, dedicati a lui ma, prima di farlo, conoscilo, ascoltalo, parlaci. Sii cauta, non avere fretta. Sono sicura che prima o poi incontrerai un uomo migliore di Juan.»

«Temo che non incontrerò mai un uomo che mi interessi quanto lui» rispose Kantu.

«Ma Juan ti ha lasciata, se n'è andato.»

«Sì, lo so, zia» affermò Kantu con voce afflitta. «Ma non posso farci nulla. Sarei incapace di gettarmi fra le braccia del primo uomo che incontro. Ho sempre sognato di sposarmi e di avere dei figli, ma solo con l'uomo di cui mi fossi davvero innamorata. E sono sicura che non riuscirò mai ad amare nessuno quanto ho amato Juan.»

«Ascoltami bene, sciocchina» disse la zia. «Non fare come me che ho sprecato gran parte della mia vita cercando di fare in modo che mio marito fosse come io lo volevo: finirai con lo sbattere il naso contro il muro. Non chiuderti in te stessa, apri la tua mente, risolleva la testa e vai avanti, la vita continua. Io ho amato un solo uomo in vita mia; all'inizio pensavo che mi amasse, ma con il passare del tempo mi sono dovuta ricredere. Lui era incapace d'amare. E cosa ho ottenuto cercando di essere una ragazza amorevole? Cosa ne ho guadagnato? La solitudine più assoluta.»

«Zia, ma tu amavi tuo marito.»

«Certo che lo amavo. Ma, attenzione: amavo un uomo immaginario.»

Detto ciò, la zia si accomiatò: «A presto, piccola».

Kantu la guardò allontanarsi in mezzo alla folla e poi riprese a camminare, triste e affranta.

Pur sapendo che la vita senza amore non è vita, lei preferiva comunque rimanere sola, senza fidanzato. La sua più grande speranza era quella di riuscire a dimenticare Juan, di riuscire ad andare avanti senza di lui. Si sforzò di vivere il più serenamente possibile cercando di trasformare ogni tristezza in una gioia e ogni dolore in un piacere. Per distrarsi si tuffò nello studio e cominciò a fare dello sport e, per mantenere la mente occupata in modo da non pensare a Juan, cominciò a scrivere la sua tesi di laurea.

Un anno dopo Kantu si laureò e trovò impiego come maestra in una scuola di Cuzco. Riversava su quei piccoli tutto l'amore e la tenerezza di cui era capace. Viveva ancora con i suoi genitori per cui non aveva grosse spese; più volte si era offerta di contribuire alle spese di casa, ma suo padre si era sempre opposto.

«Metti da parte i tuoi soldi. In futuro potrebbero servirti per comprare una casa, ad esempio» le aveva suggerito José.

Seguendo il consiglio di suo padre aprì un conto in banca dove, alla fine di ogni mese, depositava la maggior parte del suo stipendio. Un giorno, mentre aspettava il suo turno seduta su una delle panche della banca, qualcuno le toccò la spalla. Una voce di donna, squillante, le sussurrava: «Cosa ci racconta la nostra eterna innamorata? Quando dimenticherà colui che l'ha abbandonata come una sciocca?».

Quando si voltò per vedere chi osava dirle tutte quelle cattiverie, vide che si trattava di Carmen Mosquera, una sua compagna d'università che conosceva la sua storia con Juan. Anche lei si era laureata in Pedagogia sebbene, poi, si fosse dedicata a dirigere l'attività di suo padre, una delle mercerie più prospere di Cuzco.

Nell'udire quel commento così acido Kantu, incapace di mantenere il controllo, le rispose infuriata: «Carmen sei incorreggibile! Sei incapace di rispettare il dolore altrui, anzi tu godi delle disgrazie degli altri».

Subito dopo aver pronunciato quelle parole piene di rabbia, Kantu si sentì invadere da un profondo dolore: dopo molto tempo qualcuno la metteva di fronte alla cruda realtà facendole ricordare di essere stata abbandonata dall'uomo che aveva amato al di sopra di ogni cosa. Si alzò di scatto con il viso in lacrime e uscì dalla banca. Accadde tutto in pochi secondi. Carmen, resasi subito conto di avere esagerato con quel suo commento mordace, cercò di porvi rimedio e la rincorse urlandole: «Kantu, aspetta! Non volevo ferirti, ti prego, perdonami! Non sapevo che Juan significasse tanto per te. Ti prometto che non dirò mai più nulla del genere».

Kantu allora si fermò e, dopo averla ascoltata, s'incamminò nuovamente verso la banca seguita da Carmen alla quale disse, molto seriamente: «Ti perdono solo perché siamo amiche, ma non osare farlo mai più».

«Grazie, Kantu» rispose Carmen e, cercando di cambiare argomento, le chiese: «Come mai sei qui?».

«Sono venuta a depositare dei soldi. Sto risparmiando per comprarmi una casa.»

«Posso chiederti quanti soldi hai? Forse sarebbe meglio che li investissi. Gli interessi che offre la banca sono bassissimi; se li investi, in poco tempo potrai raddoppiare o addirittura triplicare i tuoi risparmi e così potrai comprare una casa.»

«Non ho molto, qualcosa appena. E poi non saprei come investirli, né come farli fruttare» aggiunse Kantu.

«E a cosa servono le amiche? Se ti interessa io potrei consigliarti. Devo pur farmi perdonare in qualche modo il brutto momento che ti ho appena fatto passare, non trovi?»

«No, no» rispose Kantu. «Non voglio entrare nel mondo degli affari. È troppo complicato per me.»

«Ascoltami, Kantu» disse l'amica. «Se vuoi che il tuo denaro renda, fai le cose per bene. Lascia che io ti consigli; sei una maestra fantastica e ti stai dedicando completamente al tuo lavoro ma, oltre a quello, non pensi alle altre possibilità. Devi investire il denaro che possiedi.»

«E va bene, se lo vuoi o se ti serve, prova a farci qualcosa» si arrese Kantu.

«No, no» rispose lei. «Io non ne ho bisogno. I soldi sono tuoi, te li sei guadagnati, te li sei sudati: investili, io ti aiuterò.»

E fu così che Carmen Mosquera riuscì a convincerla a investire i suoi risparmi in un negozio di mercerie consigliandola sul da farsi. Aveva ferito i suoi sentimenti e sentiva di doversi sdebitare in qualche modo. In fondo Carmen non era una cattiva persona. Solo si divertiva qualche volta a stuzzicare le persone.

Kantu continuò la sua vita di sempre. Con il tempo si fece più adulta e ancora più bella. Trascorreva la sua vita divisa fra la comunità del paese e la città.

Un giorno rientrò urgentemente al paese e andò in cerca di Anselmo, il suo confidente. Solitamente gli chiedeva pareri attinenti al suo lavoro o si faceva consigliare sulla gestione dell'investimento che aveva fatto ma, quella volta gli avrebbe chiesto di Juan che, nel frattempo, era andato a farle visita. Era convinta di non esserne più innamorata ma, rivederlo, le aveva fatto capire che, in fondo al cuore, lo amava ancora e ora voleva sapere se anche Juan la amava davvero, come le aveva detto durante il loro ultimo incontro.

Come sempre s'incamminò verso la capanna di Anselmo con la sua borsa piena delle foglie di coca che lui avrebbe usato per divinare. Quando giunse davanti alla porta chiamò diverse volte, senza ottenere risposta. Non sapeva che fare, se aspettare oppure andarsene. Alla fine decise di andarsene ma, tanta era la sua ansia di sapere che, un'ora dopo, era di nuovo lì. Stava già facendo buio quando ritornò. Anselmo doveva essere sicuramente in casa perché dalla piccola finestra si intravedeva un tenue chiarore. Viveva da solo? Era una cosa che non si era mai chiesta. Non gli aveva mai domandato nulla della sua vita: aveva già abbastanza preoccupazioni. Bussò con insistenza alla porta, finché Anselmo si affacciò dicendo: «Giovinetta, che vuoi a quest'ora? Non hai paura di aggirarti per il paese da sola?».

«Paura di che?» chiese Kantu. «In paese mi conoscono tutti e qui sono più al sicuro che in città; nessuno mi farebbe del male.»

«Sì, è vero» rispose Anselmo. «Ma non mi stavo riferendo alla gente, quanto piuttosto ai fantasmi che potresti incontrare per strada.»

«Fantasmi? E chi ci crede ai fantasmi?» ribatté lei scettica.

«Kantu, i fantasmi esistono...» affermò lui.

«Parleremo di questo un altro giorno: ora ho bisogno di un consulto. Ho portato le foglie di coca» disse lei consegnandogli il pacchetto ed entrando nella stanza dove Anselmo era solito riceverla.

Non appena si furono accomodati attorno all'umile tavolo ed ebbero preparato i riti necessari alla divinazione, Anselmo aprì l'involto che conteneva la coca e che aveva precedentemente piegato. Osservò attentamente le foglie sparse sulla piccola coperta di lana e abbozzò un sorriso appena percepibile. Successivamente le sollevò in alto e le fece cadere, facendo attenzione a come si posavano sul *wallki*. Dopo averle osservate con attenzione, come le se stesse leggendo, domandò: «Mi vuoi chiedere qualcosa di Juan, vero?».

«Sì, come lo sai?» rispose Kantu alquanto stupita.

«È l'uomo che non hai mai smesso di amare, l'uomo a cui pensi sempre, che ti ruba il sonno e non ti permette di vivere in pace» rispose, continuando a osservare scrupolosamente le foglie di coca.

Gli occhi di Kantu s'illuminarono e lo interrogò ansiosa: «Mi ama ancora? Pensa a me? Come sta?».

«Tu lo hai visto... Vi siete incontrati in casa di tua sorella. Sei uscita di nuovo con lui. Sarebbe meglio che lo dimenticassi e che cercassi un'altra compagnia maschile. Ma vedo che il tuo cuore è ancora rapito da lui, che continui a pensarlo. Da quanto tempo lo stavi aspettando?»

Kantu ripensò alla lettera che Juan le aveva mandato prima di abbandonarla definitivamente. Diceva: "Kantu, cara, sono addolorato di non potermi sposare con te ora, ma ho bisogno di un po' di tempo per risolvere alcuni problemi; forse è meglio così. Siamo giovani e abbiamo tutta una vita davanti prima di sposarci. Godiamoci la nostra libertà. Nel frattempo tu pensa a laurearti.

Dolce amore mio, grazie di tutti i momenti di felicità che hai saputo donarmi fino a ora! Ho pensato molto alla nostra vita insieme e, fino a quando non abbiamo iniziato a parlare di matrimonio, stavamo bene. La nostra era una relazione libera. Ti amo Kantu; sei meravigliosa. Grazie infinite di tutti i giorni e le notti che mi hai regalato, dei momenti felici che abbiamo condiviso. Non me li dimenticherò mai. Puoi essere certa che, in fondo al mio cuore, io continuerò ad amarti. Sarai sempre la stella che illuminerà il mio cammino. Ti abbraccio e ti bacio con amore, Juan".

Kantu aveva letto e riletto quella lettera mille volte, cercando di cogliervi qualche significato nascosto, qualche indizio. In nessun punto le diceva che si sarebbero rincontrati da qualche parte o che, un giorno, si sarebbero riuniti e poi finalmente sposati. Quella lettera era un addio, un addio per sempre.

Da allora erano trascorsi diversi anni. Kantu aveva conosciuto altri uomini, alcuni li aveva frequentati, ma non era mai riuscita a innamorarsi di nessun altro. Le esperienze vissute con Juan erano rimaste scolpite nella sua anima come un ricordo indelebile.

Ripensò anche al loro nuovo incontro nella casa di sua sorella. Kantu si trovava in cucina a preparare dei panini, quando aveva udito una voce familiare. Una voce che risvegliava in lei sentimenti che credeva sopiti. Senza pensarci troppo era uscita dalla cucina imbattendosi così in Juan. Suo cognato, ignaro di quanto era successo fra loro qualche anno prima, aveva detto: «Kantu, ti vorrei presentare un mio amico d'infanzia. Siamo cresciuti insieme e lo rivedo solo ora, dopo tanti anni: sarà mio socio. Sta effettuando dei rilevamenti minerari nel Gran Cañón del Colca. Si è specializzato nella ricerca dell'oro ed è diventato un autentico esperto».

Kantu l'aveva guardato intensamente, incredula. L'uomo che durante gli ultimi anni le aveva tolto il sonno, impedendole di vivere serenamente, ora era lì, davanti ai suoi occhi. Aveva provato un dolore acuto che si era subito convertito in una rabbia improvvisa. Il suo corpo aveva preso a tremare e aveva cominciato a sudare freddo. Le era sembrato di sognare; attonita, non aveva saputo come reagire. Aveva cercato di calmarsi e poi, facendosi coraggio, aveva allungato la mano verso di lui, dicendo: «Molto piacere...».

Juan allora si era alzato in piedi e, con un grande sorriso, le aveva stretto la mano. Anche lei si era sforzata di sorridere. Aveva cercato di trattenere le lacrime che erano sul punto di scendere, non sapeva bene se per il dolore o per l'emozione del momento. Il suo cuore batteva all'impazzata. Juan le era parso più attraente ed elegante che mai, più interessante, più adulto. Sentiva su di sé lo sguardo insistente di lui. Certo, anche lei era cambiata: non era più la ragazzina che lui aveva conosciuto. La sofferenza l'aveva trasformata in un'altra donna. Cercando di controllarsi e prendendo il coraggio a due mani era riuscita a dirgli: «Mi fa piacere rivederti».

Allora Juan le aveva chiesto: «Possiamo sederci un minuto o hai da fare in cucina?».

«No» aveva detto lei. «A dire il vero ho già finito quello che stavo facendo.»

Suo cognato Manuel, che era rimasto a osservarli, aveva detto: «Scusate ma, vi conoscete?».

«Sì, ci siamo conosciuti qualche anno fa a una festa. Da allora non ci siamo più rivisti» aveva detto Kantu.

«Visto che vi conoscete, vi lascerò soli per un momento» aveva detto Manuel uscendo dal soggiorno. «Devo fare qualche chiamata. In questi giorni ho dovuto risolvere delle faccende piuttosto delicate che mi hanno tenuto molto occupato e devo sbrigare ancora gli ultimi dettagli. Tornerò subito. Piuttosto, perché non andate a fare due passi fino all'ora di cena? Avrete molte cose da raccontarvi!»

«Sarebbe perfetto. Usciamo a fare due passi» aveva suggerito Juan.

Per Kantu era stato un momento assai difficile. Il dolore non aveva ancora sommerso completamente il suo cuore. Con il suo temperamento orgoglioso di india, consapevole di essere ammirata e corteggiata dagli uomini, era sempre riuscita a reprimere la sua sofferenza. Ma ora che si era ritrovata di nuovo davanti a Juan, era tutto diverso: si era sentita spaventata, addolorata sebbene si sforzasse di apparire serena. Aveva persino dovuto trattenersi per non cadere nella tentazione di lanciarsi fra le sue braccia.

Juan l'aveva guardata dritta negli occhi, offrendole il suo sorriso più accattivante. Mentre camminavano le aveva preso la mano e gliela aveva stretta forte cercando di intrecciare le sue dita a quelle di lei. Era tornato senza dire nulla, scatenando in lei rabbia e dolore. E ora la stava addirittura toccando! Il suo atteggiamento era stato inaspettato e sconcertante: si era forse dimenticato di quello che le aveva fatto? Era tornato come se niente fosse, mentre lei era rimasta segnata per sempre dal passato, un passato che era solo lui.

Si erano seduti sulla panchina di un parco che nelle ore pomeridiane rimaneva semideserto, frequentato solo da pochi bambini e alcuni anziani. Juan, seduto vicino a lei, spezzò per primo il silenzio, dicendo: «Ebbene, sembra che tutto ti sia andato per il meglio, Kantu. Sono piacevolmente sorpreso di trovarti persino molto più bella di prima».

«Anch'io ti trovo bene, ancora più bello; l'ultima volta che ci siamo visti è stato solo per pochi istanti. A proposito, perché non mi hai mai scritto? Perché non mi hai più cercata?» lo aveva interrogato lei.

«La verità è che ero molto lontano e non volevo essere un peso per te. Te l'ho già spiegato: alcuni problemi familiari mi hanno costretto ad andarmene da qui» le aveva risposto prontamente Juan.

«Avresti almeno potuto scrivermi una lettera, dirmi che eri vivo. Adesso ritorni e, come se non fosse successo assolutamente nulla, come se ci fossimo salutati ieri, mi tocchi. Cosa ti aspetti? Cosa pensi che sia? Pensi che sia rimasta ad aspettarti per tutti questi anni?» gli aveva detto un po' confusa.

«Oh, no! Avrai vissuto la tua vita, così come io ho vissuto la mia» le aveva risposto Juan con indifferenza.

«La mia vita? La mia vita sei stato tu» aveva esclamato lei senza pensarci troppo. «In tutti questi anni non ho fatto altro che desiderare di rivederti, di stare di nuovo assieme a te.»

Kantu aveva nuovamente sentito attorno a lei il braccio forte, tenero e amorevole di lui, che la cingeva. Non lo aveva rifiutato.

«Per quanto tempo ti fermerai?» gli aveva chiesto mostrandosi estremamente interessata.

«Un paio di settimane, credo. Poi dovrò andare a cercare quelle miniere» si era affrettato a rispondere lui.

«Sei tornato solo per le miniere?» gli aveva chiesto.

«No, no» aveva replicato lui. «Sono tornato anche per rivedere te. Volevo sapere come stavi. Non ho smesso di pensare a te un solo istante: non c'è nessuna come te, non ci sarà mai.» Abbozzando un leggero sorriso Juan l'aveva guardata negli occhi e, prendendole delicatamente le mani, aveva aggiunto: «Mi farebbe un immenso piacere rivederti ora che sono in città, ma se non vorrai, lo capirò».

«Potrai vedermi tutte le volte che vorrai, Juan» aveva risposto lei decisa.

«Stupendo, fantastico. Dimmi, dove e quando ti verrò a prendere, oppure dove ci potremo incontrare?» aveva chiesto lui ansioso.

«Te lo farò sapere» aveva risposto lei rapidamente.

Juan le aveva segnato il nome e il telefono dell'albergo in cui era alloggiato e lei aveva notato che era a due passi da casa sua. Lei gli aveva sorriso, promettendogli: «Ti chiamerò domani pomeriggio verso le cinque».

Dopo essersi messi d'accordo per il giorno successivo erano tornati verso la casa della sorella. La cena era trascorsa tranquillamente; Juan era sembrato molto interessato di informare Manuel sugli ultimi ritrovamenti nella miniera e Manuel gli aveva parlato degli ultimi rilevamenti e delle sue aspettative economiche. Nel frattempo, Kantu aveva chiacchierato con la sorella degli ultimi acquisti che aveva fatto in città e delle sementi che avrebbe dovuto mandare a loro padre che in quel momento si trovava nella comunità.

Conclusa la cena e la chiacchierata con Manuel, Juan si era ritirato. Nell'accomiatarsi da Kantu le aveva detto: «Bene, Kantu, è stato un piacere vederti e spero che ci rivedremo ancora» facendole un gesto d'intesa.

Poi aveva salutato la moglie di Manuel con un bacio sulla guancia e, rivolgendosi nuovamente all'amico, aveva detto: «Ti chiamerò». Infine se n'era andato.

Quella notte Kantu aveva dormito pochissimo; mille pensieri le ronzavano per la testa. L'indomani si era svegliata in preda alla disperazione e all'ansia. Aveva preso in mano il telefono un'infinità di volte con l'intenzione di chiamare Juan ma senza decidersi mai a comporre il numero. Alla fine, l'amore ancora così profondamente vivo in lei le aveva dato la forza di farlo, sebbene le sembrasse di sottomettersi sfacciatamente ai capricci di quell'uomo.

Avevano concordato di vedersi la sera stessa alle sette in un piccolo ristorante. Quando era arrivata, Juan la stava aspettando seduto a un tavolo. Appena l'aveva vista entrare le si era fatto incontro e, nell'accompagnarla al tavolo, le aveva detto: «Kantu, sei bellissima. Come sei cambiata! Oserei dire che sei ancora più affascinate».

«Neppure tu sei niente male» aveva risposto lei con malizia. «Ti mantieni in forma.»

La conversazione era stata piuttosto fluida. Lei gli aveva raccontato quello che aveva fato in tutti quegli anni e lui le aveva narrato dei viaggi che aveva realizzato per tutto il Perú alla ricerca di miniere.

«Ho lavorato per la compagnia mineraria Alpamayo: due anni al nord, uno al centro e ora, da sei mesi, mi trovo in una miniera nelle prossimità di Caylloma. Di tanto in tanto sono anche venuto a Cuzco.»

«E perché non mi hai chiamata?» lo aveva interrogato lei, perentoria.

«Avevo paura di affrontarti» le aveva risposto lui, cercando di prendere tempo.

«O forse avevi un'altra donna?» aveva insinuato lei, palesemente infastidita.

Vedendo la sua reazione Juan aveva risposto con franchezza: «È vero. Devo confessare che nella mia vita ci sono state altre donne. Nel corso di tutti questi anni ne ho conosciute molte, ma tu sei sempre rimasta in cima ai miei pensieri. Non potevano competere con il tuo ricordo. È difficile dimenticarti».

Ancora una volta la voce melodiosa e dolce di Juan aveva fatto breccia in lei. Al suono di quelle parole, tutti gli anni di dolore, di solitudine e di lontananza si erano dissolti nel nulla come per incanto.

Lui, allora, si era chinato verso di lei e, prendendole le mani, l'aveva rassicurata: «È esattamente tutto com'era prima, Kantu. In questo momento non desidero altro che stringerti fra le mie braccia. È come se non ci fossimo mai separati».

«Anch'io vorrei perdermi nelle tue braccia» aveva ammesso lei, abbassando lo sguardo.

«Ti faccio una proposta: paghiamo e andiamocene da qui» aveva suggerito lui ammiccando.

Lei lo aveva seguito senza il minimo tentennamento, il minimo dubbio, il benché minimo timore. Si erano ritrovati l'uno fra le braccia dell'altra in cerca d'amore e di passione, alla ricerca di una nuova e assoluta unione. Non appena Juan l'aveva stretta a sé, lei aveva capito quanto fosse importante amare, quanto fosse molto più importante dare che ricevere, amare che essere amata. Aveva anche capito che doveva prendere una decisione: avrebbe continuato a vederlo in futuro, o no?

Lui a modo suo l'amava e per lei era sufficiente. Sentiva di potergli concedere tutto, benché sapesse quanto sarebbe stato difficile cambiare la natura di Juan. Era un uomo perennemente in fuga, che andava oltre ogni convenzione e lei lo aveva capito. Lui, dal canto suo, sapeva di essere un uomo estremamente seducente, di esercitare una forte attrazione su di lei; sapeva usare il suo incanto e il suo fascino in un modo magistrale.

Aveva immaginato molte volte il loro incontro ma, quando lo aveva avuto di fronte, tutte le sue certezze erano crollate. Non avrebbe mai potuto obbligarlo a rimanere al suo fianco, non avrebbe mai potuto trattenerlo. Juan era una persona libera e se lei davvero lo amava avrebbe dovuto accettarlo così com'era; non vi era altra alternativa.

Improvvisamente la voce di Juan l'aveva fatta tornare alla realtà: «Sono stati i momenti più belli della mia vita, Kantu» le aveva detto.

«Anche per me, Juan. Rimarrai? Verrai a trovarmi spesso ora che ci siamo ritrovati?»

«Tutte le volte che il lavoro alla miniera me lo consentirà» aveva risposto lui.

All'improvviso si era sentita raggelare e, scostandosi un po' da lui, gli aveva chiesto piena di rabbia: «E che ne è stato di quella donna con cui ti vidi alla miniera d'argento? Ho saputo che avete avuto un figlio. Che cos'hai fatto? Hai abbandonato anche lei, oppure state ancora insieme? Sei un farabutto, un traditore...».

Non pronunciò altre parole avvelenate solo perché lo amava follemente. Del resto Juan non l'aveva mai obbligata a stare con lui né la prima volta né adesso. Quindi, placata la sua ira, l'odio nutrito nei suoi confronti per lunghi anni si era subito ritrasformato in amore. Dopo la tempesta, dunque, un piccolo temporale e infine la calma.

Lei aveva continuato emozionata: «Juan, in tutti questi anni nemmeno una parola, non una sola lettera. E adesso torni e io ricado tra le tue braccia come se nulla fosse. Se avessi solo un po' di forza di volontà ora non sarei qui con te ma, appena ti vedo, tutti i miei buoni propositi svaniscono nel nulla. Sono solo capace di amarti. So anche che se ti chiedessi di rimanere con me sarebbe inutile, sono certa che non rinunceresti mai al tuo lavoro».

«È vero» aveva riconosciuto lui. «Ho stipulato un contratto con la compagnia Alpamayo per realizzare un rilevamento. Tu sai che sono un ingegnere minerario e che questo è il mio lavoro. Potrò venire qui solo di tanto in tanto.»

«Ma io potrei venire con te!» aveva replicato lei. «Sarei disposta a sacrificare tutto per te. E poi, non dimenticare che sono nata e cresciuta in montagna. Non temo quel tipo di vita, né le temperature rigide; ci sono abituata.»

«Lo so, ma non puoi venire. Non sapresti come muoverti perché abbiamo solo due mule che trasportano gli strumenti da laboratorio con i quali effettuiamo le prove dei minerali rinvenuti. Alpamayo è una compagnia straniera che ci paga molto bene ma, per fare bene il nostro lavoro, dobbiamo spostarci continuamente per le montagne. Non voglio che tu faccia questo genere di vita. Ci vedremo quando scenderò in città, te lo prometto. Questa volta non ti deluderò» aveva aggiunto lui con tono convincente.

«Ma sì» aveva detto lei rassegnata. «Tanto ti aspetterò sempre.»

Alla promessa erano seguiti baci, abbracci, carezze fino a quando Juan a un certo punto le aveva domandato con fare accigliato: «I miei amici ti hanno vista assieme a un ragazzo di nome Jorge che studiava medicina. Sei stata con lui?».

Con gli occhi infiammati dalla rabbia e con parole chiare e forti gli aveva risposto: «E cosa volevi che facessi? Che me ne stessi sola per sempre? Ma, se proprio vuoi saperlo, non sono mai andata a letto con lui. Ho vissuto questi anni nella speranza di rivederti e nell'incertezza di non sapere se ciò sarebbe mai accaduto. E la prima cosa che fai quando ritorni da me è chiedermi con chi sono stata!».

«Vuoi dire che non sei mai stata con nessun altro?» aveva chiesto lui.

«Ti ho forse chiesto, io, con quante donne sei andato a letto?» aveva ribattuto lei infastidita. Dopo essere rientrata in sé aveva aggiunto: «Lasciamo perdere per questa notte e amiamoci. Io ti amo e ti accetto così come sei. Sai che ti aspetterò sempre. Ma non giocare con me, non farmi del male. E se non mi vorrai più vedere, non dovrai fare altro che dirmelo, te ne prego».

«Anch'io ti amo ancora, ma per il momento non posso stare sempre con te» le aveva assicurato Juan. Da quella volta si erano rivisti spesso. Su suggerimento di Juan si incontravano in hotel poco frequentati, in casa della cognata, in casa di uno dei suoi parenti, oppure in casa della sorella di lei. Si vedevano, come due ladri: lui non voleva essere visto e lei, da parte sua, non voleva compromettersi...

Improvvisamente la vigorosa voce del curandero interruppe i pensieri di Kantu: «Ebbene, è da un po' che ho risposto alla tua domanda. Non vuoi sapere altro? Spero che tu sia rimasta soddisfatta dalle mie risposte» le stava dicendo.

Ma la sua mente era volata lontano e non aveva sentito nulla.

«Sì» disse, tornando alla realtà. «Un'altra domanda, per favore. Quest'estate il mio amato verrà?»

«L'uomo del quale sei ancora innamorata?» chiese l'anziano curandero che, osservando nuovamente le foglie di coca, aggiunse con tono espressivo: «Sei incorreggibile, Kantu. Ti ha già lasciato diverse volte, continua a prenderti in giro e tu non ti vuoi rassegnare; continui a chiedere di lui speranzosa. Questa è la risposta, piccola mia. L'uomo che stai rincorrendo è irraggiungibile. Potrebbe anche essere l'uomo adatto a te ma tu ti rifiuti di usare il potere del quale sei dotata. Il giorno in cui lo farai lo vedrai baciarti i piedi, adorarti, essere tuo per sempre. Ma, fino a quel momento, si divincolerà continuamente dalle tue braccia, com'è accaduto fino a ora. Usa quel potere e vedrai come tutto cambierà».

I due tacquero. Kantu si fece pensierosa. Ripercorse con lo sguardo la rustica abitazione, fino a posare gli occhi sul tetto di legno annerito dal focolare situato nell'angolo. Si coprì le labbra con la mano destra e, inclinando leggermente la testa all'indietro, inghiottì un po' di saliva. Quindi i suoi occhi presero a muoversi vivacemente, respirò profondamente e chiese con voce forte e chiara: «Se sostieni che possiedo un potere con il quale potrei conquistare l'uomo che amo, perché non mi dici qual è? Dove si trova? Cosa devo fare? Perché non m'insegni a usarlo?».

«Colombina, so che possiedi questo potere, ma non sono io colui che può insegnarti a usarlo» chiarì il curandero. «Se vuoi imparare a maneggiarlo, devi cercare un uomo che vive sulla Montagna Rossa. È un potente curandero che conosce il potere del serpente di fuoco. Solo lui è in grado di insegnarti a usare il potere che possiedi. I guaritori di fuoco sono pochi, ma sono gli unici conoscitori e detentori dei segreti, dei doni, dei poteri degli esseri umani. Nessun altro, oltre a loro, li conosce. Si tratta dei famosi *Amaru Runakuna*[1], uomini e donne serpente che vivono nell'anonimato! Questi guaritori del fuoco e dell'acqua conoscono il potere della terra, della luna e del sole e sanno come usare il potere della natura. Sono i padroni della vita e della morte e sono capaci di curare persino le malattie più gravi. Io non sono che un semplice curandero della terra, un uomo in grado di aiutare le persone a risolvere le loro piccole questioni.»

I capelli dell'anziano brillarono alla fievole luce della candela e, quando si alzò, il suo volto parve ancora più segnato dagli anni. Estremamente sicuro di sé aggiunse: «Tu possiedi un gran forza, ragazzina, ma hai bisogno di qualcuno che ti insegni a usarla, cosa che dovrai imparare a fare da questi guaritori».

«Io voglio conoscere il potere che possiedo!» disse Kantu risolutamente. «Se davvero esiste, sono disposta a fare qualsiasi cosa, anche a fare un patto con il diavolo. Ma... Juan deve essere mio!» Furono parole, quelle, che scaturirono dalla parte più recondita del suo essere.

[1] Gruppo spirituale che segue un procedimento che insegna a dominare il serpente igneo racchiuso in ogni essere umano. *Amaru* è il serpente sacro della mitologia andina, che rappresenta l'energia.

Di fronte a quella determinazione, Anselmo disse: «Aspetta un momento. Voglio vedere cosa dicono le foglie».

Alzò nuovamente la sua mano indurita dagli anni e lasciò cadere un'altra manciata di foglie.

«Il curandero del fuoco ti accetterà come sua discepola, ma non ti sarà affatto facile trovarlo. Per aiutarti ti darò un messaggio che gli consegnerai, dicendogli che viene da parte mia.» Infine aggiunse: «Non appena arriverai a Cuzco, dovrai andare al Mercato Centrale, alla bancarella delle *Arroceras*[2]. Lì chiederai di un curandero chiamato Atahualpa che vive fuori dalla città, a San Sebastián. Quando lo avrai trovato, lo pregherai di presentarti il curandero del fuoco. Atahualpa lo conosce, fu il suo maestro. Se farai altrimenti, non riuscirai mai a trovarlo. Solo lui ti potrà condurre alla sua presenza».

Detto ciò, Anselmo si avvicinò a una mensola dalla quale prese dei fili colorati. Tessé una treccia piuttosto grossa alla quale successivamente annodò altri fili di diversa lunghezza. Nonostante la stanza si trovasse praticamente al buio egli, con grande abilità e in breve tempo, imbastì un mazzo di corde. Ciò che poi consegnò a Kantu era un *khipu*, ovvero un oggetto che fungeva da mezzo di comunicazione e i cui nodi rappresentavano delle lettere.

«Questo è il segnale che ti permetterà di metterti in contatto con lui» le spiegò Anselmo, infilandolo in una borsa colorata. «Che gli spiriti protettori degli uomini di questa regione ti proteggano» aggiunse con il volto illuminato dalla luce fioca della candela. «Va' in cerca del tuo destino, piccola, ma ricorda: la felicità si raggiunge solo dopo tanti sacrifici. Se vuoi che quest'uomo diventi tuo, dovrai prepararti come si prepara un guerriero prima del combattimento.»

2 Nome dato alle donne che vendono erbe medicinali e altri ingredienti usati dai guaritori.

In segno di ringraziamento Kantu gli porse tutti i soldi che aveva con sé.

«Mettili via. Io non vendo il mio sapere: sono solo un servitore del sapere» le disse Anselmo, risoluto.

Era quasi notte quando Kantu uscì dalla capanna di Anselmo. Faceva freddo e soffiava un leggero venticello. Alzò gli occhi al cielo e vide l'immensità dello spazio infinito costellato di puntini luminosi. Da qualche parte doveva esserci anche la sua stella. All'improvviso una stella cadente fu inghiottita dal buio lasciando dietro di sé una scia luminosa: "È di buon auspicio" pensò ed espresse così il suo più ardito desiderio: "Juan sarà mio, sarà mio per sempre".

# 5
# ALLA RICERCA DI UNA GUIDA

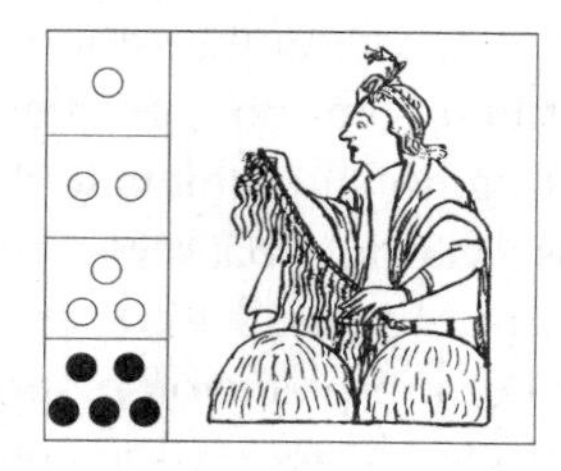

Era da poco spuntato il sole su Coporaque e Kantu era già per strada, in attesa della corriera che l'avrebbe riportata in città. Nonostante quella mattina facesse piuttosto freddo lei se ne stava lì, impaziente, passeggiando avanti e indietro nel tentativo di riscaldarsi un po'. La sua unica preoccupazione era conoscere il curandero del fuoco; lo avrebbe pregato di insegnarle a usare il potere del quale, a detta di Anselmo, era dotata. Con quel fermo proposito era rimasta lì ad aspettare la corriera che, finalmente, vide avanzare lentamente verso la fermata, lasciando dietro di sé una nuvola di polvere.

Kantu si fece largo fra la gente e salì. La corriera era stracarica e dovette viaggiare in piedi. I passeggeri appartenevano a differenti strati sociali e provenivano da luoghi diversi. Quelli con gli sguardi semplici e sinceri, dovevano provenire da qualche comunità della zona: gli uomini, avvolti nei poncho, coperti dai loro *chullos*, calzavano i tipici sandali andini; le donne erano avvolte dalle coperte con motivi geometrici rossi e neri oppure vestite alla meticcia, con blusa, gonna e coperta sulle spalle. Altre, invece, erano vestite in stile occidentale, con i giacconi imbottiti, i jeans e le scarpe eleganti. Dentro il veicolo, l'odore del cibo si mescolava a quello dell'alcol, del fumo, del sudore.

Kantu sapeva che il viaggio sarebbe durato varie ore, quindi cercò di mettersi comoda, per quanto lo consentissero le corriere. Si appoggiò allo schienale del sedile e cercò di riposare un po' osservando i passeggeri vicino a lei, con i loro logori berretti impolverati. Le conversazioni che si svolgevano attorno a lei erano piacevoli e spesso udiva qualcuno ridere di gusto. I visi di quei passeggeri non erano incupiti come quelli della gente di città, tutt'altro: erano volti tranquilli e sereni, allegramente rassegnati. Le mani indurite e callose di quella gente rivelavano l'asprezza del lavoro quotidiano. Erano senz'altro contadini, proprietari di qualche appezzamento di terra. Lavoravano sodo, ma spesso la grandine o le gelate danneggiavano le piante impoverendo così i loro raccolti. Essi sapevano bene che la vita di montagna era dura ma vivevano senza lamentarsi troppo, accettando le intemperanze della natura e cercando, il più delle volte, di entrare in sintonia con essa.

La corriera avanzava veloce addentrandosi nei boschi di eucalipto. Al di là di quegli arbusti si stendevano immense aree coltivate, lavorate da migliaia di contadini che svolgevano le più diverse mansioni: alcuni zappavano la terra, altri l'aravano servendosi della *chakitaqlla*[1], l'aratro usato dai contadini andini. Più in là si scorgeva anche qualche gruppetto di donne chine a raccogliere il grano o a mondare cereali, fave o piselli.

Il paesaggio cambiava continuamente. Il grigio delle montagne contrastava con la terra rossiccia dei campi coltivati.

[1] Antico aratro andino a un vomero, usato da tempo immemorabile. Per fare i solchi si poggia tutto il proprio peso sul piede destro che preme il vomero.

Nel mezzo di queste terre così diverse serpeggiava il fiume Vilcanota che qualche migliaio di metri più in là, avrebbe preso il nome di Urabamba.

Da Sicuani in poi il viaggio si fece più sopportabile. L'asfalto prese il posto della strada sterrata e, di conseguenza, sparirono anche le scosse e gli sballottamenti. Era ormai sera, quando Kantu giunse alla città di Cuzco.

Esausta per il viaggio, quella notte Kantu dormì, ma di un sonno inquieto. Aveva pensato così intensamente al suo incontro con il curandero del fuoco che ebbe persino degli incubi. Sognò di un anziano signore dallo sguardo sinistro che non voleva ascoltarla e che gettava lontano la borsa che Anselmo le aveva dato. Spaventata si svegliò con il respiro affannoso: era stato solo un sogno. Erano esattamente le tre e quarantacinque del mattino. Guardò l'orologio sul comodino e disse fra sé: "Bell'ora per svegliarsi! Cercherò di dormire un altro po'". Richiuse gli occhi ma il desiderio di conoscere quel curandero l'agitava. L'ansia rese le ore interminabili.

Appena tutti si furono alzati, Kantu balzò rapidamente giù dal letto e si preparò per uscire. Presa com'era dall'agitazione, non aveva fame e assaggiò appena la colazione. Quindi uscì e s'incamminò frettolosamente verso il Mercato Centrale della città. Conosceva la zona delle risaiole; vi si vendevano erbe medicinali, talismani, profumi e un'infinità di altri prodotti. Erano loro che rifornivano gli stregoni, gli empirici e i curanderos di Cuzco e dei dintorni di gran parte del materiale da essi usato. Non appena si avvicinò al mercato, le venditrici presero a chiamarla insistentemente: «Venga qui, giovane. La servirò io» disse una.

«Io le farò lo sconto» si offrì un'altra.

«Sta cercando delle erbe? Io ho erbe fresche» propose un'altra voce poco più in là.

Tutte quelle donne, da dietro il loro bancone, facevano a

gara per richiamare la sua attenzione. Kantu non sapeva a chi rivolgersi, fino a quando scorse una venditrice dall'aspetto affidabile.

Era una donna di una certa età che stava servendo alcuni clienti. Kantu le si avvicinò e aspettò qualche minuto. Non appena ebbe finito di servire anche l'ultimo cliente, la donna la guardò negli occhi e le chiese: «Cosa desidera?».

Kantu vacillò un istante. Non volendo dire il vero motivo per cui si trovava lì, le rispose: «Vorrei delle erbe. Ultimamente ho qualche disturbo ai reni».

«Le consiglio di prendere un infuso di coda di cavallo, piantaggine e fico; è ottimo per i reni.»

E mentre le consigliava quel decotto, la venditrice prese qualche manciata di erba essiccata e la mise in un sacchetto; lo stesso fece anche con la piantaggine e con le foglie di fico.

«Mi dica se così le può bastare.»

«Sì, credo sia sufficiente.»

"Questa donna conoscerà Atahualpa?" si chiedeva Kantu e, trovando il coraggio, le chiese: «Signora, conosce un curandero di nome Atahualpa?».

Sorridendo, la donna rispose: «Certo, figliola. Tutte noi lo conoscevamo».

«E dove lo posso trovare?»

«Ah, cara, questo sì che è difficile! Forse ora è in cielo.»

Il viso di Kantu si contrasse per lo stupore: «Perché lo dice?».

«Atahualpa è morto qualche settimana fa.»

«E lei conosce qualche altro curandero?»

«Certo. Ce ne sono molti. Guardi, ne sta arrivando uno» rispose la donna facendo un segno alla sua sinistra.

Kantu si voltò e vide un uomo vestito da contadino. Portava una borsa in spalla. Scrutò la venditrice e le chiese: «Ed è un buon curandero?».

«Ah, questo non te lo saprei proprio dire. Atahualpa era molto bravo; questo non sarà mai come lui. Noi, qui, ci limitiamo a vendere le erbe: non conosciamo ogni curandero che passa. Certi dicono che questo è buono, altri che non lo è.»

Kantu pagò le erbe che aveva comperato e rimase lì ferma, indugiando, senza sapere bene cosa fare. Anselmo le aveva detto che doveva cercare solo il curandero del fuoco. Ma non appena l'uomo si avvicinò alla bancarella presso cui si trovava, gli chiese: «Scusi, anche lei è un curandero?».

«Sì, figliola» rispose lui. «Curo distorsioni, spaventi, crampi, dolori di stomaco, maltrattamenti, malocchi. Hai bisogno di qualcosa, piccola?»

«No» disse lei. «Sto cercando qualcuno che... Sto cercando un *Amaru*, un curandero del fuoco.»

«Esistono curanderos del genere? E, cosa fanno esattamente?» chiese a quel punto l'uomo.

Rendendosi conto che quel curandero non sapeva proprio nulla dell'argomento, Kantu troncò la conversazione. Quella mattina interrogò tutti coloro che si avvicinavano alle bancarelle delle *Arroceras*. Nessuno sapeva dirle niente; nessuno conosceva quei curanderos, né tantomeno ne aveva mai sentito parlare.

Ormai stanca di domandare, decise di andarsene, ma non prima d'aver fatto ancora un ultimo tentativo. Si avvicinò nuovamente alla prima venditrice con la quale aveva parlato e le chiese: «So che Atahualpa è morto, ma sa se ha dei familiari?».

«Non lo so, figliola» rispose la donna. «Ma, se ti può servire, eccoti il suo indirizzo» e, porgendole un pezzo di carta sul quale aveva annotato l'indirizzo, le domandò: «È così importante per te vedere proprio Atahualpa e non un qualsiasi altro curandero?»

«Sì. È questione di vita o di morte.»

«Mi spiace, sei arrivata troppo tardi, figliola.»

Scoraggiata Kantu se ne ritornò a casa. Dopo aver pranzato, ripensò alle parole di Anselmo: «Se davvero vuoi qualcosa, dovrai lottare per averlo; perseverando, troverai ciò che cerchi». Il ricordo di quelle parole le infuse forza e coraggio. Rovistò nelle tasche dei pantaloni cercando l'indirizzo che la donna le aveva dato e, appena lo ebbe trovato, uscì di casa e fermò un taxi che la condusse in un quartiere popolare alla periferia della città.

Arrivata alla casa, Kantu pagò la corsa e scese. L'abitazione era rustica e modesta. "A quanto pare quel curandero non guadagnava molto" pensò. Le avevano riferito che era stato un buon curandero. Le risaiole le avevano parlato di lui con profondo rispetto.

Bussò piano alla porta ma, poiché nessuno rispondeva, bussò con maggiore forza. Poco dopo udì la voce di una donna che diceva: «Arrivo».

Poi sentì avvicinarsi i passi di qualcuno che strascicava i piedi e che respirava faticosamente. Quando la porta si aprì, davanti a Kantu apparve un'anziana meticcia dai capelli canuti e dalle mani grosse e raggrinzite. Il suo corpo robusto rivelava che era una contadina. Indossava i tipici abiti indigeni che, anziché essere variopinti, erano di colore scuro per via del lutto. Sul suo viso, solo una grande tristezza e una sofferenza infinita. Era il viso di chi non si è ancora rassegnato al duro colpo che la vita gli ha assestato. Profonde screpolature provocate dal freddo intenso solcavano i suoi talloni e le piante dei suoi piedi.

«Cosa desidera, signorina?» le chiese, stupita.

La donna osservò Kantu. Dal suo aspetto elegante intuì che non doveva trattarsi di una cliente abituale di suo marito. La clientela solitamente era formata da persone che vestivano in modo modesto mentre quella che aveva davanti era una donna ben vestita e, soprattutto, molto bella.

«Sto cercando don Atahualpa. Vorrei chiedergli un consulto» mentì Kantu.

«Mio marito è morto qualche settimana fa» le disse l'anziana donna con voce triste, osservandola attentamente.

Kantu la studiò velocemente pensando a come avrebbe potuto carpirle qualche informazione sull'uomo che stava cercando.

In lei si potevano ancora scorgere i segni del dolore per la perdita del compagno, dell'uomo che aveva amato per tutta la vita. La morte di Atahualpa doveva essere stata un duro colpo per lei. Il suo sguardo era assente, perso a inseguire chissà quali ricordi. Quanti anni avevano passato insieme! Kantu pensò per un istante al destino degli esseri umani: nasciamo, cresciamo, mettiamo al mondo dei figli, invecchiamo e infine moriamo. È la legge della vita.

«Quanto mi dispiace!» disse Kantu sommessamente, rammaricandosi sinceramente per il dolore della donna. «Ma bisogna essere forti.»

«Sì, sì. Lei conosceva mio marito, era in cura da lui?»

«No, questa è la prima volta che vengo. Lo stavo cercando su incarico di un curandero che vive in un paese lontano da qui.»

«Può essere. Mio marito viaggiava parecchio: andava a fare le offerte alla Madre terra, a curare la gente. Era lui che ci procurava da mangiare e, ora che non c'è più, siamo caduti in miseria.»

«Mi dispiace» fece Kantu estraendo dei soldi dalla sua borsa e allungandoli verso la mano dell'anziana. «Tenga. Spero che le possano servire.»

La donna prese il denaro con le sue mani tremanti e disse, sorridendole affettuosamente: «Lei mi ossequia con del denaro che mi aiuterà a soddisfare le mie necessità, sebbene mio marito non le abbia prestato i suoi servigi. Grazie di cuore. Le augurо di trovare un altro curandero altrettanto bravo. Mio marito era un uomo buono, estremamente generoso. Chiedeva pochissimo per i suoi servizi; per questo siamo così poveri».

Nel vedere che era riuscita a conquistarsi un po' della sua fiducia, Kantu si permise di dire alla donna: «Forse lei mi può aiutare».

L'anziana donna la guardò stupita ma anche un po' incuriosita: «Figliola, io non so curare».

«Non voglio che mi curi» chiarì Kantu. «Ero venuta a chiedere a suo marito di presentarmi un altro curandero, un curandero speciale che lui conosceva.»

«È possibile. Mio marito conosceva molti curanderos.»

«Lei non ne conosce, per caso, uno speciale? Uno che sia un gran curandero?»

«Non mi ricordo quasi di nessuno. Qui veniva molta gente. Forse qualcuno era anche curandero. Forse mia nipote potrebbe saperne qualcosa di più.»

«E dove si trova sua nipote?» chiese ansiosamente Kantu.

«Un tempo viveva qui con noi, ma qualche tempo fa si è sposata e ora vive da un'altra parte. Non conosco il suo indirizzo ma so dove si trova la casa.»

Kantu non sapeva bene cosa fare ma cercò subito una soluzione: «Sarebbe troppo chiederle di accompagnarmi a casa di sua nipote?».

«Ah, ti accompagnerei volentieri ma faccio molta fatica a camminare. Da quando mio marito è morto non mi sento affatto bene» rispose l'anziana.

«Non dovrà camminare. Andremo in taxi e poi la riporterò a casa. La prego, è molto importante» le disse Kantu, estraendo un altro biglietto. «Gliene darò ancora ma, per favore, mi aiuti.»

L'anziana la guardò con un'espressione triste, impotente: "Deve avere qualche problema e può darsi che mia nipote conosca l'uomo che sta cercando" pensò. E, qualche istante dopo, accettò: «E va bene, ti accompagnerò. Ma dovremo aspettare che arrivi mio nipote. Non posso uscire senza di lui, ormai non ci vedo più tanto bene.»

«D'accordo. Nel frattempo uscirò a cercare un taxi.»

«E io mi preparerò per uscire» rispose l'anziana.

Kantu uscì in strada sollevata. "Speriamo in bene perché altrimenti non saprei proprio che altro fare" pensò.

S'incamminò verso la strada principale riflettendo su certe contraddizioni della vita; lei sapeva di falsi curanderos che guadagnavano una fortuna ma ora sapeva che ve ne erano anche di buoni che conducevano una vita assai umile. Anselmo le aveva detto che la sua arte doveva servire ad aiutare gli altri e non a servirsi di loro. Le aveva anche spiegato che chi voleva imparare l'arte del curare, doveva cercare un maestro, una guida. Doveva rimanere al suo servizio, aiutarlo nella gestione della sua fattoria, a pascolare il bestiame e questi, dal canto suo, gli avrebbe impartito i suoi insegnamenti per quattro o cinque anni. Questo era tutto quello che Kantu era riuscita a capire con esattezza sui curanderos nel corso delle sue conversazioni con Anselmo e con altri esperti in materia.

Per quanto riguardava *Amaru*, le avevano detto: «È un serpente d'energia che ha un potere tremendo; comanda i fiumi, le nubi bianche e, quando vuole, provoca le gelate».

Un'ora dopo il taxi attraversava velocemente la città da un capo all'altro. La nipote della donna viveva, infatti, all'estremo opposto. Il nipote che accompagnava la vecchietta era un ragazzino di circa nove anni dai capelli neri, gli occhi vivaci e un sorriso incantevole. Indossava un vecchio pullover grigio, un paio di pantaloni blu consumati e un paio di scarpe rotte. Seduta accanto a lui, la nonna respirava affannosamente. Sembrava quasi che il peso del suo stesso corpo la schiacciasse. Qualche istante dopo, su indicazione della donna e del nipote, il taxi si arrestò davanti a una porta.

«È questa» dissero al taxista.

Kantu chiese all'autista di aspettarli e aiutò l'anziana a scendere dalla macchina.

La nonna e il nipote bussarono alla porta. Venne ad aprire una ragazzina dal volto sorridente, abbigliata poveramente. Guardò con stupore Kantu e sollevò leggermente il cappello nero che copriva la sua chioma. I suoi begli occhi neri, lucidi, avevano uno sguardo innocente. Dopo averla osservata attentamente, il suo volto si fece serio, le sue labbra si chiusero ma continuò a guardarla con occhi furbi e inquisitori. Doveva appartenere a una qualche comunità e doveva essere arrivata da poco a Cuzco. Di fatto vestiva ancora all'andina con una coperta sulle spalle, una blusa e una fascia che reggeva le sottane. L'anziana le disse: «Sto cercando mia nipote Sara».

La ragazzina scrollò la testa e rispose con voce trillante: «Non c'è. È andata al mercato».

«Signorina, non abbiamo avuto fortuna» disse l'anziana rivolgendosi a Kantu con aria perplessa.

«Non si preoccupi, ritorneremo un altro giorno» le rispose Kantu che poi chiese alla ragazzina: «Sai a che ora la potrò trovare?».

«Non dovrebbe tardare molto.»

«Non è necessario che lei venga la prossima volta. Dirò al taxista di riaccompagnarvi a casa. Io devo parlare con sua nipote, quindi ripasserò di qui tra un po'.»

Quindi, rivolgendosi alla ragazzina, l'anziana disse: «Senti, colombina, di' a mia nipote di ricevere questa giovane che è stata molto buona con me. Dille: "La nonna ha detto di riceverla e di fare tutto quanto è in tuo potere per aiutarla". Non dimenticartela, guardala bene».

«Sì, sì» fece la ragazzina osservando attentamente Kantu come se volesse memorizzare il suo volto.

«Signora, io ho altre cose da fare ma aspetterò sua nipote per un po'. Se lei vuole tornare subito a casa, dirò al taxista di riaccompagnarla.»

«No» replicò la donna risoluta. «Ripensandoci è meglio che rimanga qui ad aspettare. Voglio assicurarmi che mia nipote ti riceva.»

E così Kantu pagò il taxista ringraziandolo per averli aspettati.

«Facci entrare» ordinò l'anziana alla ragazzina. «Aspetteremo mia nipote nel patio.»

La ragazzina li fece passare. Poi richiuse la porta dietro di loro e i tre la seguirono lungo il corridoio che dava su una stanza chiusa. Accanto alla porta c'erano delle panche.

«Mia nipote vive qui. Credo che non tarderà molto. Aspetteremo» e, con l'aiuto del nipote, l'anziana si sedette.

Poco dopo udirono qualcuno che bussava alla porta. Nel passare per andare ad aprire, la ragazzina sorrise a Kantu che aspettava impaziente, domandandosi se la nipote sarebbe stata in grado di condurla dal curandero che stava cercando.

Qualche istante dopo davanti a loro comparve una giovane donna sui vent'anni che, sui capelli neri acconciati a treccia, portava un berretto di lana marrone. Indossava un pullover viola, una gonna celeste a pieghe e un paio di scarpe da campagna. Portava sulla schiena un bambino avvolto in una coperta variopinta ricamata con simboli geometrici. Un berretto rosso riparava la testa di quel piccolo dagli occhi neri e dalla pelle scura. Il bimbo scrutò i presenti dall'involucro che lo teneva ben saldo alla schiena della mamma la quale, con le braccia, sorreggeva due borse della spesa. Questa guardò la donna anziana e disse emozionata: «Nonnina, che sorpresa trovarti qui! Come sei venuta? È da molto che mi stai aspettando?» disse, appoggiando le borse a terra per aprire la porta della sua stanza: «Entra, entra, nonnina».

Poi, meravigliata, guardò Kantu.

«Sono venuta perché questa signorina desidera parlare con te» rispose la nonna.

A quelle parole la nipote guardò Kantu ancora più attentamente.

«È una brava ragazza. Nessuna delle persone che tuo nonno ha aiutato ci ha mai dato niente. Già lo sai, sto facendo degli sforzi tremendi per sopravvivere» le rammentò la nonna.

«Sì, lo so, nonnina. Ma nemmeno io ti posso aiutare. Ho appena di che vivere» la interruppe la nipote.

«Invece questa buona signorina mi ha dato del denaro, sebbene non abbia mai conosciuto tuo nonno. È stata molto generosa. Vuole sapere una cosa e forse tu la puoi aiutare. Ascoltala, te ne prego» la supplicò la nonna.

Nel frattempo la nipote appoggiò la spesa sul tavolo e, non appena la nonna ebbe finito di parlare, le rispose: «Se me lo chiedi tu, nonnina...». Poi, voltandosi verso Kantu le chiese con fare umile: «Mi dica, signorina. In che posso aiutarla? Cosa posso fare per lei?».

Kantu si tranquillizzò sebbene provasse un'immensa tristezza nel vedere la miseria nella quale versavano quelle persone. Sperava che la giovane potesse aiutarla a esaudire il suo desiderio: trovare il curandero del fuoco.

«Come ti chiami?» le chiese per cominciare, cercando di guadagnarsi la sua amicizia.

«Mi chiamo Sara» rispose la giovane.

«Ascoltami, Sara, ho bisogno di te. Se mi aiuterai ti ricompenserò molto bene.»

Kantu le raccontò di essere intenzionata a rintracciare il curandero del fuoco. Le disse che solo suo nonno conosceva quel grande curandero e le riferì tutto ciò che Anselmo le aveva detto di lui. Sara la ascoltava attentamente e, alla fine del racconto, disse: «Forse si tratta di qualcuno che frequentava mio nonno ma non mi viene proprio in mente chi possa essere. In questi ultimi anni ho vissuto assieme ai miei nonni e ricordo di avere visto parecchia gente che andava a trovarli» disse la giovane madre portandosi il bambino al grembo. «Come hai detto che si chiama questo curandero?» chiese subito dopo, dandole del tu.

«Non conosco il suo nome; so solo che è un curandero del fuoco, un *Amaru*, un uomo serpente» spiegò Kantu passandosi la mano sul capo.

«...non so proprio. Non ne ho mai sentito parlare» ammise Sara guardando pensierosa il pavimento.

«Hai mai notato se tuo nonno avesse qualche predilezione o preferenza per qualcuna delle persone che andavano a fargli visita?» indagò Kantu nella speranza di trovare qualche indizio.

Sara inspirò profondamente, trattenne per un attimo il respiro e, appoggiando la testa alla sua mano sinistra, le rispose: «Fammi pensare... Fammi ricordare... Veniva molta gente, ma c'è un'occasione in cui mio nonno si emozionò molto; non l'avevo mai visto così contento. Io stavo giocando fuori. Allora ero solo una ragazzina ma ricordo che mio nonno lo chiamò Maestro. Il nonno mi disse che quell'uomo gli aveva insegnato i veri segreti per conoscere la *Pachamama*. Quell'uomo ritornò altre volte e, quando lui smise di venire a casa nostra, iniziammo noi ad andare da lui. Il nonno gli portava dei regali che lui non accettava mai. Ricordo che lui, invece, regalava delle cose a noi».

«Potrebbe essere l'uomo che sto cercando... Sai dove vive quest'uomo?» chiese Kantu speranzosa.

«Sì, so in che zona vive. Occorre solamente cercarlo. Possedeva una casa sulle montagne del Langui. Spero che non ti costi molto camminare.»

«Non preoccuparti, Sara. Sono una ragazza di montagna, ho camminato molto. Appartengo a una comunità.»

«Bene. Allora, domattina all'alba prenderemo la corriera. Ci aspettano diverse ore di viaggio. Lascerò il bambino con la nonna.»

Quando Kantu uscì da quella casa si sentiva molto più serena; le parve che il suo buio orizzonte cominciasse a rischiararsi. Forse Sara conosceva la persona che stava cercando. Nelle ultime ore del pomeriggio si preparò adeguatamente per il viaggio che avrebbe intrapreso il giorno successivo. Le dispiaceva un po' che Sara dovesse lasciare suo figlio alla nonna per poterla accompagnare, ma non vedeva altra soluzione. "Vorrà dire che appena troverò il curandero le farò un bel regalo" pensò.

La mattina del giorno successivo le due donne presero la corriera che le avrebbe condotte a Langui. Quando salirono, il veicolo era mezzo vuoto ma in poco tempo si riempì di gente. C'erano uomini, donne e bambini, alcuni comodamente seduti, altri invece accalcati in piedi. Il pesante mezzo emise una sorta di ronzìo e poi si avviò lasciandosi la città di Cuzco alle spalle. Il viaggio durò parecchie ore. Passarono per molti luoghi e si fermarono in piccoli paesini per permettere alla gente di salire o scendere. Il tragitto si fece interminabile. Le due donne a tratti rimanevano in silenzio a osservare gli altri passeggeri, a tratti, invece, conversavano piacevolmente fra loro.

Sara raccontò delle cure che aveva dispensato suo nonno e disse a Kantu: «Era un grand'uomo. La gente lo amava molto per tutto il bene che aveva compiuto. Mi dispiace molto che sia morto, ma mi dispiace ancora di più per la nonna...».

Kantu l'ascoltava mentre il pesante veicolo avanzava faticosamente lungo il cammino. Più che pensare alla disgrazia che aveva colpito quelle persone, in quel momento pensava egoisticamente ai problemi che l'assillavano. Sperava d'incontrare l'uomo che stava cercando; in seguito avrebbe cercato di aiutare loro.

«Spero con tutto il cuore che riusciate a risolvere presto i vostri problemi economici e che per voi il futuro possa essere migliore» disse Kantu a Sara cercando di infonderle coraggio.

Qualche ora più tardi il veicolo imboccò una strada sterrata e cominciarono gli scossoni.

«Mancano ancora alcune ore di viaggio» la informò Sara. «Poi dovremo camminare un bel po', ma io conosco una scorciatoia che facevo sempre con mio nonno.»

Dopo qualche ora Sara urtò leggermente Kantu con il gomito e le disse: «Dobbiamo scendere qui».

Chiese all'autista di fermarsi. La corriera si fermò in un posto deprimente e polveroso; davanti alle due donne apparve solo una capanna abbandonata, senza porte né finestre, senza tetto e completamente ricoperta dalla polvere sollevata dai mezzi che circolavano su quella strada.

«Da qui imboccheremo una scorciatoia» disse Sara.

Effettivamente, poco più in là, un sentiero strettissimo si arrampicava su per la brulla montagna. La vegetazione era composta da piccoli arbusti ed erbe rinsecchite che conferivano al luogo un aspetto di profonda desolazione. Nelle vicinanze si estendevano pascoli color ocra e dietro a questi, un po' più in là, si ergevano piccole e grandi rocce attorno alle quali crescevano piante tipiche di quella regione. Il cielo si stava incupendo, forse per via delle nuvole che si stavano addensando.

«Questa scorciatoia ci condurrà dritte da quell'uomo» disse Sara imboccando l'angusto sentiero.

E così camminarono fino a quando avvistarono in lontananza una capanna piuttosto isolata.

«È quella» indicò Sara con certezza.

«Speriamo che non ci siano cani. Non mi piacciono molto» disse Kantu. «Anche se in campagna è piuttosto frequente avere dei cani da guardia.»

«No, quest'uomo non ha cani» replicò Sara.

Quando giunsero davanti alla porta della capanna videro che questa era sprangata con due travi di legno che ne impedivano l'accesso.

«Forse non vive più qui» disse Kantu.

Ma Sara cominciò a chiamare insistentemente in quechua: «*Hampusqayki*? (Per favore, c'è qualcuno in casa?)».

Improvvisamente ammutolì: alle loro spalle si era avvicinato qualcuno. Era un uomo di media statura e dalla corporatura muscolosa. Non era molto alto, ma il suo portamento era imponente. Dal cappello bianco adornato da un nastro scuro, spuntavano i capelli corvini. Portava sulle spalle un poncho rosso con frange verdi. Rughe leggere gli solcavano la fronte e la piega delle labbra. I suoi occhi neri e profondi emanavano uno strano potere. Le sue mani affusolate sembravano le mani di un artista e non di un contadino.

A passi agili avanzò fino alla porta e parlando in quechua chiese alle due donne: «*Pitan maskankinchis, imatan munankichis kaypi*? (Chi cercate? Cosa desiderate?)». Poi guardò la nipote di Atahualpa ed esclamò: «*Yau, qantaqa riqsiykiña, Sara imata kaypi munanki*? (Io ti conosco... Sara, che ci fai da queste parti?)».

«Sono venuta ad accompagnare questa signorina che vuole parlare con lei» gli rispose lei in castigliano.

«Parlare di cosa?» indagò l'uomo cambiando idioma ma continuando a rivolgersi solo a Sara.

«Non lo so, so solo che vuole parlare con lei.»

«D'accordo, entrate pure» rispose l'uomo.

Entrarono nella casa fatta di fango e di pietra, coperta di paglia, con le porte piccole e le finestre minuscole. Una volta dentro, l'uomo le fece sedere su panche di legno. Kantu aveva un nodo in gola. Non sapeva da che parte cominciare quindi disse: «Per prima cosa vorrei dirle che vengo da parte del curandero Atahualpa».

Il volto del curandero cambiò colore e, con un'espressione sorpresa e, al tempo stesso, indignata, chiarì: «Ma come, non sa che Atahualpa è morto?».

«Sì, lo so» ripose Kantu leggermente imbarazzata.

«E allora, come fa a venire da parte sua?»

«In realtà», disse lei un po' disorientata «sto cercando una persona speciale che Atahualpa avrebbe dovuto presentarmi su richiesta di un altro curandero che vive nella mia comunità. Ma quando arrivai a Cuzco venni a sapere del tragico incidente che lo aveva colpito.»

Il curandero osservò attentamente la ragazza e disse, cercando di capire: «E tutto questo, cos'ha a che fare con me?».

«Vorrei che lei mi dicesse se sa qualcosa a proposito dell'esistenza degli *Amaru Runakuna*. Ciò che mi interessa, esattamente, è conoscere un curandero del fuoco» insistette lei.

Kantu stava solo cercando di guadagnare tempo e di verificare se si trattava davvero della persona che stava cercando. Sara le aveva parlato bene di lui e le aveva detto che suo nonno lo considerava un maestro, ma c'era qualcosa in lui che la faceva dubitare. In alcuni momenti le pareva un uomo comune eppure, in altri, le sembrava una persona speciale. E per lei era indispensabile scoprire se si trattava dell'uomo che stava cercando.

«Non le saprei proprio dire nulla a proposito degli *Amaru Runakuna* né di questo curandero del fuoco» rispose l'uomo continuando a indagare: «Ma, perché sta cercando questa persona?».

«È una storia molto lunga. Per spiegargliela dovrei rubarle del tempo...» aggiunse Kantu alquanto mortificata.

«Ma se lo hai già fatto! Quanto tempo vuoi ancora?» ribatté scocciato il padrone di casa dandole del tu.

«Ancora qualche minuto, per favore. Devo risolvere delle questioni molto importanti per la mia vita e vorrei conoscere questa persona che spero mi possa aiutare» confessò Kantu.

«Perché, fra tutti i curanderos che ci sono, cerchi proprio lui?» Mentre le faceva tutte quelle domande il curandero studiava a una a una ogni reazione di Kantu: «E cosa vuoi da lui?».

«Voglio imparare qualcosa che lui, solamente lui, può insegnarmi: imparare a usare la mia forza interiore. A detta di Anselmo gli altri curanderos non possono guidarmi lungo questo percorso; solo lui può farlo» rispose Kantu guardandosi attorno attentamente.

Ma, impassibile, il curandero le rispose: «Sono spiacente, ma non ti posso aiutare... E credo che abbiamo già parlato a sufficienza». Poi, rivolgendosi a Sara, disse: «Figliola ti darò qualcosa per te e per tua nonna». Entrò in una stanza dalla quale dopo qualche minuto uscì con due grandi pacchetti.

«La signorina ti potrà aiutare a portarli» le disse porgendole i pacchi, dimostrando palesemente di voler porre fine alla conversazione.

Vedendo che non c'era più nulla da fare Kantu pensò che sarebbe stato meglio non insistere. Quindi aggiunse, come per scusarsi: «Sono spiacente di averle fatto perdere tempo. Ma... anch'io dovevo consegnare qualcosa a questo curandero».

«Ah, sì? E potrei sapere cosa?» chiese il curandero incuriosito.

«Questo» rispose Kantu, estraendo dalla borsa una estremità dell'intreccio di corde che Anselmo le aveva consegnato.

«Chi te lo ha dato?» indagò l'uomo allungando una mano per prenderlo.

«Me lo ha dato Anselmo, il curandero del mio paese, per quell'uomo» disse lei estraendo dalla borsa il piccolo involto multicolore che avvolgeva le corde.

«Sono curioso di esaminare questo intreccio di corde» riconobbe il curandero, afferrando la borsa.

«Ma certo, faccia pure. È stato così gentile a dedicarmi un po' del suo tempo...»

Il curandero osservò il piccolo involto e le corde annodate. Chiuse gli occhi, le palpò con la punta delle dita e poi aggiunse: «Signorina, il tessuto e le corde sono molto belli» e rimise l'intreccio nel sacchetto. Improvvisamente l'espressione dell'uomo cambiò. La sua voce si fece più amichevole e le disse: «Nel caso dovessi venire a sapere qualcosa dell'uomo che cerchi, te lo farò sapere. Ma perché cerchi proprio lui?».

«Perché me lo ha consigliato il curandero del mio paese e io sono sicura che mi potrà aiutare.»

«Ma, è così importante per te trovare quella persona?» le chiese il padrone di casa estremamente incuriosito.

«Sì, lo è. La mia vita non avrebbe senso senza quegli insegnamenti. Ne sono sicura; Anselmo me lo ha garantito. Lei non lo conosce?» riprese Kantu facendosi coraggio.

«Forse è vero che esiste un simile curandero, ma dovrai cercarlo con pazienza... Ti auguro di avere tanta fortuna nella tua ricerca. Ho molte cose da fare... addio...» e, rivolgendosi a Sara, ordinò: «Quando uscite, sprangate di nuovo la porta». Quindi si girò e uscì dalla casa. Triste e abbattuta, Kantu osservò l'uomo perdersi attraverso i campi coltivati.

Dato che non c'era più nulla da fare, le due donne decisero di tornare verso Cuzco e s'incamminarono lungo il sentiero che le aveva condotte fino lì.

Forse per via delle forti emozioni che provava oppure semplicemente perché si stava facendo buio, a Kantu il paesaggio parve grigio, desolato, cupo, nonostante il cielo fosse completamente terso. Si sentiva scoraggiata e sconfitta. Si era immaginata un esito diverso, mentre aveva ricevuto solo l'ingrata sorpresa di vedersi completamente rifiutata da quell'uomo.

Le due camminavano in silenzio lungo il sentiero polveroso. Di tanto in tanto si fermavano a risposare un po' e poi riprendevano la marcia. A un certo punto Sara ruppe il silenzio e disse a Kantu per rassicurarla: «Kantu, abbi pazienza. Io credo che sia proprio lui l'uomo che stai cercando ma devi mantenerti calma: queste persone sono fatte così. Stando con mio nonno ho conosciuto molti curanderos. Sono strani anche se, in fondo, sono servizievoli. Vedrai che cambierà atteggiamento».

Kantu sorrise. Aveva proprio bisogno di sentirsi dire quelle parole.

Mentre aspettavano la corriera, Sara cominciò a narrarle la storia della sua vita: «Tre anni fa conobbi un uomo e dalla nostra unione, ben presto, nacque il bimbo che hai visto. Poco dopo il nostro matrimonio mio marito andò a cercare lavoro in una miniera. Purtroppo non ha un lavoro fisso e di tanto in tanto mi manda dei soldi che, però, non bastano mai. È per questo che lavoro al mercato vendendo frutta o presto servizio presso alcune famiglie anche se, a causa del bambino, non posso lavorare a tempo pieno. A volte, come oggi, lo lascio con la nonna e così riesco a lavorare di più».

Era una storia piuttosto comune. Kantu aveva sentito di molte ragazze giovani che si erano sposate solo perché erano rimaste incinte oppure perché, proprio come lei, si erano profondamente innamorate.

Alcuni anni prima anche Kantu aveva pensato di sposarsi ed era stata sul punto di farlo; ora aveva capito che, per una donna, era assolutamente indispensabile essere economicamente indipendente. Oltre allo stipendio che percepiva come maestra, lei aveva delle entrate derivanti dagli investimenti che aveva fatto su consiglio dell'amica. Il denaro di quell'investimento era quasi triplicato.

Anche Kantu raccontò a Sara la sua storia. Le confidò di essere profondamente innamorata di un uomo e che, solo per riuscire a conquistare il suo amore, aveva deciso di fare quel passo, che chissà dove l'avrebbe portata.

Mentre chiacchieravano, arrivò la corriera. Sara fece segno con la mano all'autista di fermarsi. Il veicolo frenò e le due, avvolte nella nube di polvere che aveva sollevato, salirono velocemente.

Kantu arrivò a Cuzco con il morale a terra. Era delusa, eppure non era affatto disposta a darsi per vinta. Decise, quindi, di ritornare alla sua comunità. Anselmo non poteva essersi sbagliato nell'indicarle il recapito del curandero del fuoco. Avrebbe dovuto indicarle un'altra strada. Questa volta era decisa a tutto.

Quando giunse alla capanna di Anselmo questi la ricevette con un sorriso accettando di buon grado la borsa di viveri che gli aveva portato.

«Anselmo, ti ho portato anche questa camicia» gli disse nel porgergliela.

«Grazie, piccola, sei così generosa... Dimmi, com'è andata? Hai trovato il curandero?»

«Ti voglio proprio parlare di questo, Anselmo. Tu sapevi che Atahualpa è morto?»

Anselmo non si mostrò affatto sorpreso. Il suo viso color

rame, raggrinzito dal sole e dal freddo delle montagne, rimase impassibile. Il suo sguardo da bambino si rivolse verso l'orizzonte, meditabondo.

«Ho cercato questo curandero del fuoco ovunque» proseguì lei. «Nessuno ha saputo dirmi niente. Alla fine, sono anche stata da un uomo che forse è colui che sto cercando, anche se non ne sono proprio sicura. Ma prima di continuare la mia ricerca vorrei sapere se le foglie di coca ti possono dire dove lo potrei trovare.»

«Vediamo un po' piccola.»

Per l'ennesima volta Anselmo esaminò nelle foglie di coca il futuro di Kantu. Le osservò a lungo mentre lei pensava fra sé: "Devo trovarlo, prima o poi".

«Dimmi, Anselmo, dove potrò trovare quell'uomo?»

Anselmo scoppiò in una risata fragorosa.

«Piccola, ma se lo hai già trovato e hai pure parlato con lui! Lo vedi? Chi cerca trova. La *Pachamama* accorre in nostro aiuto non appena abbiamo le idee chiare e un obiettivo preciso.»

«Non è possibile!» esclamò lei. «Ho parlato con il curandero in persona e lui sosteneva di non saperne nulla.»

«Gli hai mostrato quello che ti avevo dato?» le chiese Anselmo.

«Sì. E lui ha chiuso gli occhi e lo ha toccato con le mani.»

«Ma allora è proprio lui! Non era necessario che guardasse. Doveva semplicemente toccarlo. Proprio così.»

«Sei sicuro che è proprio lui l'uomo che stiamo cercando?»

«Sì, piccola. È lui. Sei arrivata fino a lui, non c'è dubbio. Ora la cosa più complicata è che sia disposto a insegnarti. Comincia a persuaderti che si offrirà di istruirti, che ti accetterà come sua discepola e, mentre pensi a tutto ciò, tieni le dita incrociate. Pensa a questa persona con tutte le tue forze e, così facendo, riuscirai ad arrivare alla sua mente, riuscirai a comunicare mentalmente con lui, inducendolo a fare quello che vuoi. Devi e puoi stare certa che ti accetterà come sua discepola. Non devi fare altro che aspettare. Abbi pazienza e vedrai che ti chiamerà. Se ritarda, tu non cercarlo. Non cercare di forzare le cose; ogni cosa arriverà a suo tempo.»

Nel ritornare verso Cuzco, Kantu si sentì diversa: ottimista, speranzosa, allegra. Nella sua testa risuonavano ancora le parole di Anselmo: «La *Pachamama* corre in nostro aiuto non appena abbiamo le idee chiare e un obiettivo preciso».

# 6
# CON LA PAZIENZA SI PUÒ CONQUISTARE IL CIELO

Erano trascorsi diversi giorni dal suo ritorno a Cuzco e Kantu si sforzava di essere paziente e pensare positivamente. Anselmo le aveva assicurato che il curandero del fuoco, l'uomo che era andata a cercare sulle montagne del Langui, avrebbe accettato di insegnarle a usare il suo potere. Per raggiungere il suo obiettivo, Anselmo le aveva consigliato di visualizzare nella sua mente il momento in cui il curandero l'avrebbe accettata come sua discepola, respirando lentamente con le dita incrociate. Per giorni e giorni Kantu ripeté questo esercizio e pensò a quell'uomo che viveva in un paesino isolato e al suo modo di fare brusco e schivo.

Un giorno, una canzone d'amore latino americana, la riportò col pensiero al suo amore lontano, così sfuggevole e difficile. Secondo Anselmo sarebbe riuscita a trattenere il suo uomo accanto a lei solamente ricorrendo agli insegnamenti di quel grande curandero. Ma erano già passati parecchi giorni e non aveva ancora ricevuto nessuna risposta. La sua pazienza si stava esaurendo e continuava a ripetersi: "Mi deve chiamare! Mi deve chiamare!".

Quasi come se il suo intuito femminile glielo avesse suggerito, un giorno si svegliò di buon umore. Poco dopo qualcuno bussò alla sua porta. Kantu si alzò per andare ad aprire chiedendosi: "Chi potrebbe mai essere a quest'ora?".

Appena aprì la porta si trovò di fronte Sara che le disse precipitosamente: «Condori, il curandero del Langui, vuole vederti. Ieri è stato qui in città. È passato dalla nonna per lasciarle delle provviste, lei gli ha parlato di te e lo ha pregato di aiutarti. Lui non ha detto nulla ma prima di andarsene mi ha chiamato e mi ha detto: "Di' alla tua amica di venire da me"».

Il viso di Kantu si aprì in un enorme sorriso e gridò esultante: «Evviva! Evviva!».

Poi, rivolgendosi a Sara, disse: «Ringrazia tua nonna da parte mia e grazie infinite anche a te».

«Quando pensi di andare?» chiese Sara sorridendo.

«Adesso, se è possibile. Mi accompagneresti?»

«Volentieri, sono già pronta per partire. Sapevo che mi avresti chiesto di venire con te.»

Kantu si preparò velocemente. Mise poche cose in una borsa da viaggio e prese un po' di soldi. Da quando aveva iniziato a lavorare aveva messo da parte molti risparmi dei quali poteva disporre liberamente.

Uscirono in strada a cercare un taxi. La fortuna era con loro: ne trovarono subito uno e si fecero accompagnare fino alla stazione delle corriere. Arrivarono un attimo prima della partenza e salirono al volo sulla corriera stracolma di gente. Non c'era posto a sedere, le attendeva un viaggio in piedi, ma a Kantu non importava; sarebbe stata disposta a fare qualsiasi sacrificio pur di raggiungere in fretta la sua meta. Era felice; Sara, invece, se ne stava lì, pensierosa. Nel vederla così, Kantu si incuriosì: «A cosa stai pensando?».

«Questo curandero ha qualcosa di strano. Anche quando

parlava con mio nonno aveva un non so che di misterioso. Spero che non ti succeda nulla di male.»

«Non credo» disse Kantu. «Anselmo me lo avrebbe detto. E io mi fido di lui.»

E Kantu prese a raccontarle dello splendido rapporto che si era instaurato tra lei e Anselmo, dal quale si faceva leggere il futuro.

Sara l'ascoltava attentamente e poi concluse: «Spero che anche questa volta abbia ragione e che tutto vada per il meglio».

Mentre la corriera avanzava veloce lungo la strada polverosa, le ragazze rimasero in silenzio, scambiandosi solo qualche occhiata di tanto in tanto.

Kantu osservava le persone che la circondavano; la maggior parte erano indios come lei. Alcuni vestivano in modo elegante, altri in modo più modesto, eppure tutti erano sorridenti. Sembrava regnare una certa armonia: alcuni chiacchieravano, altri ridevano, alcuni avevano improvvisato dei sedili con le loro valigie.

Il suo sguardo si posò su alcune persone, in particolare su una bimba che indossava una gonna, un giubbino rosso e un vecchio cappello color caffè con un nastro colorato. I lunghi capelli neri erano legati da una corda, ma qualche ciuffo ribelle svolazzava qua e là. Sul visino angelico risaltavano gli occhi dolci e innocenti sempre fissi sulla mamma. "Chissà cosa riserba il futuro a questa creatura!" pensò Kantu. Poi guardò i suoi piccoli avambracci scoperti dalla pelle screpolata e squamata per via del freddo pungente delle alte montagne. Le sue mani rivelavano che la piccola aveva iniziato a lavorare fin dalla tenera età.

Poco dopo volse lo sguardo verso un'altra bambina che teneva la sua sorellina più piccola. Non doveva avere più di otto anni ma sorreggeva già la bambina come erano solite fare le madri: stretta in una coperta variopinta legata sulla spalla destra e fatta passare sotto il braccio sinistro. Indossava un vestitino arancione, sbiadito e consumato. Aveva i piedi scalzi, sporchi e anneriti dalla terra e dal fango sui quali aveva camminato. Portava due lunghe trecce che dovevano essere state fatte da tempo, ormai quasi completamente sciolte. Anche la sorellina aveva una treccina ritta in testa. Entrambe avevano gli occhi neri e la pelle color rame.

Poco più in là, scorse una donna con un bambino in braccio. Nel suo sguardo c'era un miscuglio di tristezza e di sofferenza. Quante difficoltà doveva avere vissuto! Vestiva in modo assai modesto, le sue mani incallite parlavano del duro lavoro al quale non si sottraeva di certo. Il bimbo portava un berretto ed era avvolto in una coperta nera con le frange bianche che gli riparava la schiena, le gambine nude spuntavano dal gonnellino beige allacciato in vita.

Vi erano anche parecchi uomini, alcuni con i giubbotti neri e con i *chullos* in testa, altri mostravano i capelli neri e lucidi. Alcuni indossavano la tipica cintura andina, il *chumpi*.

Scese dalla corriera, Kantu e Sara proseguirono a piedi, lungo uno stretto sentiero. La casa del curandero si trovava fuori dal paese, in prossimità dei campi coltivati. Era circondata da uno steccato e sul retro si intravedevano alti alberi di eucalipto.

Quando furono davanti alla casa chiamarono il curandero che uscì immediatamente e, rivolgendosi a Kantu, disse: «Non pensavo che saresti venuta così presto. Devi avere molta fretta».

«Sì» gli rispose senza esitare.

Le invitò a sedere, poi, dopo aver salutato anche Sara, rivolgendosi a quest'ultima chiese: «Sara, mi faresti un favore?».

«Certo.»

«Bisogna raccogliere una buona quantità di legna. Attorno alla casa ci sono parecchi arbusti. Prendine un po'; perché tra poco celebreremo un rito. Nel frattempo io parlerò con questa giovane» disse porgendo a Sara una coperta e un'accetta. Poi, rivolgendosi a Kantu, chiese: «Perché vuoi imparare a usare il potere naturale che voi donne possedete?».

Lei gli raccontò di essersi innamorata di un uomo che si era allontanato da lei e, come Anselmo le aveva rivelato, l'unico modo per trattenerlo al suo fianco sarebbe stato ricorrere a quel potere.

«Io non volevo insegnarti nulla, ma il giorno in cui ti vidi seppi che saresti tornata» le confessò il curandero.

«Come? Lei lo sapeva?» esclamò Kantu sorpresa.

«Sì» rispose lui sorridendo.

«E se lo sapeva, perché mi ha trattata in quel modo?»

«Volevo vedere di cos'eri capace. A quanto pare possiedi un potere assopito dentro di te, ma prima di tutto dovrò verificarlo. Devo essere sicuro che tu sia davvero ciò che sembri.»

«Non capisco.»

«La prima volta che venisti, ti osservai attentamente. Ebbi l'impressione che, se fossi vissuta al tempo degli Incas, saresti stata una sacerdotessa del Sole; una *Aklla*[1] o forse una *Qoya*[2].

«Cosa?» disse Kantu che non aveva mai udito parlare di quelle figure.

«Si tratta di un'antica tradizione secondo la quale, molto tempo fa, viveva un gruppo di donne sagge. Il luogo dove

1 Una delle donne predilette dell'Impero Incas. Ella riceveva un'educazione rigorosa e meticolosa che le avrebbe permesso, un giorno, di far parte dell'élite femminile.

2 La consorte del capo Incas. In genere era una *aklla* appartenente al *akllawasi*.

venivano formate si trovava a Cuzco ed era noto come *Akllawasi*[3] o "Centro delle Prescelte". Erano chiamate *Akllakuna*[4] o "Figlie del Sole".» Il curandero fece una piccola pausa e poi riprese: «Non avevo nessun interesse a istruirti. Vedi, noi non possiamo rivelare il nostro sapere indiscriminatamente poiché, una volta messo in moto, esso diventa potere. Ma in questi giorni il tuo volto è apparso costantemente nella mia mente e ho capito che sei in grado di influenzare il mio pensiero e che possiedi un'energia davvero potente. È per questo che ti ho fatta chiamare, per metterti alla prova. Ma adesso dimmi, vuoi imparare a usare il potere femminile solo per mantenere un uomo accanto a te?».

«Sì. Quest'uomo è l'unica cosa al mondo che mi interessi. Senza di lui non sono nulla.»

«Parlami di lui» la sollecitò Condori.

Kantu, allora, prese a parlargli di Juan, delle sue prime esperienze amorose, di come l'aveva abbandonata, del cinismo e della sfacciataggine che ostentava e di come lei era incapace di resistere al suo fascino. Gli raccontò di come le riuscisse impossibile dimenticarlo o lasciarlo.

Lui ascoltò attentamente e poi disse: «Sinceramente, non so se sia veramente il caso di istruirti. Forse ciò che provi non è amore ma solo passione: qualcosa che la natura ti nega e che tu non puoi ottenere, perché è irraggiungibile. Ed è solo per questo che vuoi ricorrere al tuo potere».

«No. Ciò che provo non è passione, è amore. Io lo amo» assicurò lei.

Il curandero del fuoco volse lo sguardo all'orizzonte e poi sentenziò: «Prima di cominciare ho bisogno di sapere cosa

[3] Istituzione presso la quale l'élite femminile, rigorosamente selezionata, riceveva la propria educazione.

[4] Giovani studentesse dell'*akllawasi*.

dice la *Pachamama* al riguardo, cosa comunicano gli *Apukuna*, gli spiriti protettori degli uomini. Non ti prometto nulla. Prima devo sapere se la *Pachamama* è d'accordo».

A quelle parole la felicità di Kantu svanì. Il curandero si avvicinò a un angolo dell'abitazione e da un baule di legno estrasse un involto multicolore. Poi chiese a Kantu: «Hai portato la borsa che ti aveva dato Anselmo?».

«Sì, sì» affermò Kantu, porgendogliela.

Il curandero la mise da una parte. Prese, quindi, una borsa variopinta piena di decorazioni ed estrasse un oggetto che mostrò subito a Kantu, domandandole: «Sai cos'è questo?».

Vide che si trattava di un serpente. Intimorita si limitò a guardarlo.

«Stringilo nella tua mano» le ordinò il curandero.

Kantu provava un gran timore per i rettili e le sembrava che quello fosse ancora vivo. Era indecisa se toccarlo o meno ma... "l'amore fa fare di quelle cose!". Pensò a Juan, determinata ad affrontare qualsiasi cosa. Afferrò il rettile e solo in quel momento si rese conto che era finto. Probabilmente d'argento, ma era costruito con tale perizia da sembrare vero. Gli occhi, la testa, il corpo e la coda si muovevano come se fosse vivo.

«Questo è il potere occulto che vuoi che io ti insegni» le rivelò il curandero. «Tu non lo puoi ancora capire, ma ciò che pretendi d'imparare è proprio il potere dei serpenti.» Quindi tolse il serpente dalle mani di Kantu e lo pose nuovamente nella borsa dalla quale lo aveva estratto.

Kantu, che passava da una sorpresa all'altra, iniziava ad accettare con più coraggio quanto le stava accadendo.

«Il potere del serpente è terribile. Se vuoi servirti del serpente per raggiungere i tuoi obiettivi, per prima cosa devi imparare a dominarlo, a fare di lui il tuo aiutante, il tuo collaboratore...» Detto ciò il curandero emise un sibilo, congiunse le mani e aggiunse: «Kantu, porgimi la tua mano».

Kantu allungò la mano destra verso di lui. Quasi senza toccarla, il curandero la prese e la chiuse fra le sue. Lei sentì una specie di scarica passarle attraverso la mano.

«Vedi? Questa è l'energia che dovrai imparare a governare, che comincerai a usare. Ma ti avverto: l'apprendistato può essere terribile e non so se ci riuscirai»

«Ti prego, sono disposta ad affrontare qualsiasi prova.»

«La natura si premura di usare sempre qualche tipo di esca per fare in modo che le persone imparino "qualcosa". Nel tuo caso, se questo "qualcosa" riguardasse solamente te, tu non lo impareresti mai. Ma, poiché c'è di mezzo qualcuno che desideri, ti senti costretta a prepararti a qualsiasi costo.»

Mentre Condori parlava, Sara rientrò con un bel po' di legna. Il curandero si guardò attorno, quindi s'infilò il dito indice in bocca e lo bagnò di saliva. Lo sollevò in alto, annusò un po' l'aria e, infine, disse: «È il momento adatto per fare la nostra piccola offerta alla *Pachamama*».

Quindi stese una coperta sul pavimento e invitò le due ragazze a sedercisi sopra; nel mezzo, poi, vi adagiò un'altra coperta più piccola e variopinta. Infine, rivolgendosi a Sara disse: «Avrò bisogno di alcune braci».

Sara sapeva perfettamente quello che il curandero stava per fare, quindi uscì dalla stanza e poco dopo vi rientrò con un vaso di terracotta pieno di braci. L'uomo, nel frattempo, aveva estratto una serie di ingredienti da diverse borse. Sebbene Kantu avesse già visto fare lo stesso ad Anselmo la volta in cui dedicarono un'offerta alla *Pachamama* affinché benedicesse il suo matrimonio, osservava in silenzio. Quindi il curandero del fuoco prese a spiegare: «Apriremo un cerchio di comunicazione fra noi umani e la *Pachamama*. Chiederemo alla nostra buona madre, alla nostra santa madre, l'autorizzazione per poter procedere con la tua preparazione».

Si diresse, quindi, verso le braci accese e vi gettò sopra un pugno di erbe sacre che, a contatto con il fuoco, invasero la piccola abitazione di profumi rituali. Assieme a quel gradevole profumo, dalle braci si alzò anche un fumo biancastro che si levò dritto fino al tetto. Contemplando il fumo, il curandero sentenziò: «È un buon segno; è un buon momento. Ora devo purificare tutti questi oggetti» aggiunse riferendosi a ciò che aveva appena estratto dalle borse. E li passò uno a uno prima sul fuoco e poi nel fumo.

Il curandero ripeté esattamente tutte le operazioni che Kantu aveva visto fare ad Anselmo. Convocò gli spiriti della montagna, fischiò, cantò e pronunciò delle preghiere in quechua. Le due donne lo osservavano in silenzio. Appena ebbe terminato, afferrò la piccola coperta quadrata, la piegò in diagonale e confezionò una specie di pacchetto. Vi soffiò sopra tre volte, poi s'inginocchiò e disse a Kantu: «Inginocchiati e soffiaci sopra tre volte. Speriamo che quest'offerta sia ben accetta dalla nostra madre».

Kantu si inginocchiò. Dal più profondo del suo essere, pregò che l'offerta fosse accettata. Non aveva mai desiderato nulla in vita sua con tanta disperazione, con tanto accanimento. Poi soffiò con tutta la sua forza.

Il curandero prese il pacchetto e lo porse a Sara che si era inginocchiata. Ripeté anche lei la stessa operazione; successivamente il curandero versò alcune gocce del liquido contenuto in due bicchieri diversi e spiegò: «Dobbiamo offrire il *Condorchuya*[5] e il *Llamachuya*[6] agli *Apukuna*» quindi pronunciò un'orazione. Infine chiese: «Sara, hai già preparato il fuoco?».

La ragazza annuì.

[5] Parola che designa la bibita alcolica bianca usata nel corso del rituale.
[6] Parola che designa la bibita alcolica rossa usata nel corso del rituale.

«Vai a controllare se ci sono abbastanza braci. Quest'offerta deve bruciare completamente.»

Sara uscì a controllare. Poco dopo rientrò riferendo che le braci erano sufficienti.

Il curandero uscì dalla stanza a capo scoperto e a piedi scalzi, portando con sé il pacchetto che aveva appena preparato e un altro involto più piccolo. Le due donne rimasero in casa. Kantu guardò Sara con aria interrogativa e lei fece un cenno con la testa senza dire una parola. Qualche istante dopo il curandero rientrò dicendo: «Ora aspetteremo il segnale della Madre terra».

Improvvisamente si udirono tre scoppiettii.

«Il segnale pare essere buono. Ma aspettiamo di vedere anche le ceneri» commentò Condori. Si sedette sulle ginocchia ed estrasse dalla sua cintura una piccola borsa contenente delle foglie di coca. Prese alcune foglie e se le portò alla bocca, quindi passò la borsa alle due donne invitandole a fare lo stesso. Sara ne prese un po' e se le mise in bocca; Kantu non era abituata a masticare la coca ma imitò l'amica.

I tre masticarono in silenzio. Improvvisamente il curandero si alzò e disse: «Vado a vedere le ceneri».

Uscì e poco dopo rientrò affermando: «Il segnale è buono. La *Pachamama* è d'accordo che io ti istruisca. Spero che saprai meritartelo».

Sara lanciò un grido di gioia, abbracciò Kantu e le disse: «Spero che tutti i tuoi desideri si avverino e che tu riesca a ottenere ciò che ti sei prefissata».

«Grazie, sorella, d'avermi accompagnata fin qui e di tutto l'affetto che mi hai dimostrato» rispose Kantu.

«Ora devo andare» disse Sara. «Devo tornare a Cuzco da mio figlio. Tu, se lo vuoi, ti puoi fermare qui a fare tutto ciò che lui ti ordinerà.» Detto questo, la baciò sulla guancia e salutò don Justo, così si chiamava il curandero.

«Portalo a tua nonna» le disse lui porgendole un pacchetto e un po' di soldi. E, consegnandole un foglio sul quale aveva segnato degli appunti, aggiunse: «Il giorno che ritornerai qui, portami queste cose per favore».

Non appena Sara uscì dalla stanza, Kantu provò un certo timore nel rimanere sola con quell'uomo che non conosceva e dal quale dipendeva il suo futuro. Anselmo le aveva già spiegato che l'apprendistato sarebbe stato durissimo e che avrebbe dovuto essere coraggiosa, attenta a ogni singolo dettaglio, che avrebbe dovuto lavorare con costanza e obbedire ciecamente; sapeva quanto si sarebbe dovuta sacrificare. Dopo la partenza di Sara, l'uomo volse lo sguardo attento verso la sua futura discepola e le disse: «Oggi è un giorno speciale per te e, se un giorno arriverai a essere realmente ciò che sei, lo ricorderai per sempre. A partire da questo momento penserai solo alla tua vita. Lavorerai sodo ogni giorno per imparare a conoscerti meglio perché, solo conoscendo te stessa, potrai essere libera e, solo essendo libera, sarai in grado di affrontare ogni problema e ogni pericolo. La fede in te stessa sarà il tuo scudo e sarai cosciente di vivere la tua vera vita. Imparerai ciò che la natura ti ha donato e utilizzerai con coscienza e saggezza il tuo corpo, la tua mente, il tuo spirito. Se riuscirai a superare tutte le prove alle quali verrai sottoposta, sarai l'esempio vivente della grandezza della donna che, nei secoli scorsi, era testimoniata dalle *Akllakuna*, le vere artefici dello sviluppo del *Tawantinsuyo* e del governo cosmico delle quattro regioni delle Ande».

Il curandero proseguì: «Sarai una pellegrina alla ricerca di te stessa. Anticamente le donne facevano questo percorso sotto la guida delle *Mamakuna*[7]. Successivamente, l'invasione spagnola recise i fili di questo insegnamento al quale,

[7] Donne sagge, maestre dell'*Akllawasi*.

da quel momento, poté accedere solo un gruppo molto ristretto di donne: coloro che uscivano vittoriose da tutte le prove alle quali venivano sottoposte. Costituivano l'élite femminile chiamata *Intip Chinan*[8] e rappresentavano l'essenza della femminilità andina. Erano capaci di qualsiasi cosa perché si erano formate alla dura scuola dell'*Akllawasi*, per poi entrare al servizio della società in qualità di sacerdotesse, maestre, spose, guerriere, amministratrici, ambasciatrici o governatrici. A quei tempi erano considerate i gioielli più preziosi del popolo del *Tawantinsuyo*».

Kantu lo ascoltava in silenzio, gli occhi fissi sul suo futuro maestro. Quando questi fece una pausa, regnò un istante di silenzio assoluto, poi, lui riprese: «Ma la domanda fondamentale è: sei disposta a sacrificare ogni cosa, ad affrontare qualsiasi rischio pur di apprendere, di conoscere e di usare il potere che riceverai?».

«Farò qualsiasi cosa pur di ottenere ciò che voglio. È per questo che sono qui, per diventare la sua discepola» ripose Kantu con assoluta convinzione.

Il curandero del fuoco proseguì: «La gente mi conosce come Justo Condori, ma io possiedo anche un nome segreto che è unito a un potere e a un lungo percorso di apprendistato. Ho riflettuto molto se sia il caso di insegnarti i tremendi poteri di cui è dotata la donna. Sono poteri che devono giungere solamente nelle mani di coloro in grado di conquistarli. Sono poteri che si possono donare e che si devono insegnare solo alle persone che riescono a conoscere realmente se stesse, che riescono a capire chi sono e qual è il loro cammino».

«Riuscirò a meritarmi i suoi insegnamenti» affermò Kantu con estrema sicurezza.

8 Le adoratrici del Sole.

Condori continuò: «Ti attende un percorso arduo e terribile, che ti farà soffrire perché le prove che dovrai affrontare saranno estremamente severe. Dovrai essere paziente e perseverante, poiché solo con la pazienza si può capire la natura. Dovrai dimostrare una grande forza di volontà, molta costanza e tanto coraggio per riuscire a raggiungere il cielo. Abbi fiducia in te stessa e non avere timore di ciò che ti attende. Un solo piccolo dubbio e per te tutto sarà perduto».

«No, no! Sono pronta a lottare» affermò Kantu decisa. «Sono disposta a fare qualsiasi sacrificio, ad affrontare tutte le sofferenze che saranno necessarie, a sopportare con pazienza, se questo mi permetterà di conquistare l'amore di colui che amo. Lo farò!»

«Kantu, è molto ciò che dovrai dare e altrettanto quello a cui dovrai rinunciare. Visualizza ora ciò che desideri e, se ti preparerai adeguatamente, sarà tuo.»

«Sì» rispose Kantu. «Rischierò qualsiasi cosa. Lei deve solo dirmi cosa dovrò fare e io lo farò.»

A quel punto il curandero aggiunse: «Cominceremo il tuo apprendistato al sorgere della luna nuova. Allora nascerai a una nuova vita, a una nuova missione. Ma prima devo verificare quanto potere ti ha donato la *Pachamama*. Seguimi...».

Condori uscì dalla stanza e Kantu lo seguì con passo leggero. La condusse in un'altra stanza, priva di qualsiasi mobilio, ma completamente coperta da tappeti. Il curandero si fermò al centro della stanza e, dopo che Kantu fu entrata, ritornò sui suoi passi e chiuse la porta. La stanza sprofondò nel buio più assoluto.

«Per verificare quanto potere è racchiuso in te, dovrò fare diverse prove. Solo così potrò convincermi ulteriormente che meriti di ricevere i miei insegnamenti.»

«Ordini e io eseguirò.»

«Molto bene. Tanto per cominciare, togliti i vestiti.»

Kantu non se l'aspettava. Un leggero rossore si dipinse sul suo volto.

«Tutti?» chiese lasciando intravedere una certa esitazione. Ma subito si ricordò di ciò che il curandero le aveva detto poco prima: «Un solo piccolo dubbio e per te tutto sarà perduto».

«Sì, tutti. Devi rimanere completamente nuda.»

Kantu sapeva che se non avesse ubbidito a tutto ciò che l'uomo le ordinava, lui si sarebbe immediatamente rifiutato di istruirla. E, seppure di malavoglia, si sfilò lentamente gli indumenti fino a rimanere completamente nuda.

Nel buio della stanza, Condori la prese per un polso e le disse: «Vai in quell'angolo della stanza vicino alla finestra».

Accese una candela, la cui tenue luce azzurrognola rischiarava appena la stanza, e si sedette a gambe incrociate sul tappeto per osservarla meglio. La guardò ripetutamente e poi le ordinò: «Vieni, siediti qui».

Lei obbedì in silenzio e si sedette di fronte a Condori rimasto seduto a osservare le sue forme. Quelle forme armoniose, quasi perfette, avvolte da una pelle sottile e sensuale. Era una donna bellissima. Impassibile di fronte a tanta bellezza, Condori le ordinò: «Stenditi in questa direzione» e le indicò la posizione con la mano.

Nonostante tutti i suoi sforzi per controllarsi e mantenere la calma, il cuore di Kantu batteva all'impazzata, come se volesse uscire dal corpo. Chiuse gli occhi per non vedere ciò che lui le avrebbe fatto.

L'uomo le si avvicinò. Adagiò la sua mano destra sul monte di Venere e la sinistra sulla gola di lei poi, a occhi chiusi, alternativamente esercitava una leggera pressione prima su uno e poi sull'altro dei due punti, quasi non volesse toccarne la pelle. Poi, sempre con estrema delicatezza, iniziò a toccare tutto il corpo della giovane. Kantu avvertiva sensazioni diverse e contraddittorie: repulsione, solletico, nervosismo. Condori sollevò in alto la mano destra mentre con la sinistra sorreggeva uno dei polsi di Kantu. Sempre con gli occhi chiusi alzò e abbassò alternativamente la mano destra e il braccio sinistro verso il corpo di Kantu. La ragazza si abbandonò, invasa da un'improvvisa sensazione di rilassatezza della quale lei stessa non si dava ragione. Il contatto della mano di Condori che scivolava sulla sua pelle morbida la eccitava, quasi dimentica di trovarsi completamente nuda di fronte a un uomo che aveva appena conosciuto. Le mani dell'uomo accarezzavano delicatamente i suoi seni, i suoi capezzoli, i suoi fianchi, sfiorandoli appena con la punta delle dita. Per un istante provò l'impulso di ribellarsi a quelle sapienti carezze. Voleva allontanare quelle mani delicate perché sentiva sprigionarsi dal suo corpo un fuoco che la spaventava ma, al medesimo tempo, l'attraeva. Cercò di rimanere immobile, ma il suo corpo sussultava al contatto di quella mano.

«Girati» le ordinò a un certo punto il curandero. La sua voce era calma, serena.

Non appena si fu girata, le sfiorò i polpacci, i glutei, le spalle. Infine spense la candela. Rimasero avvolti dalla più completa oscurità: Condori seduto e Kantu stesa per terra completamente nuda. Restarono a lungo in quella posizione. Poi l'uomo schiuse leggermente la porta dalla quale entrò la violenta luce del giorno e disse: «Ora puoi vestirti, ti ho esaminato a sufficienza».

Kantu, che cominciava a sentire freddo, si vestì velocemente, sospirando di sollievo: era tutto finito. Non era stata un'esperienza piacevole, ma non si sentiva neppure troppo a disagio.

«Spero che continuerai a obbedire ai miei ordini senza vacillare come hai fatto oggi. In futuro dovrai fare altrettanto perché, se oggi non ti fossi spogliata immediatamente, mi sarei rifiutato di insegnarti a utilizzare il potere del quale sei effettivamente dotata. Ma, dato che hai obbedito, mi vedo costretto a istruirti» le disse l'uomo.

Kantu lo ascoltava attentamente.

«Nel momento in cui inizierai il tuo apprendistato, rinuncerai a tutte le comodità della città, alla tua famiglia, alle tue amicizie, ai tuoi obblighi. Dovrai rimanere qui per tutto il periodo dell'insegnamento. Qui imparerai a temperare il tuo carattere, a disciplinare il tuo corpo e la tua mente, a risvegliare il tuo spirito e a coltivare gli ideali. Perché, se ami davvero, dovrai imparare a comprendere che l'uomo cerca una donna speciale, una sola donna fra mille. Solo a quella donna si donerà completamente e, solo quando l'avrà incontrata, abbandonerà la sua incessante ricerca» aggiunse Condori.

Rimase un istante in silenzio e poi riprese: «Se ami quell'uomo, quello dovrà essere il tuo ideale. Studia, fai tuo quell'ideale e non voltarti mai indietro. Quando, a poco a poco, il tuo corpo sarà diventato un tutto armonico, allora capirai se ciò che provi per lui è davvero amore o semplicemente passione. Spesso confondiamo l'amore con l'affetto o con la passione. Ricorda: l'unione amorosa della mano dell'uomo con quella della donna è il nesso che permetterà loro di entrare in contatto con l'universo. Perché quando la mano dell'uomo sfiora quella della donna, sta sfiorando il cammino che conduce all'eternità attraverso l'amore».

Poi Condori tacque, si alzò e uscì dalla casa. Kantu rimase ferma in silenzio per qualche istante, pensando che stava per compiere il primo, grande passo verso la conquista del cuore di un uomo "speciale". Quotidianamente incrociava centinaia di giovani ma nessuno era mai riuscito a colpirla come aveva fatto Juan.

Ed era per quella ragione che si trovava lì: aveva già scelto l'uomo della sua vita. Ora il problema era riuscire a trattenerlo al suo fianco per sempre. Aveva ancora impresse nella mente le parole che Anselmo le aveva detto durante una delle sue visite: «La felicità si costruisce su molti sacrifici. Se vuoi fare tuo quell'uomo, dovrai prepararti come si prepara un guerriero prima del combattimento».

Poco dopo Condori rientrò nella stanza e si sedette in silenzio di fronte a lei. I suoi occhi si fissarono sulla giovane donna e iniziò a scrutarla attentamente. Sotto quello sguardo indagatore, Kantu provava ansia e sconcerto. Dal profondo del suo essere sentì crescere una rabbia che a stento riuscì a controllare: sentì le guance arrossire, ed ebbe la sensazione di perdere il controllo di se stessa. Un uomo, che conosceva appena, le stava facendo perdere la sua sicurezza, la padronanza di sé. Aveva l'impressione che gli occhi di quell'estraneo riuscissero a spogliare non solo il suo corpo, ma la sua anima. Si sentì piccola piccola, quasi una bimba indifesa, senza aiuto, sola. Per qualche tempo sostenne lo sguardo di Condori ma, infine, dovette abbassare gli occhi. Non riusciva a reggere quello sguardo che sembrava insinuarsi negli angoli più reconditi del suo essere. Improvvisamente la voce del curandero ruppe il pesante silenzio che regnava nella stanza: «Ho osservato il tuo modo di essere, le tue reazioni. E ho provato a pensare alle pratiche che potrebbero aiutarti. Dovrai dirigere tutta la tua energia in una sola direzione. Sei una donna che possiede un'energia interiore molto potente; eppure questa non fluisce liberamente dentro di te, perché vivi immersa nel caos e nella confusione, non hai una meta, non hai obiettivi precisi. Come quasi tutte le donne, pensi molto, desideri molte cose, ma non fai nulla per trasformare questi tuoi desideri in realtà.

Oggi ti insegnerò alcuni esercizi attraverso i quali potrai cominciare a mettere in movimento la tua energia, ti aiuteranno, inoltre, a trovare armonia ed equilibrio tra la parte destra e quella sinistra del tuo corpo e ti permetteranno, un giorno, di raggiungere il giusto equilibrio fra mente e corpo».

Si incamminò verso la porta, aggiungendo: «Bene... usciamo, ti darò una piccola dimostrazione».

Era ormai pomeriggio. Condori si voltò verso est, alzò la mano destra con il palmo aperto fino all'altezza del petto e cominciò a ruotarla in senso orario. Poi si voltò verso ovest, alzò la mano sinistra e cominciò tracciare circoli immaginari in senso antiorario, sempre con il palmo aperto. Poi fece ruotare contemporaneamente le due mani. Concluse disegnando un grande otto con una sola mano.

«Mentre esegui questi esercizi respira lentamente, tenendo gli occhi socchiusi. Mettiti in direzione dell'energia, con il viso rivolto prima verso est e poi verso ovest e quando disegnerai con entrambe le mani i due cerchi che formeranno l'otto, invece di espirare silenziosamente l'aria, emetti un suono impercettibile udibile solo alle tue orecchie: "am, am, am, am".»

Kantu lo ascoltava attenta, senza lasciarsi sfuggire una sola parola, un solo dettaglio. Ma non poteva impedire di chiedersi, dentro di sé, se quegli esercizi così semplici sarebbero davvero riusciti a restituirle tutta l'armonia e la tranquillità di cui aveva bisogno.

Come se potesse leggerle il pensiero, senza dire una parola, Condori ricominciò a eseguire quegli stessi esercizi, disegnando prima piccoli cerchi e poi cerchi sempre più grandi. Poi tracciò il doppio cerchio con le due mani e lo stesso fece con i piedi. Con movimenti precisi e lenti disegnò un otto perfetto, con la leggerezza di un ballerino. Kantu lo osservava estasiata.

All'improvviso Condori volse lo sguardo verso di lei. I suoi occhi emisero una luce che penetrò in quelli di Kantu: era lo sguardo di un essere divino che si imponeva, soggiogava, esercitava uno strano potere. Poi Condori distolse rapidamente il suo sguardo, spezzando bruscamente l'incanto creato. Con movimenti lenti si avvicinò a Kantu e le disse: «Hai visto come si fa? Hai sentito la forza dell'energia che usciva dai miei occhi? Dovrà affiorare la stessa energia in te. Dovrai esercitarti molto per riuscirci. Puoi cominciare subito».

Kantu iniziò a eseguire gli esercizi mentre il curandero la stava guardare.

«Sei troppo ansiosa, troppo impaziente. Più lentamente. Muoviti assecondando il ritmo del tuo respiro. Continua a esercitarti fino a quando non riuscirai a eseguire ogni movimento con naturalezza» le ordinò.

Kantu rimase sola, mentre lui si allontanava.

Quando Condori ritornò era già piuttosto tardi.

«Questo è il preambolo dell'apprendistato che farà di te una "donna speciale", una vera donna che ha saputo ritrovare tutto il suo potere e la sua grandezza. Se vuoi convertire i tuoi sogni in realtà, dovrai imparare a conoscere te stessa. Quanto più ti conoscerai, tanto più ti avvicinerai a ciò che desideri ottenere» aggiunse.

«E cosa dovrò fare per conoscere me stessa?» chiese Kantu.

«Dovrai trovare la risposta a queste domande: chi sono? che cosa faccio sulla terra? ho un'idea chiara di ciò che voglio dalla mia vita? sono felice di come sono oppure credo solo di esserlo? sono realmente quella che credo oppure sono ciò che gli altri vogliono che io sia? conosco tutte le potenzialità del mio essere? quali sono i miei ideali? Quando avrai risposto a queste domande, allora comincerai a capire la profondità del tuo essere: avrai imparato a conoscere i tuoi punti forti e quelli deboli, le tue qualità e le tue debolezze. In questo modo riuscirai a conoscerti e ad accettarti così come sei e solo così potrai affrontare il futuro con determinazione» le spiegò guardandola negli occhi, mentre Kantu ascoltava in silenzio.

Era stata una giornata faticosa per entrambi, Condori preferì porre termine alla conversazione dicendo soltanto: «Andiamo a riposare. Devi essere stanca, oggi è stata una giornata speciale. Seguimi, prepariamo il tuo letto. Domani, prima del ritorno a Cuzco, riprenderemo la conversazione. Ora mangiamo qualcosa e poi andiamo subito a riposare».

Non appena Kantu rimase sola, mille pensieri invasero la sua mente. Cercò di pensare a chi era, al tipo di vita che conduceva, alle tante cose tipiche della sua età. Poi alla sua mente si affacciarono le grandi domande: perché era nata donna? o perché aveva scelto proprio quel sesso per questa sua esistenza? Non aveva sonno. L'esperienza di quella giornata l'aveva sconvolta. Non si sentiva stanca, al contrario, una carica di energia la sosteneva. Il silenzio imperante era un invito a contemplare il cielo stellato. Quei puntini luminosi splendevano nel firmamento e parevano brillanti incastonati in una gigantesca cupola poggiata su altissime montagne oscure e su pianure che si perdevano a vista d'occhio. La luna non aveva ancora fatto la sua comparsa, ma Venere, il pianeta dell'amore, illuminava il cielo con la sua luce splendente e sembrava sussurrarle: «Forza, Kantu. Puoi farcela e ce la farai. E io ti aiuterò a ottenere ciò che vuoi».

# 7
# LA DONNA È AMORE

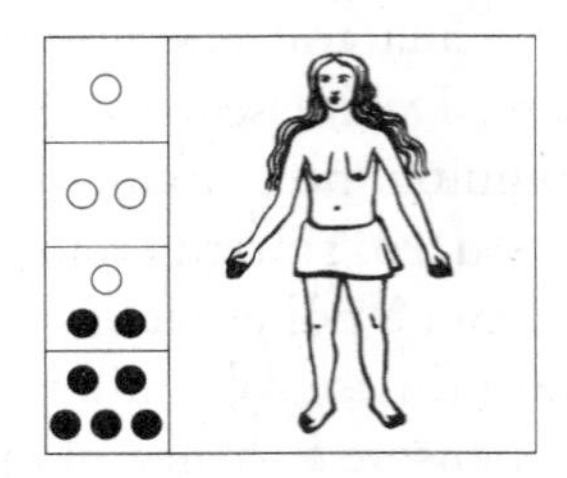

Come aveva stabilito il curandero del fuoco, Kantu iniziò il suo apprendistato il giorno del plenilunio. Escogitò mille scuse per potersi assentare dal lavoro per un lungo periodo di tempo. Ormai seguiva gli insegnamenti di Condori da diversi mesi, e questi si era rivelato un maestro duro ed esigente, a volte la sua severità diveniva quasi crudele. Quotidianamente veniva sottoposta a prove; alcune le sembravano assurde anche se, ben presto, capì che tutte avevano un loro senso: tutte rispondevano a un percorso prestabilito.

Come tutti i giorni, quella mattina eseguì gli esercizi che dovevano aiutarla a trovare l'armonia interiore, poi fece una lunga camminata di vari chilometri. Quando terminò la passeggiata, il giorno si era fatto già piuttosto caldo e, prima di tornare alla capanna, si sedette su un masso liscio a contemplare il lago di Langui.

Quello specchio azzurro e blu rifletteva le candide nubi che avanzavano dalle basse montagne color caffè, macchiate dal verde degli arbusti. Sullo sfondo, si ergeva una montagna grigio chiaro; alla sua sinistra alcuni alberi svettavano da dietro una collina e, alla sua destra, si stendeva il paese di Langui. In prossimità del paese si distingueva chiaramente la strada di terra battuta sulla quale transitavano camion, corriere e, di tanto in tanto, qualche coraggioso motociclista. La strada serpeggiava in mezzo ai campi coltivati a orzo, grano, patate e fave e ai prati dove pascolavano mucche, pecore e altri animali. In lontananza il cielo si copriva di nubi oscure, preludio di una pioggia che, presto, avrebbe bagnato quelle aride terre color caffè.

Qualche settimana prima Kantu aveva iniziato a eseguire i suoi esercizi di meditazione, che dovevano diventare quotidiani. Alla penombra di quella rustica capanna, fra parole e silenzi, cominciava a conoscersi, a comprendere il significato dell'essere donna: una donna chiamata Kantu, ma chi era veramente?

Il suo maestro le aveva detto che era una creazione della natura, nata grazie all'intervento dell'intelligenza infinita, del grande cosmo e della forza del pianeta. Era nata donna per insegnare ad amare, destinata a diventare una maestra della vita e dell'amore.

Sulla strada del ritorno ripensò alla domanda che un giorno aveva rivolto a Condori: «Che cos'è l'amore?». Lui si era limitato a rispondere: «Cos'è l'amore? L'amore è la verità, la legge, la porta che si schiude sull'eternità. In qualsiasi luogo tu sia, ama, ama sempre. Solo così riuscirai ad avvicinarti al divino perché Dio è amore. L'amore è l'energia che ti conduce verso le piccole cose e le grandi cose, tutto l'universo si muove grazie all'amore. Non esiste energia più potente».

«Ma cos'è che dà inizio al movimento di quest'energia chiamata amore?» gli aveva chiesto.

«È una scintilla ciò che muove l'amore attraverso gli ideali che ogni uomo e ogni donna cercano di realizzare o di insegnare a un altro. Una donna si dona a un uomo proprio in virtù di quest'ideale, mossa dal bisogno di perpetuare un'unione nella quale si compia la comunione di due anime. Sono gli ideali che spingono un uomo e una donna a unirsi, o a camminare separati, in virtù del loro desiderio di apprendere, di capire e di conoscere la natura. Gli ideali sono come le stelle: guidano il viandante nella notte oscura, e lo conducono alla meta...» Così si era espresso il maestro.

Mentre si avvicinava alla casa, si sentì inondata da un senso di pace e di tranquillità. Non era più la giovane isterica che voleva a ogni costo legare stretto a sé Juan; era una donna desiderosa di sapere perché si era innamorata perdutamente di quell'uomo, perché si era donata a lui così facilmente. Aveva chiesto più volte al suo maestro di aiutarla a comprendere e in un'occasione Condori aveva risposto semplicemente: «Tu ami quell'uomo e ti sei data a lui perché il tuo cuore ti dice che è l'uomo al fianco del quale potresti camminare sulla terra, l'uomo che potresti aiutare a rendere reale e concreto il suo ideale. Tu intuisci qual è l'ideale che muove la sua esistenza e come potresti aiutarlo a realizzarlo. Ma per raggiungere la sua meta, lui dovrà diventare tuo discepolo e tu dovrai essere la maestra che gli insegnerà cos'è realmente l'amore. La tua realizzazione come donna, o la tua sconfitta, dipendono unicamente da questo».

Kantu aveva impresso nella sua memoria quelle parole pronunciate e ora le ripeteva mentalmente cercando di penetrarne il vero significato: «L'unione fra un uomo e una donna è l'inizio di un viaggio verso la realizzazione di quest'ideale. Solo quando l'uomo avrà imparato ad amare potrà avvicinarsi al Grande Spirito. In fondo al cuore l'uomo cerca Dio e, in questo suo percorso verso di lui, dovrà essere guidato dalla donna. Madre, sorella, sposa, compagna, amante o semplicemente amica, la donna sarà comunque sempre una maestra per lui».

Il ricordo di quelle parole l'aiutò a comprendere meglio ciò che un tempo aveva letto riguardo ad alcuni fra gli uomini più celebri della storia. Dalle loro biografie si poteva constatare che, dietro a ognuno di loro, c'era sempre stata una donna. Mama Anawarki fece in modo che Tupaq Yupanki, suo marito, poi chiamato Pachakuteq, diventasse un buon governatore per gli Incas. Micaela Bastidas fu l'anima della Rivoluzione India capeggiata dal suo sposo José Gabriel Condorkanki, conosciuto anche come il Tupaq Amaru II che riuscì a commuovere l'intera America. Un secolo più tardi, in un'altra zona d'America, Abramo Lincoln liberò i negri dalla schiavitù trasformando in realtà un sogno di sua moglie e della sua matrigna, ovvero di colei che fin dall'infanzia gli aveva trasmesso i valori fondamentali della vita. Le donne, da sempre, giocavano un ruolo determinante nella vita di tutti gli uomini.

Ripensò ad alcuni uomini che, spinti da una donna, erano riusciti a realizzare imprese incredibili, avevano accettato sfide impensabili, o avevano addirittura cambiato le sorti del mondo. Napoleone Bonaparte, per soddisfare le ambizioni di Giuseppina di diventare imperatrice, aveva sconvolto l'equilibrio di tutta l'Europa. Era ancora fresco il ricordo di quanto era avvenuto nel secolo precedente quando Edoardo VIII, eletto re di Inghilterra e d'Irlanda e Imperatore d'India, abdicò a favore del fratello per sposarsi con la nordamericana Wallis Giled Simpson, una donna divorziata ben due volte della quale si era perdutamente innamorato.

La storia universale contava davvero molti esempi di donne che avevano esercitato una grande influenza sugli uomini e sulla storia.

Era ormai vicina alla casa di Condori, quando le ritornarono alla mente le parole del suo maestro: «Ciò che stai imparando ti permetterà di dare amore, tenerezza, affetto, calore, attenzioni al tuo amato con il quale, però, condividerai anche le tristezze, le paure, le preoccupazioni. Imparerai a dimostrargli che hai bisogno di lui e, in questo modo, riceverai tutto il suo amore: l'amore è sapersi donare e arricchirsi. L'amore si può coltivare, si può far crescere ma può anche essere ferito o scemare poco a poco. Il vero amore ti fa crescere. L'amore unisce, comprende, insegna, perdona: è dedizione e sacrificio. Una donna che ama è disposta a qualsiasi cosa».

Quando giunse infine alla casa, Condori non c'era. Stava sicuramente lavorando nel campo o, forse, era andato a recuperare le bestie che aveva lasciato al pascolo la sera prima. La passeggiata le aveva fatto venire fame e così andò in cucina a preparare qualcosa che avrebbero poi mangiato non appena l'uomo fosse rientrato. Non c'era più farina quindi si apprestò a prepararla. Prese alcune pannocchie di mais essiccate e le sgranò. Poi sollevò leggermente le sue gonne variopinte e s'inginocchiò su una pelle di pecora a macinare i chicchi con un mortaio di pietra: avrebbe fatto una *Mazamorra*, una polenta. Gli ingredienti necessari erano pochi: alcuni pezzetti di carne stagionata, farina di mais, qualche patata pelata, alcune verdure, sale e spezie. Nient'altro. Da quando aveva iniziato il suo allenamento facevano solo due pasti al giorno: il primo verso le dieci del mattino e l'altro verso le cinque del pomeriggio. Nemmeno gli utensili da cucina erano molti in quella casa: alcune padelle di terracotta, qualche piatto fondo, dei bicchieri, alcune tazze, qualche mestolo di legno, alcuni cucchiai e qualche coltello. Non c'era nemmeno un tavolo e così mangiavano per terra seduti sulle pelli di pecora.

Chi conosceva Kantu come la ragazza che viveva in città, studiava, si divertiva, non avrebbe di certo riconosciuto questa donna nuova. Ora indossava i tipici abiti andini: un berretto di lana color caffè poggiato sulla sua bella chioma la riparava dal sole; una camicia, una maglia di lana di pecora color crema e una gonna rosso mattone celavano le sue armoniche forme; calze pesanti e scarpe da campagna proteggevano i suoi piedi dal freddo, dai sassi e dalle spine.

Solo i suoi genitori e i suoi fratelli sapevano di quella sua reclusione che consideravano come un'altra delle sue follie. Gli altri credevano che si fosse trasferita ad Arequipa o a Lima. Aveva rinunciato al suo lavoro, aveva lasciato la sua casa e tutte le comodità, e si era rinchiusa in quella casa a tre chilometri dal paese più vicino. Lì non aveva stretto amicizia con nessuno: le uniche persone che vedeva erano coloro che andavano da Condori per farsi curare. Di quel gruppo di visitatori occasionali non era facile indovinare la provenienza degli uomini mentre, grazie allo stile e al colore delle loro variopinte vesti, era facilissimo capire da dove venissero le donne; c'era chi veniva fin da Chincheros, da Paucartambo, da Valle Sagrado, da Ayaviri, da Sicuani, Juliaca, Puno, Coporaque, Chumbivilcas, Cuzco o chi veniva da luoghi ancora più lontani come Copacabana, Oruro e Potosí, città della vicina Bolivia.

Per non richiamare troppo l'attenzione di quelle persone o della gente del paese anche Kantu vestiva, su richiesta di Condori, nel loro stesso modo. All'inizio le costò un poco, ma con il tempo si abituò e finì con il trovarsi a suo agio.

Mentre versava gli ingredienti nella pentola di argilla nella quale l'acqua aveva già iniziato a bollire, non poté impedirsi di pensare al tipo di vita che stava conducendo: in una casa senza mobili e con pochi utensili, era una vita semplice, dura, sobria. Lei stessa dormiva in un letto di mattoni dove, al posto del materasso, doveva accontentarsi di qualche pelle di pecora, di lama o alpaca senza lenzuola né cuscino. Invece della trapunta per coprirsi si serviva di due o tre coperte pesanti intessute con grossi fili di lana di alpaca o di pecora.

Al principio aveva cercato di rendere più confortevole quella stanza dalle pareti di mattoni neppure intonacate, ma non poté migliorarla di molto; si limitò ad appendere alle pareti qualche stampa e alcuni poster.

La pace, la tranquillità, il silenzio imperanti l'aiutavano a concentrarsi sui suoi pensieri e costituivano il grande pregio di quel luogo. Ma le cose più belle e più importanti erano i consigli e gli insegnamenti del suo maestro, che l'avrebbero aiutata a scoprire la vera donna che era in lei. Quando aveva parlato a Condori di tutti i tentativi che aveva fatto per conoscersi e capirsi meglio, lui le aveva spiegato sorridendo: «Kantu, sii paziente e perseverante nella ricerca di te stessa: è una cosa molto importante per la tua vita futura ed è qualcosa che dovrai fare da sola».

Aveva lavorato molto per conoscersi meglio e per entrare in armonia con la *Pachamama*. Fino a quel momento non era ancora riuscita a conciliare completamente cuore e mente, ma sentiva che qualcosa dentro di lei stava cominciando a cambiare.

«Sei una viaggiatrice cosmica che si muove sulla terra e il tuo corpo è il mezzo che si trasforma mano a mano che tu procedi nel tempo. Il progredire o l'arrestarsi del tuo cammino dipendono unicamente da te. Sei tu che dovrai decidere e assumerti la piena responsabilità di ciò che farai, dirai o penserai. Nel tuo mondo, che è il tuo universo individuale, sei tu che dovrai creare, ma per creare, dovrai prima saper amare e per amare dovrai essere femmina, altrimenti non diventerai mai donna» le aveva detto Condori in un'occasione.

Kantu si considerava una donna e, proprio per il fatto di essere donna, si credeva sottomessa a certe limitazioni. Condori, consapevole del suo modo di pensare, le aveva detto un giorno: «Molte donne credono di essere tali solo perché, credendosi deboli, accettano determinate limitazioni fino a quando non raggiungono la consapevolezza di se stesse e comprendono che essere donna è qualcosa di speciale. Per una donna che raggiunge la consapevolezza di sé, tutto diventa più semplice. Si fa più saggia perché finalmente conosce la verità; nelle sue emozioni vi è maggior serenità perché è ormai capace di esprimere il suo amore senza riserve e riesce finalmente a vivere la propria sessualità senza più paure né timori. La conoscenza di se stessa le infonde potere: sa quando è il caso di dare e quando non lo è. Solo conoscendo tutte le sue potenzialità una donna si può avvicinare a un uomo e guidarlo sulla strada dell'amore, della verità e del rispetto».

Poco a poco, Kantu iniziava a capire e a fare sue le parole di Condori e a rendersi conto di quanto importante fosse per una donna conoscere a fondo se stessa.

In quel momento udì dei passi intorno alla casa e il rumore di un oggetto pesante che cadeva per terra. Uscì per vedere che cosa stava succedendo fuori e, sul pavimento del patio, vide un grosso tronco di legno e, a fianco di questo, il curandero che stava ancora riprendendo fiato. Sul suo volto color rame scendevano rivoli di sudore. Sulle spalle, al di sopra del pullover che lasciava intravedere appena la camicia, portava ancora il poncho arrotolato che aveva usato per proteggersi dalle asperità del legno.

«Ho trasportato questo tronco fin qui dalla vallata. L'ho trovato in un ruscello. Ci servirà per ricavarne alcune ciotole di legno per la prossima semina» spiegò.

«Portare tutto quel peso fino a qui deve essere stato molto faticoso. Ti ha aiutato qualcuno?» chiese nel vedere quel tronco lungo e pesante. Pensava che un uomo solo non avrebbe potuto trasportare un peso simile da un posto così lontano, specie considerando che il fiume distava parecchi chilometri dalla casa.

«No, nessuno. L'ho portato io da solo, prima su una spalla e poi sull'altra» le spiegò mentre il suo viso bagnato di sudore brillava facendone risaltare la fronte, gli zigomi e il naso.

«Sarai stanco. Riposati un po'» disse lei con fare materno.

«Non tanto. Mi sento fresco e riposato. Ho solo fame» rispose mentre si toglieva il poncho e si ripuliva le mani.

«Il pranzo è pronto. Posso servirlo quando vuoi» aggiunse lei rientrando in casa.

Mangiarono lentamente e in silenzio; di tanto in tanto si guardavano e a volte si sorridevano. Kantu non lo considerava più un estraneo, ma un uomo che stava imparando a conoscere. Non appena terminarono di mangiare, mentre Kantu lavava, asciugava e infine riponeva le stoviglie al loro posto, Condori suonava un flauto di legno adornato da nastri colorati. Le allegre melodie che emetteva lo strumento solleticavano le corde più intime di Kantu. Aveva sentito molti flautisti prima d'allora ma nessuno suonava quelle melodie con tanto calore come Condori. Con le labbra appoggiate al flauto, il suo volto acquisiva un'aria mistica. A occhi chiusi, un'espressione serena dipinta sul volto, l'uomo soffiava in modo regolare. Sembrava che inalasse l'aria in modo misterioso mentre suonava perché non faceva alcuna pausa per aspirare. Lei lo ascoltava con piacere. Non appena ebbe terminato anche l'ultima canzone, Condori aprì gli occhi e disse: «È ora di riprendere gli esercizi per sviluppare il tatto. Questa volta dovrai lavorare sul tuo volto: lo toccherai esercitando pressioni graduali con la punta delle dita: inizierai con una pressione tenue che si farà via via sempre più pesante».

Kantu annuì e si girò sulla destra incamminandosi verso la sua stanza. Entrò e chiuse la porta. Sarebbe rimasta chiusa lì dentro per ore, cercando di sperimentare differenti pressioni sul suo volto. Nell'oscurità della sua stanza, con gli occhi chiusi e i tappi alle orecchie, si sarebbe isolata dal mondo per percepire esclusivamente le sensazioni tattili. Avrebbe dovuto stabilire la differenza fra le diverse sensazioni provate per concludere, infine, con una percezione interiore: visualizzare le immagini che quelle sensazioni le avevano suggerito.

Il giorno in cui Condori le aveva insegnato quel tipo di esercizio, lei aveva creduto che la stesse prendendo in giro. Ma, dopo aver sperimentato quelle sensazioni con gli occhi chiusi e le orecchie tappate, aveva cominciato a sentire che un nuovo canale di comunicazione tra e lei e il suo corpo si stava aprendo. Naturalmente non era la prima volta che toccava il suo corpo ma mai, prima di allora, aveva provato sensazioni simili a quelle o a quelle sperimentate quando l'aveva toccata Condori, il primo giorno. Erano passate diverse settimane da allora e, nel frattempo, lei aveva raffinato la sua percezione tattile. Aveva imparato a toccarsi e a toccare un'altra persona. Aveva dovuto toccare il corpo di Condori quando questi le aveva ordinato di farlo. Ricordava ancora perfettamente quella prima volta. Si era sentita nervosa al pensiero di non riuscire a farlo bene. Per la tensione le sue dita si erano inumidite e aveva cominciato a sudare abbondantemente. Aveva sentito un nodo che le stringeva la gola e una forte pressione sul petto.

«Respira lentamente e a fondo diverse volte e ti calmerai» le aveva consigliato lui cercando di rasserenarla.

E così aveva fatto ed, effettivamente, poco a poco si era tranquillizzata. Alla fine era riuscita a toccare il corpo di Condori, a sentire la consistenza della sua pelle, la sua temperatura, i suoi segni particolari, i contorni dei suoi muscoli, il tessuto di certe sue zone, la sporgenza delle sue vene, i suoi nei, i foruncoli, i peli. Dopo averlo toccato così a fondo, il timore che nutriva nei confronti di quell'uomo era svanito. Il linguaggio della sua pelle le aveva detto che difficilmente le avrebbe fatto del male, che era una persona della quale ci si poteva fidare. O almeno fu ciò che i suoi polpastrelli avevano percepito.

Quando, invece, era toccato a lei assumere il ruolo passivo, le sensazioni provate variavano a seconda del punto toccato e della pressione esercitata. Insieme alle sensazioni erano affiorati anche sentimenti contrastanti: dolore, piacere, rabbia, tristezza, solletico, allegria e altri ancora. Negli incontri successivi aveva sperimentato nuove reazioni; le erano ritornate alla mente immagini del passato, del presente e del futuro, aveva visualizzato paesaggi, figure o segni a lei sconosciuti. Condori le aveva spiegato che il senso tattile era quello della conoscenza e dell'amore.

«Non appena riuscirai a perfezionare questo senso, potrai viaggiare attraverso universi lontani, senza neppure doverti muovere; saprai ciò che gli altri fanno senza nemmeno doverli ascoltare, riuscirai a vederli senza essere vista» le aveva spiegato. «Ma la cosa più importante è che riuscirai a essere consapevole di te stessa, delle tue potenzialità e dei tuoi limiti, anche se per riuscirci, dovrai esercitarti a lungo. Così facendo ti conoscerai sempre di più e, quanto più ti conoscerai, più ti amerai. E solo nel momento in cui ti amerai davvero, potrai condividere il tuo amore con gli altri.»

Al termine di questo tipo di esercizi i due camminavano per un'ora lungo un piccolo e stretto sentiero che conduceva a una sorgente di acque termali, situata ai piedi di una montagna. Quando non c'era nessuno facevano il bagno completamente nudi ma se, invece, c'era gente indossavano i loro costumi da bagno. A volte vi trovavano bambini, intere famiglie, lavoratori o visitatori occasionali, per lo più uomini. E ce n'era sempre qualcuno che rapito dalla bellezza di Kantu, dalle sue armoniose forme e dal suo corpo scultoreo, iniziava a corteggiarla. Ma lei che in città era costantemente assediata dagli uomini, sapeva bene come tenerli a bada. Talvolta Kantu andava alle acque termali da sola o in compagnia di Inés, una ragazzina del paese che, a volte, sbrigava alcune commissioni per loro.

Un giorno Kantu era andata ai bagni termali con Inés dove avevano incontrato tre sconosciuti e una coppia del posto che stavano facendo il bagno. Kantu indossava abiti indigeni e quindi non aveva dato nell'occhio ma, non appena i tre uomini l'avevano vista in costume da bagno, avevano preso a infastidirla con commenti pesanti, proposte indecenti prendendosi persino la libertà di offrirle dei soldi per stare con lei. Kantu aveva pensato che la cosa migliore sarebbe stata uscire dall'acqua, rivestirsi e andarsene via, soprattutto quando anche la coppia di locali se ne andò.

«Andiamocene Inés, questi uomini non mi piacciono. Potrebbe essere pericoloso fermarsi qui» aveva detto alla piccola. E così erano uscite in fretta dall'acqua ed erano andate a rivestirsi ma, quando Kantu si accingeva a uscire da una piccola cabina nella quale si erano andate a cambiare, uno degli uomini l'aveva bloccata sulla porta. Inés, che era uscita per prima, aveva fatto in tempo a fuggire.

«Su, bellezza, perché non vuoi rimanere qui con noi? Ti faremo divertire un po'» le aveva detto uno degli uomini. Aveva un corpo muscoloso e i capelli neri e spettinati. Con il corpo ancora gocciolante si era piantato di fronte a lei. Poi era indietreggiato un po' mentre uno degli altri aveva esclamato: «Ci divertiremo. Questa india è proprio ben fatta» afferrandola poi per un polso. Aveva gli occhi iniettati di sangue, il volto coperto di acne, il corpo massiccio e villoso, i capelli crespi e lo sguardo sinistro.

«Se mi fate qualcosa, vedrete cosa vi accadrà!» li aveva minacciati Kantu spaventata.

«Cosa vuoi che ci succeda? Noi siamo la legge» aveva ribattuto il terzo. «Sii gentile, altrimenti finirai male.» Quello che le si era avvicinato per ultimo era meticcio e, dal modo di comportarsi e dalla muscolatura, sembrava un militare, forse un poliziotto.

Si era dibattuta mentre cercavano di bloccarle le mani e di tapparle la bocca. Mentre due di loro cercavano di coricarla sul suolo umido, Kantu aveva morso con tutta la sua forza la mano che le tappava la bocca e aveva gridato con quanto fiato aveva in corpo: «Aiuto, aiuto!».

«Zitta, stupida india» le aveva ordinato quello che sembrava un militare, sferrandole uno schiaffo. Lei si era dibattuta tenacemente tentando di divincolarsi mentre cercavano di farla cadere.

Ma, proprio in quel momento era arrivato Condori. Aveva afferrato uno degli uomini per il collo e per la vita e lo aveva scaraventato a terra. Aveva colpito con un pugno rapido e forte il secondo, che si era accasciato a terra come un sacco di patate. Il terzo intanto aveva estratto un revolver, Condori lo aveva fissato dritto negli occhi e poi, con una rapidità sorprendente, lo aveva colpito all'orecchio destro. L'uomo, con gli occhi atterriti, aveva lasciato l'arma ed era caduto a terra. Condori l'aveva raccolta e dal lastricato vicino ai bagni, con un grande slancio, l'aveva gettata nel fiume che scorreva ad alcuni metri. La pistola era sprofondata nell'acqua. Poi era tornato da Kantu e, abbracciandola, le aveva chiesto: «Ti hanno fatto del male questi sconosciuti? È probabile che siano limegni[1]. Laggiù ci sono persone dedite alla violenza e alla malavita; rubano, distruggono e, in qualsiasi

1 Nativi di Lima, la capitale del Perú.

posto vadano, violentano le giovani donne. Qui tra noi, nessuno ti può fare del male. Andiamocene prima che questi disgraziati riprendano le forze».

Completamente pietrificata dal panico, Kantu era rimasta immobile, gli occhi fissi su quegli uomini svenuti per terra. Era successo tutto così in fretta. Condori, allora, l'aveva presa per mano facendo in modo che si sentisse protetta. Dopo essersi ripresa un po', al fianco di Condori, aveva imboccato lo stretto sentiero che li avrebbe riportati a casa. Erano soliti fare quella strada sebbene ve ne fosse anche un'altra più ampia, vicina ai bagni.

«Sei stata fortunata: mi trovavo qui vicino e quando Inés è venuta da me gridando mi sono subito precipitato» le aveva spiegato Condori.

Kantu aveva camminato in silenzio, confusa, ancora dolorante per lo schiaffo. Fisicamente stava bene, ma si sentiva distrutta dentro: perché attraeva tutti gli altri uomini tranne quello che le interessava? perché tutti la seducevano solamente per portarsela a letto? Quello che lei cercava era amore, non sesso.

«Perché gli uomini m'infastidiscono o cercano di farmi innamorare se l'unica cosa che realmente vogliono è possedermi?» aveva chiesto al suo maestro, ferita da quanto era appena successo.

«L'istinto dell'uomo è assai diverso da quello della donna» le aveva spiegato il curandero. «Nell'uomo primeggia il desiderio di fecondare, d'inseminare, di riprodursi; nella donna quello della conservazione della specie, della maternità, dell'amore. Per fare in modo che questi due istinti si uniscano, la natura ha escogitato un richiamo: l'attrazione sessuale. Grazie a questo meccanismo l'uomo si sente attratto dalla donna e la donna dall'uomo e, in questo modo, si uniscono dando vita alla famiglia. Presi isolatamente l'uomo ha la tendenza a spostarsi, mentre la donna è, per natura, sedentaria.»

«Mi pare che sia la donna quella che ha più da perdere in una relazione di coppia. È così difficile fare in modo che un uomo rimanga al tuo fianco» aveva commentato Kantu, continuando ad avanzare lungo il sentiero.

Camminavano con molta cautela, cercando di evitare le pietre lisce sulle quali avrebbero potuto scivolare e si erano afferrati alle rocce quando avevano costeggiato i dirupi della montagna. C'erano pace e tranquillità in quel luogo, ma uomini come quelli che avevano appena cercato di violentarla sapevano sconvolgere anche quel meraviglioso equilibrio. I contadini e i pastori della comunità erano persone semplici, pacifiche. Prima d'allora Kantu non aveva mai avuto problemi a passeggiare da sola, ma quel giorno aveva conosciuto il lato più sgradevole dell'uomo, aveva conosciuto la violenza del desiderio sessuale privo d'amore.

«Per fare in modo che una donna riesca a trattenere a sé un uomo, la natura l'ha dotata di un potente potere: la sua sessualità» aveva affermato Condori, riprendendo il discorso. «È un'esca lanciata dalla natura per garantire la continuità della specie. Una donna ha il potere di attrarre gli uomini o un uomo in particolare, ma, come qualsiasi altro strumento di potere, dev'essere conosciuto e compreso in tutta la sua naturale complessità. La sessualità non si riduce semplicemente all'organo sessuale, ma è soprattutto energia che si esprime sotto forma di pensiero, di movimento, di sentimento e di passione. Il sesso serve per generare e rigenerare, per ricreare e per elevare spiritualmente. Il corpo della donna attrae l'uomo perché racchiude una spirale d'energia di natura divina: dentro di lei giace, avvolto su se stesso, un serpente d'energia. Ciò che attrae non è solamente la sua bellezza fisica ma, soprattutto, l'energia che si muove dentro di lei.»

La spiegazione era stata interrotta non appena Kantu, guardando in alto verso il cielo azzurro, aveva avvistato due condor che volteggiavano e che sembravano giocare: l'uno allungava le sue zampe mentre l'altro le contraeva. Anche Condori aveva osservato quei giganteschi pennuti che si muovevano maestosamente giocando fra di loro. «È una coppia: un condor maschio con la sua femmina» aveva osservato. «Si riconoscono facilmente per via del loro diverso aspetto: il maschio ha il collo e la cresta rossi, mentre la femmina ha la testa nera ed è priva di cresta. Sono uccelli che vivono sulle montagne sebbene qualche volta scendano fino alla costa. Si alimentano per lo più di carogne e sono sempre alla ricerca di animali morti.»

In lontananza si scorgeva la laguna del Langui, le cui acque facevano da specchio al diafano cielo azzurro. Era una giornata serena. Avevano svoltato verso destra lasciando lentamente dietro di loro la vista dell'acqua. Davanti a loro cominciavano ad apparire le terre coltivate e i gialli terrazzamenti che si estendevano fino alle montagne. Mentre si avvicinavano a casa, Kantu aveva pensato all'energia femminile della quale le aveva parlato Condori; non ne aveva capito molto e voleva approfondire l'argomento e così, non appena furono arrivati, aveva chiesto: «Condori, per favore, parlami ancora di quest'energia femminile. In cosa consiste e perché attrae tanto gli uomini?».

Condori, sedutosi su un masso per godersi gli ultimi raggi di sole, aveva ripreso il discorso che poco prima aveva deliberatamente interrotto per lasciare a Kantu il tempo di riflettere: «Si tratta di un'energia sottile, più penetrante e quindi più potente di quella maschile» le aveva spiegato. «L'uomo se ne sente attratto e, durante l'incontro sessuale, la può sentire con ancor maggiore intensità. Ci sono esercizi, che presto imparerai, che aiutano a prendersi cura, a purificare e a controllare quest'energia. Dovrai imparare a muovere questa energia attraverso tutti gli organi del tuo corpo, specialmente gli occhi, la gola e i muscoli. L'energia deve fluire liberamente dentro di te e trasformarti dal di dentro in una donna di luce. Se desideri conquistare un uomo dovrai usare questa tua energia, e avrai la dimostrazione più concreta del tuo potere femminile e degli effetti che essa può avere. Per conquistare un uomo dovrai essere cosciente del fatto che il tuo aspetto fisico provoca attrazione, sebbene si tratti di un'attrazione puramente fisica e temporanea. Dovrai cercare di far nascere nell'uomo un sentimento d'amore profondo; solo allora la conquista sarà totale e la vostra unione eterna».

«Ma come dovrà essere questo sentimento? Aiutami a capire» lo aveva quasi supplicato.

«È un sentimento che dovrà essere fisico, mentale e spirituale al tempo stesso. E ti porterà inevitabilmente a un nuovo stato di coscienza: l'amore. Uomo e donna si avvicinano all'amore per vie diverse» aveva ripreso Condori. «Gli uomini vi giungono attraverso la porta del sesso, le donne attraverso quella del cuore. L'appetito sessuale nell'uomo è molto intenso e può addirittura spingerlo a ricorrere alla violenza, se la donna non si sottomette a lui. Una donna che ha preso coscienza di sé non potrà mai essere violata; potrà essere violentata ma non violata, se non lo vuole. Prometto che più avanti ti insegnerò altri modi che ti permetteranno di evitare che uno o più uomini ti violino o ti violentino. Per il momento ti insegnerò questo: inspira con molta calma fissando il tuo sguardo su di un solo punto, senza sbattere le ciglia, quasi come se lo stessi assorbendo; poi espelli l'aria rapidamente, sempre senza chiudere le palpebre. Eseguirai questo esercizio di respirazione fino a quando non lo controllerai completamente e poi lo eseguirai guardando direttamente gli occhi di un uomo e ripetendoti mentalmente: "Sono più forte di te, non potrai farmi nulla, se io non voglio". E, per potenziare ulteriormente la tua forza mentale, incrocia il dito indice sul medio. Prova a eseguire quest'esercizio prima con uno e poi con altri uomini. Se uno o più uomini cercassero di violentarti com'è successo poco fa, impiega questa tecnica e rimarranno storditi. E, mentre li guardi negli occhi, non farti vincere dalla paura: abbi fiducia in te stessa, nel tuo potere. Assorbi il loro sguardo senza mostrare timore e, senza opporre resistenza, dimostra loro di non avere paura. Lascia che la forza dell'avversario si scarichi a terra, passando prima attraverso di te.» Dopo un attimo di silenzio, aveva aggiunto: «Ora devo fare alcune cose urgenti. Ci vediamo più tardi» e subito si era alzato e si era incamminato verso il campo.

Kantu era rimasta a pensare a quello che avrebbe dovuto fare quel giorno. Nel suo tempo libero, quando non seguiva gli insegnamenti di Condori o non svolgeva i suoi esercizi, lavorava nei campi: raccoglieva le spighe di grano e di orzo precedentemente mietute, oppure aiutava a raccogliere le patate. Dava da mangiare ai conigli e alle pecore, portava i cereali alle galline, oppure allattava con il biberon gli agnellini rimasti senza mamma. Alle volte scendeva anche in paese a comprare sale, zucchero, olio e sapone e, di tanto in tanto, anche la poca frutta, che, occasionalmente, arrivava. A volte Inés l'aiutava a portare la spesa fino a casa.

Inés era una bambina di dieci anni dai capelli neri, la pelle color rame, gli occhi allungati e vivaci e le sopracciglia sottili. Sorrideva sempre, con quei suoi due dentoni centrali da topolino. Abitualmente indossava un pullover color fucsia, una camicia celeste e una gonna viola adornata da lacci di diversi colori cuciti su tutta l'ampiezza. Calzava sandali andini fatti di caucciù. Se usciva di casa presto, era solita coprirsi con un cappuccio variopinto che la proteggeva fino al collo e con uno scialle di lana dalle frange arancioni e azzurre, con due grandi lama ricamati. Per ogni servizio svolto riceveva una mancia che consegnava religiosamente alla madre. A volte si caricava sulle spalle il fratellino di due anni, un candido bimbo dagli enormi occhi neri, che un maglione beige con le frange color caffè e un *chullo* riparavano dal freddo. Sulle Ande le bambine diventano responsabili molto presto e aiutano le loro madri ad accudire i fratellini più piccoli, a pascolare le pecore, a badare e a mungere le mucche, oppure cercano di racimolare quattro soldi facendo piccole commissioni, come faceva Inés.

Quel pomeriggio, dopo essere rimasta in camera sua a esplorare il suo volto, Kantu si era azzardata a chiedere al suo maestro: «Perché quando tocco una zona del mio viso visualizzo un colore e quando ne tocco un'altra ne vedo uno diverso? E perché sento un formicolio lungo tutta la colonna vertebrale?».

«Perché stai toccando le linee dell'energia che circola per il tuo corpo e che si connette a centri di controllo; è attraverso quelle linee che l'energia del tuo essere entra ed esce. I colori sono la manifestazione di quell'energia» le spiegò lui. «In natura esiste un oceano di energia nel quale tutti gli esseri viventi sono immersi; si tratta di una sorta di energia comune. Ma non è sempre uguale: si manifesta in diversi modi o vibrazioni che, a loro volta, producono determinati effetti sul nostro organismo. I nostri sensi percepiscono queste vibrazioni sotto forma di suoni, di odori, di sapori, di sensazioni e di colori. A proposito, forse è proprio il caso di parlarti dei colori.» E, dicendo ciò, si diresse verso un baule di cuoio dal quale estrasse una corda intrecciata con fili che richiamavano tutti i colori dell'arcobaleno: iniziava con il rosso e terminava nel viola.

«I nostri avi conoscevano bene il flusso dell'energia della terra e del corpo umano. Per questa ragione lo rappresentavano con i colori dell'arcobaleno. L'arcobaleno incarnava per loro le energie della terra e del cielo, ed era per questo che lo veneravano.» Fece una breve pausa e poi riprese: «Ti regalo questa corda colorata. Ti sarà utile durante il tuo apprendistato».

«Grazie... assomiglia alla bandiera di Cuzco...» osservò Kantu.

«È vero. Posta così, con il rosso in alto e il viola in basso, rappresenta l'arcobaleno celeste. Gli Incas consideravano Cuzco come l'ombelico del mondo, la porta cosmica e per questo la rappresentavano sempre in questo modo» affermò Condori. «Se invece rovesci la corda con il color viola in alto e il rosso in basso, allora rappresenta le diverse vibrazioni dell'energia che fluisce all'interno del corpo dell'uomo, ovvero, l'arcobaleno umano.»

«Non capisco cosa vuoi dire. Come funziona il nostro corpo?»

«Lungo la colonna vertebrale vi sono varie finestre circolari di energia che mettono in comunicazione il nostro organismo con l'esterno, con l'oceano di energia che ci circonda. Attraverso queste finestre, che si aprono e si chiudono seguendo gli ordini del nostro essere, assorbiamo o scarichiamo l'energia dell'universo. Ognuno di noi possiede sette grandi finestre oltre ad altre finestrelle più piccole, e otto centri di controllo che regolano il flusso d'energia, sia in entrata che in uscita. Queste finestre graduate servono a selezionare ognuna una parte d'energia: sono delle specie di filtri. Le finestre energetiche iniziano qui» disse indicando il perineo. «Questa finestra indica la nostra vitalità interna ed è rappresentata dal rosso. Se ti tocchi le grandi labbra tenendo gli occhi chiusi, molto probabilmente visualizzerai il colore rosso perché sono il punto finale della linea del perineo e dello sfintere anale. Se, invece, sempre a occhi chiusi, tocchi punti diversi della colonna vertebrale, visualizzerai colori diversi.»

«Ma io non ho visualizzato i colori toccandomi il corpo, bensì il volto» ribatté Kantu.

«Certo, perché disseminati per tutto il volto si trovano i terminali di tutte quelle parti. Se, per esempio, ti tocchi la punta del naso, potrai vedere il verde o il rosa che rappresentano il centro situato vicino al cuore. Dopo il rosso viene l'arancione, localizzato qui», e indicò la parte inferiore del ventre «il punto che controlla i nostri organi sessuali. Dopo l'arancione, il giallo, situato fra l'ombelico e il plesso solare, che controlla fegato e pancreas. Il colore verde, all'altezza del cuore, controlla il timo. L'azzurro, all'altezza della gola, controlla tiroide e paratiroidi. L'indaco, situato sul setto nasale, proprio in mezzo agli occhi, controlla l'epifisi. E infine, alla base del cranio, si trova il colore viola che controlla l'ipofisi. Questa corda quindi racchiude in sé tutto quanto occorre conoscere relativamente al flusso dell'energia.»

«E a cosa mi servirà conoscere questi colori?» replicò Kantu.

«Se non sai come fluisce l'energia all'interno del tuo corpo, non potrai mai utilizzare in modo cosciente la tua energia interiore. Solo conoscendo il movimento di questa energia potrai assorbire quella che ti manca o espellere quella in eccedenza e diventare, così, temeraria come il puma, osservatrice come il condor, prudente come il serpente. Saprai aspettare e agire al momento giusto.»

«E perché vedo solo alcuni colori e non tutti quelli che possono essere visualizzati?» chiese Kantu, fissando i suoi grandi occhi neri in quelli del curandero, quasi volesse leggervi dentro.

«Perché la tua energia è bloccata in tre finestre e fluisce solo attraverso quattro di esse. Per riuscire a equilibrare il flusso della tua potente energia, dovremo fare in modo di liberare i centri di controllo che la mantengono imprigionata impedendole di fluire liberamente» osservò Condori.

«Aiutami a risolvere questo problema, ti prego.»

«Lo sto già facendo. L'altro giorno ti ho fatto bere l'acqua del *siwayru*[2], ricordi? Ebbene essa conteneva il verde, il rosso, l'indaco e anche un po' di rosa. Quell'acqua colorata serve a risvegliare i centri assopiti. Ti somministrai il rosso per arrestare il timore che provi verso la vita; il verde per ridare equilibrio ai tuoi sentimenti; il rosa per insegnarti le cose più sublimi dell'amore che non si riduce alla passione carnale e, infine, vi aggiunsi anche l'indaco per attenuare un po' la tua razionalità e la tua concretezza e renderti, così, più intuitiva. In quanto donna devi possedere più fantasia. Come vedi, ti sto già aiutando.»

«Grazie, Condori. Le tue conoscenze e il tuo modo di essere accrescono di giorno in giorno l'amore che provo per te.»

Sembrava che Kantu si stesse lentamente innamorando del curandero, ma lui, sempre vigile e attento a stroncare qualsiasi relazione affettuosa che potesse nascere soltanto da un senso di insicurezza, la riprese subito: «Kantu, per favore, cerca di non confondere il sentimento con la comprensione. Io ti sto istruendo e desidero che tu apprenda, ma non voglio diventare il salvagente al quale afferrarsi nei momenti pericolosi. Una cosa è l'amore, un'altra, ben diversa, il senso d'insicurezza mascherato da desiderio o da affetto».

«Non sapevo che amare fosse una forma di paura.»

2 Terre di dodici cromatismi diversi. Gli andini le usano per curare i malesseri di tipo nervoso.

Kantu aveva paura, l'aveva sempre avuta: paura di non essere come gli altri, di non venire accettata per il fatto di essere india, di non essere intelligente come il resto della gente, paura di perdere l'uomo del quale si era innamorata e, ora, paura di non essere all'altezza della situazione.

«T'insegnerò a diventare una vera donna, libera di decidere della tua vita. Non cercare di afferrarti a me perché allora sarei solo il tuo salvagente in mezzo al mare della vita; devi imparare a nuotare. Tu sei la mia discepola e io il tuo istruttore» ribadì.

«No, tu non sei semplicemente il mio istruttore o il mio educatore: tu sei il mio maestro, la mia guida. Sei un saggio, un grande uomo in abiti umili» ribatté lei. «E io ti stimo e ho fiducia in te.»

«Non sono un maestro. Un uomo può essere solamente un istruttore o un educatore, ma non può insegnare l'amore. Solo una donna può giungere a essere una maestra perché lei, nel silenzio e con grande pazienza, sa guidare, sa trasmettere le sue conoscenze. Guida con il suo esempio, senza dover ricorrere alle parole. Un maestro non predica, insegna con l'esempio della sua vita. Forse un giorno, quando avrai finalmente incontrato te stessa, anche tu sarai in grado di diventare una maestra e qualsiasi uomo potrebbe essere tuo discepolo» obiettò lui alzandosi in piedi. Rimasero in silenzio poi, improvvisamente, lui si ritirò.

Kantu guardò il sole. Sembrava un disco rosso che si ergeva sul cielo limpido, alto sopra le colline che, per effetto delle ombre, si erano tinte di nero. Si alzò in piedi e volse lo sguardo verso est. Le montagne auree e i campi d'orzo e di grano tinteggiavano il paesaggio di un colore dorato intenso che si alternava al colore scuro delle zone non più illuminate dai raggi del sole. Alzò lo sguardo al cielo, verso quell'azzurro diluito dal biancore delle nuvole. Spingendo il suo sguardo oltre l'orizzonte, ai piedi delle montagne grigiastre, dove i pascoli ancora baciati dal sole si erano dipinti d'arancione, comprese le meraviglie della vita, le meraviglie della natura: erano lì, davanti agli occhi di chi voleva coglierle. I colori dell'arcobaleno erano presenti in ogni elemento della natura e dell'essere umano e proprio per questo, l'uomo doveva divenire un essere luminoso, un arcobaleno di luci.

# 8
# LA CURANDERA SERPENTE

Quella mattina il limpido cielo azzurro che sovrastava le montagne iniziò a coprirsi di nuvole. Per effetto dei raggi di sole gli avvallamenti neri contrastavano con il colore dorato delle pianure coltivate a cereali. In lontananza, le creste innevate dell'Ausangate, alto 6072 metri, sembravano una catena di brillanti incastonati nella roccia plumbea. Ai suoi piedi, si allungavano altri campi di cereali che immersi nella luce del sole assumevano un colore giallo paglierino ed estesi pascoli in cui si muovevano uomini, mucche, pecore, asini, lama.

Erano diverse ore che Kantu era in cammino, preceduta da Condori. Questi portava sulle spalle una sacca di una cinquantina di chili, lei un'altra che ne pesava la metà. Procedevano in silenzio, godendosi la vista di quel panorama. A nord s'innalzava una gigantesca mole di terra e di pietre, di boschi di arbusti e di terreni brulli. Avanzavano lungo uno stretto e ripido sentiero di montagna. Il terreno era irregolare, accidentato. Bisognava fare molta attenzione a dove si appoggiavano i piedi per evitare di scivolare sui sassolini lisci con il rischio di cadere sul fondo di un precipizio profondo decine e decine di metri e disseminato di pietre affilate come coltelli.

A un certo punto Condori si fermò e Kantu ne approfittò per riprendere fiato. Durante la sosta, l'uomo raccolse dei massi, li impilò uno sull'altro fino a formare una sorta di piramide. Kantu posò la sacca, si sedette su un sasso piatto vicino al sentiero e si mise a osservare Condori. Lui non sembrava affaticato; con l'agilità di un puma e l'eleganza di un lama, raccoglieva e trasportava le pietre. Il suo volto pareva quello di un bambino soddisfatto che gioca immerso nel suo mondo fantastico.

«Ci vogliono ancora tre ore prima di arrivare da Mama Maru» disse, senza voltarsi.

«Fino a ora non abbiamo smesso di salire. Il sentiero è ancora lungo?» chiese lei, ansiosa di sapere quando si sarebbe conclusa la giornata.

«Ancora una o due ore di salita e raggiungeremo la cima. Poi proseguiremo un altro un po' fino a un crepaccio e, da lì in poi, inizieremo una discesa che, in un'ora, ci porterà alla casa della nonna. Ci starà sicuramente aspettando; l'ho avvisata della nostra visita.»

Non appena ebbe finito di parlare, si rimise il sacco in spalla e ripartì. Kantu si sentiva molto stanca e avrebbe voluto riposare un altro po': le spalle e le gambe le facevano male e i piedi erano doloranti. Si alzò di malavoglia, si rimise le tre sacche di cotone colme di mais, patate e quinoa sulle spalle e s'incamminò dietro a Condori che la precedeva già di diversi metri; durante il viaggio non parlò e non commentò nulla. Il motivo di quel viaggio, le aveva annunciato Condori, era quello di farle conoscere un'anziana curandera domatrice di serpenti.

La donna viveva nella comunità di Cheqa, parola che significa "Verità", in una capanna appena fuori dai campi coltivati. Stando a quello che diceva Condori, quella donna era riuscita a controllare la sua energia interiore e ora poteva utilizzarla per aiutare il suo prossimo a guarire. Per via del suo carattere forte e della sua volontà di ferro, alcune donne invidiose l'avevano soprannominata «la spezza catene». Aveva vissuto con diversi uomini ma non si era mai voluta sposare, né aveva mai voluto avere dei figli. O almeno, questo era ciò che si diceva di lei.

Kantu e Condori proseguirono il loro cammino costeggiando la gola della montagna. Sotto di loro si apriva un enorme precipizio: un attimo di disattenzione e si poteva finire sfracellati su quei massi. L'ultimo ostacolo che dovevano superare era attraversare una fenditura fra due rocce; un salto di quasi un metro. Condori saltò rapidamente mentre Kantu si fermò sul bordo e guardò attraverso la fessura. Si sentì raggelare da un brivido mortale: le due rocce sembravano sospese nell'aria. Presa dal panico rimase immobile, quasi ipnotizzata all'idea che quelle rocce, con il peso del suo corpo, si sarebbero potute sgretolare. Alla fine si decise e saltò, ma calcolò male la spinta e, non riuscendo a raggiungere l'altra roccia, cominciò a scivolare lungo la fessura. Con uno sforzo immane e guidata dal suo istinto di sopravvivenza, si afferrò con ambedue le mani alla roccia, rimanendo sospesa nell'aria e lanciò un urlo disperato.

Quell'istante le parve durare un'eternità. In un attimo tutta la sua vita passò davanti ai suoi occhi a una velocità vertiginosa, come in un film. In una frazione di secondo rivisse episodi della sua infanzia, momenti vissuti con i suoi nonni, nella scuola, con le amiche, i momenti d'angoscia, la festa per i suoi quindici anni, la morte di sua nonna, gli amici dell'università, le sue fughe da casa, la sua prima esperienza amorosa, il suo lavoro come maestra, il suo incontro con Juan. Ripensò al motivo per cui si trovava lì spettinata, vestita da indigena e con un carico sulle spalle che la stava trascinando giù per un precipizio.

Fortunatamente la coperta che indossava per proteggersi dal freddo delle montagne si era impigliata allo spigolo della roccia, che lei afferrò disperata. Un vento fresco le accarezzava le gambe lasciate scoperte dalla gonna e i piedi che non si erano mai abituati ai sandali andini che non portava quasi mai, ma che, in quell'occasione, sarebbe stato il caso di indossare.

I suoi pensieri erano rimasti come sospesi, quando sentì lo strattone di una mano che la sollevava: era Condori che era riuscito ad afferrarla appena in tempo e che, molto abilmente, l'alzò e l'adagiò su un terreno sicuro. Kantu si sentì rinascere ma lui, come se nulla fosse successo, le fece cenno con la testa di riprendere il cammino. Lei, ancora tremante per lo spavento e con un nodo stretto in gola, non sapeva se piangere o ridere: era stata sul punto di morire... e lui non la consolava nemmeno! Infuriata per quel suo atteggiamento fu sul punto di mettersi a urlare ma, improvvisamente, si ricordò di ciò che le aveva detto in un'occasione: «La vita è sfida e solo rischiando ci si può mettere alla prova. La vita è fragile; si può morire in qualsiasi momento, cerca sempre di vivere il presente». L'unica cosa che davvero contava in quel momento era essere ancora viva, si calmò e smise di pensarci. Si sistemò il carico in spalla e seguì Condori che aveva già ripreso il cammino.

«Una volta, qui, c'era un ponte di legno ma ormai non c'è più. E poi non è difficile saltare da una roccia all'altra; tu hai esitato ed è per questo che sei scivolata. Per vincere o per perdere devi osare» le disse voltandosi.

Per la prima volta dal momento in cui avevano intrapreso il viaggio, lei lo guardò attentamente: lo vedeva come il suo salvatore, il suo maestro, come un uomo molto sicuro di sé: lui sapeva quello che voleva. Un *chullo* marrone dalla nappa variopinta copriva il suo capo e un poncho grigio chiaro gli scendeva sulle spalle; i pantaloni neri, che gli arrivavano solo fino alle ginocchia, lasciavano scoperti i polpacci e un paio di sandali andini, logori dal troppo uso, gli proteggevano i piedi. A dispetto del peso che portava, il suo portamento continuava a essere imponente; il suo aspetto era possente, vigoroso, le sue spalle massicce e forti, il suo corpo agile, le gambe e i polpacci, muscolosi.

Alle doti fisiche univa una profonda saggezza e una grande capacità di conoscere la natura umana, qualità utili specie quando doveva assistere pazienti venuti da paesi lontani. Condori era un *Amaru Runa*, un curandero capace di curare servendosi semplicemente delle proprie mani. Era un uomo sempre disponibile, di un amore e di una generosità talmente grandi che lo portavano a condividere con il suo prossimo tutto quanto possedesse. Alle volte si faceva serio, duro, inflessibile, ma generalmente amava scherzare, era tenero e comprensivo. Aveva comportamenti, modi di fare, giochi, parole e sorrisi ingenui simili a quelli di un bambino, però, quando si trovava di fronte a situazioni gravi, era capace di trasformarsi in un uomo. Il suo atteggiamento da uomo maturo risvegliava in Kantu un affetto profondo e il desiderio di sentirsi sua, mentre quel suo modo di fare infantile faceva affiorare in lei un desiderio materno di accarezzargli la testa, di cullarlo fra le braccia, di proteggerlo.

Quando si fermarono a riposare una seconda volta, Condori, con la mano destra, le indicò il cammino che ancora dovevano percorrere e disse: «Da qui inizia la discesa».

Kantu lo guardò senza dire nulla, limitandosi ad annuire. Riprese a camminare con cautela pensando a cosa avrebbe fatto con Mama Maru. Condori le aveva detto: «Le parole sono come il vento, volano via; solo le opere rimangono. Nella tua vita non conta ciò che dici ma solo ciò che fai. Ora devi fare un passo, devi dimostrare il tuo coraggio, scacciare la paura che ti porti dentro con i fatti e non con le parole. Ora è il momento dell'azione; è questo ciò che imparerai con Mama Maru».

Dall'alto si poteva osservare una piccola distesa di prati imbruniti sui quali pascolavano pecore, lama e alpaca. In fondo si distinguevano nitidamente le candide creste del nevaio Ausangate, il guardiano protettore di quelle regioni. Solo gli indios dal torace ampio e dai grandi polmoni potevano vivere in quelle zone che superavano i quattromila metri di altezza. Dietro il gregge, un pastore e il suo bambino di circa cinque anni avanzavano a passo lento. Dei ponci variopinti li proteggevano dal clima rigido di quelle cime. Ignari di essere osservati, procedevano in direzione opposta a quella di Condori e Kantu che, a passo sicuro, scendevano giù per il sentiero.

Superata la prima pianura, iniziarono una discesa quasi verticale. Da lassù si poteva contemplare il verde dei campi coltivati snodarsi lungo il fiume che, in fondo alla valle, alla luce del sole, si trasformava in un serpente argentato.

«Per arrivare prima prenderemo una scorciatoia» disse Condori. «Seguimi, cercando di non scivolare di nuovo.» E prese a scendere giù per un sentiero che tagliava in linea retta il cammino sinuoso. Kantu lo seguì in silenzio, facendo attenzione a non scivolare, appoggiando piedi e mani per terra. In quel momento non pensava più alla strada o ai sassi, ma solo a ciò che stava affrontando per ottenere l'amore di un uomo: aveva abbandonato i suoi genitori e i suoi amici, lasciato i suoi alunni e, soprattutto, aveva rinunciato a tutte le comodità della città per sottoporsi a continue prove per dimostrare a se stessa che era capace di qualsiasi cosa.

Camminando in linea retta, in poco tempo giunsero ai

campi coltivati. Dalla strada Kantu intravedeva alcune piccole case grigie con il tetto color caffè dalle sfumature dorate. Mezzo chilometro al di sotto di quelle costruzioni pascolavano pecore, alpaca e forse anche qualche maiale. Mentre si avvicinava vide che Condori si dirigeva verso una casa isolata, piuttosto lontana da tutte le altre e protetta da un basso e irregolare muro di cinta fatto di pietra.

Improvvisamente dalla casa uscì una vecchia india che sembrava li stesse aspettando. Gli occhi dell'anziana la colpirono: erano luminosi, sembravano addirittura emettere una luce. Anche le mani dell'anziana attrassero la sua attenzione. Una massa di lana avvolgeva il suo polso sinistro mentre con l'indice e con il pollice sorreggeva la punta di un filo sottile. Il filo si tendeva poi verso la mano destra e, sempre stretto fra l'indice e il pollice, scavalcava l'anulare finendo in un fuso: la donna stava filando.

In testa portava un berretto di lana dalle frange colorate. Kantu osservò la sua lunga e nera chioma raccolta in due grosse trecce che le scendevano sul petto. Qualche capello argentato tingeva le tempie. Indossava una camicia grigio chiaro e una coperta marrone a disegni bianchi, gialli e neri, con le frange rosse; una gonna di lana nera con un bordino rosso sul davanti la copriva dalla vita alle ginocchia; i suoi piedi crepati dal freddo della montagna calzavano sandali neri.

Le due donne si scambiarono un lungo sguardo. L'anziana rimase immobile sulla terra arida, ritta davanti a uno scenario fantastico, con le montagne che si ergevano in tutta la loro maestosità. Ai piedi delle montagne argentate, alcune ancora coperte di neve, si stendevano i terrazzamenti coltivati, chiazzati dalle nuvole che impedivano ai raggi di sole di raggiungere la terra. La curandera abbassò lo sguardo sulla matassa di lana e Kantu ne approfittò per dare un'occhiata al paesaggio che la circondava. Sopra di loro, nel cielo azzurro, le nuvole bianche si facevano sempre più compatte e, in lontananza, alcune nubi nere minacciavano pioggia. L'anziana curandera alzò lo sguardo verso Condori che, rompendo il silenzio, disse con un sorriso: «Nonna, siamo arrivati. Questa è la giovane della quale ti ho parlato».

«Dovete essere stanchi: entrate a riposare» li invitò l'anziana mentre il suo sguardo inquisitore, fisso e profondo, sembrava scrutare Kantu.

Kantu provò timore. Il volto della curandera non lasciava trasparire alcuna gioia nel vederla; era un'espressione strana, la sua, quasi fosse pronta o disposta a lottare. L'anziana non le disse nulla, ma continuava a guardarla come se si stesse domandando: "E questa, chi è?".

Due rughe profonde tra le sopracciglia rivelavano il carattere forte e collerico. La bocca aveva labbra sottili, serrate come se stesse stringendo qualcosa. Il mento era ampio e ben delineato.

«Prego, da questa parte» fece con voce garbata e, girando su se stessa, si diresse verso l'interno della casa.

Kantu e Condori scaricarono le sacche che portavano sulle spalle e le posarono davanti alla porta di una stanza.

«Dove possiamo appoggiare quello che ti abbiamo portato?» chiese Condori.

«Laggiù» disse Mama Maru indicando una zona dell'abitazione buia, senza distogliere lo sguardo da Kantu.

Kantu cominciava a sentirsi a disagio di fronte all'insistenza di quello sguardo. Sembrava che l'anziana potesse leggere i suoi pensieri, che studiasse le sue reazioni, il motivo per il quale si trovava lì. Nel frattempo Condori sistemava ciò che avevano trasportato per tutti quei chilometri. Quando sembrò aver terminato il suo minuzioso esame l'anziana disse, abbozzando un esiguo sorriso: «Avrete sete. Vi porterò un po' di *chicha*[1] orzata». Con movimenti agili entrò in un'altra stanza e, dopo qualche istante, riapparve con un'anfora e delle ciotole di legno che riempì con una bevanda color ocra che porse ai suoi ospiti.

Condori bevve con avidità e con un gesto ne chiese dell'altra. L'anziana riempì nuovamente la sua ciotola e Condori bevve di gusto pulendosi poi la bocca con il palmo della mano sinistra.

Non appena Kantu portò le labbra alla ciotola, si arrestò: quel liquido aveva un sapore terribilmente acido. Non era come la *chicha* che aveva bevuto a Cuzco, dolce e zuccherata, questa era puro mais, orzo o quinoa, fermentata. Si sforzò comunque di bere l'intera ciotola.

«Nonna, io devo tornare indietro. Lei si fermerà qui da te per qualche settimana. Ti ho già spiegato il perché» disse Condori.

«Va bene, figliolo. Mi affidi questa colomba che non sa ancora volare e io le insegnerò a farlo» affermò Mama Maru con un tenue sorriso.

«Kantu, se dovessi decidere di ritornare prima, prendi la stessa strada per la quale siamo venuti anche se è probabile che venga a trovarti presto» le disse mentre ripiegava il suo poncho e se lo legava alla schiena con una corda.

Kantu osservò la sua schiena possente e il collo muscoloso. Un brivido la pervase nel contemplare quel corpo forte e levigato. Le sembrava di desiderarlo, di volerlo sentire vicino. Lo seguì attentamente con lo sguardo mentre si allontanava lungo lo stretto sentiero che poco prima avevano percorso insieme. Non appena la lontananza lo inghiottì si voltò verso la curandera, che non aveva smesso di osservarla.

1 Bevanda derivante dalla fermentazione del mais.

Kantu aveva subìto una grande trasformazione nel suo modo di vivere: spettinata, vestita con abiti trasandati e umili, con sandali rozzi che le proteggevano i piedi, conservava comunque ancora intatta tutta la sua bellezza. Pareva un fiore di campo, puro, selvaggio. Il sole e il freddo delle Ande avevano indurito la sua pelle, prima così morbida e vellutata; le mani portavano il segno dei calli e le labbra erano screpolate ma i suoi occhi, ora ancora più belli, conservavano lo sguardo da vigogna selvatica.

Distogliendo lo sguardo da lei l'anziana curandera raccolse il fuso, ricominciò a filare e disse: «Ti mostrerò dove dormirai in questi giorni. Seguimi».

Con il fuso in mano e a passi decisi e sicuri avanzò verso una piccola abitazione. Kantu vide un letto preparato con pelli, qualche coperta e un tappeto appoggiato su una panca fatta di sassi.

«Qui conoscerai il potere del serpente. Non aspettarti gentilezze da parte mia. Sarò una maestra dura ed esigente e, se non obbedirai ai miei ordini o se dimostrerai di avere paura, te ne dovrai andare.» E, mentre uscivano dalla stanza, la guardò con occhi seri, senza dimostrarle alcuna amicizia. Fin dai primi momenti, l'anziana fece sentire la propria autorità cercando di ottenere dalla sua discepola una fiducia cieca e una dedizione totale, proprio come prima di lei aveva fatto Condori.

L'anziana continuò a scrutarla con quello sguardo d'acciaio, che, a volte, pareva lo sguardo di un gufo, immobile, rigido, penetrante. Kantu sapeva perché si trovava lì e sapeva anche che quella permanenza sarebbe stata una dura prova per lei. Condori le aveva spiegato che Mama Maru era una donna inflessibile e severa eppure, con la determinazione e il coraggio che solo il forte desiderio di conquistare Juan le poteva infondere, si sentiva disposta ad affrontare qualsiasi rischio, anche a costo di sacrificare la sua stessa vita.

«Ordini e io obbedirò, nonna» disse la giovane.

Kantu aveva sostenuto con Condori un apprendistato duro e stancante; insieme a lui aveva dovuto continuamente imparare cose nuove, mettersi alla prova, rafforzare la sua volontà e, soprattutto, osare.

«Voglio vedere quanto sei obbediente. Nascosto sotto questo sasso appiattito c'è un serpente: prendilo in mano e non fartelo scappare» le ordinò la curandera. «Se non lo fai, verrai castigata.»

Kantu spostò il masso che nascondeva una grossa cavità e, di fronte ai suoi occhi, apparve una massa grigiastra avvolta su se stessa: era un serpente enorme, un *Jergón de la Costa*[2] che, messo allo scoperto, prese a muoversi. Nello srotolarsi quel rettile grigio a chiazze nere lungo quasi un metro, sollevò leggermente la testa. Kantu esitò un istante; quel serpente era velenoso e fu invasa da una paura mortale. Sarebbe bastato un solo morso e per lei tutto sarebbe finito. E poi, era la prima volta che prendeva in mano un serpente! Un brivido percorse tutto il suo corpo. Le sembrava di vivere un incubo: un senso d'impotenza e di terrore le fece contrarre le labbra; la sua gola si seccò e, presa dal panico, cominciò a sudare. Fu in quel momento che ricordò il motivo per cui si trovava lì: doveva imparare a vincere la paura.

Facendo leva su tutta la sua forza di volontà, riuscì a recuperare la calma quasi immediatamente. Mise da parte tutta la paura e la ripugnanza che provava, allungò la mano verso l'animale e, rapidamente, lo afferrò per il collo. Il contatto con quella pelle squamosa che si agitava furiosamente, la fece rabbrividire: il serpente si ritorceva su se stesso. Kantu

2 Rettile appartenente alla famiglia dei crotali.

osservò con attenzione la testa e la coda di quell'animale che manteneva la bocca socchiusa, mostrando i denti affilati e la lingua biforcuta. Osservò gli occhi del serpente: avvertì un senso di vuoto appena lo sguardo immobile del serpente si posò su di lei; quegli occhi la soggiogavano, la ipnotizzavano. Accadde tutto in pochi secondi ma l'incanto fu presto interrotto dalla voce dell'anziana: «Liberalo e lascialo scivolare via».

Kantu si chinò e appoggiò delicatamente il serpente per terra; una volta libero, questi s'infilò velocemente in un altro buco a lato del sasso. Kantu fece un sospiro di sollievo: aveva superato la prima prova. Aveva vinto il suo timore verso i serpenti! A partire da quel momento, non le avrebbero più fatto paura.

Mama Maru aveva voluto vedere quanto coraggiosa e quanto obbediente fosse la sua discepola. L'audacia della giovane le dimostrò che era disposta a tutto, persino a giocare con la morte. Mentre si avviavano nuovamente verso la casa, la curandera cominciò a spiegare: «La vita è piena di sfide e di prove che solamente gli audaci, i coraggiosi e i saggi sono in grado di superare. I codardi, gli indecisi e gli ignoranti rimangono sconfitti lungo il cammino della vita. Noi donne abbiamo solo due opzioni: o giochiamo con la morte e viviamo, oppure viviamo sfuggendo alla morte e, così facendo, ci distruggiamo. Tu hai appena rischiato la tua vita: all'inizio hai esitato, ma alla fine ti sei decisa e hai velocemente afferrato il collo di quel serpente. Nel corso della nostra vita spesso ci capita di dover prendere le decisioni più importanti in una frazione di secondo, decisioni con le quali ci giochiamo l'esistenza: o si vince o si perde».

Quelle parole le riportarono alla memoria ciò che, tempo addietro, le aveva raccontato nonna María, un'anziana viandante: «Quando ero un'adolescente, per mantenere i miei genitori malati, mi dovetti dedicare al commercio. Allora non esistevano macchine né strade e la merce veniva trasportata in groppa agli animali; la si doveva caricare e scaricare e magari accomodare durante il tragitto e, poiché io non potevo pagare un aiutante, viaggiavo sempre da sola. In un'occasione mi dirigevo verso Cuzco con dieci bestie cariche di merci quando, mentre stavamo attraversando una pianura, vidi avvicinarsi degli uomini a cavallo. Mi resi conto immediatamente che erano ladri armati di pistole, fruste e lazzi, senz'altro decisi a derubarmi. In quel viaggio avevo investito tutto ciò che avevo; mi avevano persino prestato del denaro e, se mi avessero derubata, sarei caduta in rovina, forse sarei addirittura morta. Il pensiero di mio padre malato mi armò di coraggio; con il sangue alla testa decisi di sfidare quei banditi, di battermi contro di loro. Solo così potevo salvare me stessa e la mia mercanzia. Condussi rapidamente le bestie verso una vallata che aveva un'unica via di uscita, sbarrai il cammino con degli arbusti e rimasi ferma ad aspettare che si avvicinassero.

I ladri si avvicinarono insultandomi minacciosi ma io rimasi lì ferma, con la frusta in mano. Nel vedere che ero giovane e che viaggiavo da sola scesero da cavallo decisi a rubarmi tutto ciò che possedevo; imperturbabile io presi a gridare ad alta voce: "Voi non siete uomini, siete solo dei vigliacchi che pretendono di abusare di una donna sola. Che si faccia avanti il più coraggioso e che venga a battersi con me! Se mi batterà, tutto questo sarà suo ma, se vinco io, mi lascerete andare". Gli uomini si scambiarono un'occhiata, esitarono un po' e poi quello che sembrava il più forte si fece avanti dicendomi: "Io ti sconfiggerò e così non solo m'impossesserò di tutto ciò che hai ma prenderò anche te e ti farò mia schiava". Quindi avanzò verso di me sicuro di battermi mentre gli altri si facevano da parte ridendo, burlandosi del mio esile corpo, certi che l'uomo avrebbe vinto.

Non appena il mio avversario mi si avvicinò, lo guardai dritto negli occhi e gli dissi, sicura di me: "Sei solamente un uomo e non potrai sconfiggermi perché io sono una donna e sono più forte di te!". Le mie parole lo fecero esitare un istante; poi mi afferrò per i polsi e mi spinse all'indietro cercando di farmi cadere a terra, ma io opposi resistenza e riuscii a rimanere in piedi. Sia io che lui stavamo misurando la nostra forza con le mani. In un momento di disattenzione da parte sua, lo sollevai e lo buttai per terra; lui si rialzò urlando e mi si scagliò addosso come un toro inferocito, afferrandomi con la sua mano destra. Io lo bloccai con le due mani, ruotai velocemente su me stessa, lo feci passare al di sopra della mia spalla, mi accucciai e lo feci volare per aria scagliandolo nuovamente a terra. Quindi gli sferrai un pugno sul naso lasciandolo in una pozza di sangue: lui si rialzò, disposto a continuare la lotta sebbene fosse un po' stordito, allora gli assestai due colpi alle orecchie facendolo cadere svenuto ai miei piedi.

Gli altri uomini si zittirono improvvisamente e quello che sembrava il capo della banda, disse: "Sei una donna forte e coraggiosa, meriti di essere rispettata. Prosegui il tuo viaggio, non ti faremo nulla". E così si allontanarono, sconcertati della mia forza. Loro non sapevano che io passavo tutte le mie giornate a sollevare pesi di più di cinquanta chili che caricavo senza mai fermarmi. Ben presto la mia fama si diffuse e, da quel giorno, nessun malintenzionato osò più infastidirmi o seguirmi. Gli unici a farlo furono alcuni serpenti che, a quanto dicono, mi dovevano istruire».

Kantu approfittò della situazione per chiederle: «Nonna, cosa si può imparare da un serpente?».

«Quest'animale insegna che la vita è movimento, rinnovamento e ringiovanimento. Ogni anno, quando ormai la sua pelle si è fatta vecchia, lui se ne libera e si ricopre con una pelle nuova. E così ringiovanisce.»

«Perché i serpenti si avvicinano più alle donne che agli uomini?» chiese Kantu cercando di accattivarsi la fiducia della donna e ricordandosi che Facundo diceva sempre: "Il serpente segue la donna".

«Il serpente è in sintonia con le donne, non con gli uomini. Simboleggia il nostro impulso di creazione, di rinnovamento e di conservazione. Il serpente sa che ogni donna è dotata di un'energia potente che crea e rigenera continuamente la vita e della quale può servirsi per dare la vita o la morte. Il serpente è un animale di terra, con il ventre in contatto con la terra e la schiena rivolta verso il cielo, in grado così di muovere sia l'energia terrena che quella celeste.»

«Dicono che il serpente è l'anima del diavolo» replicò Kantu.

«È ciò che sostengono i religiosi maschilisti perché sanno che, se davvero noi siamo come i serpenti, allora siamo più potenti e più temibili di loro. Sono anche convinti che, non appena la donna si avvicina al serpente, si trasforma in strega. Ma, che la donna ci si avvicini o meno, se è davvero consapevole di ciò di cui è dotata e riesce a proiettarlo verso l'esterno, allora possiede forza e potere. La donna assomiglia molto al serpente perché quando vuole, lei può. Quando un serpente vuole attraversare un fiume, per quanto profondo esso sia, si immerge nell'acqua, consapevole che ce la farà.»

Kantu rimase in silenzio; la memoria la riportò agli anni della sua infanzia. Allora Apolinario, un'instancabile mercante, amico di suo padre, una volta le aveva raccontato di aver visto un serpente con due occhi enormi e, un'altra, le aveva parlato del serpente dalle due teste. Le aveva anche narrato di quella volta in cui, mentre stava viaggiando a cavallo, aveva visto un serpente enorme sulla riva di un fiume immergersi nelle acque per riapparire, poco dopo, sulla sponda opposta. Lui e il suo cavallo avevano cercato un tratto poco profondo per guadare quel fiume mentre il serpente, senza esitare, si era immerso e lo aveva attraversato. Sulla scia di quei ricordi Kantu domandò: «Nonna, tutti i serpenti sono dotati di potere oppure solamente alcuni?».

«I serpenti differiscono gli uni dagli altri in quanto a dimensioni e a potere. Alcuni sono più sapienti di altri perché la sapienza è potere. Qui da noi, il serpente più saggio è *Amaru*, il grande serpente che unisce il cielo con la terra. Da queste parti, oltre al serpente che hai toccato tu, ve ne sono altri più piccoli, dalla pelle verde striata di nero e bianco chiamati *Yana Muruq* e altri ancora di color grigio chiaro chiamati *Oqe Muruq*. Per conoscere il potere che abita dentro ognuna di noi, dovrai prima conoscere il serpente. Osservalo con attenzione: guarda come si muove, come dorme, dove vive, come si alimenta, come si procura il cibo. Ciò t'insegnerà che in lui risiede il potere della vita e della morte. A partire da domani comincerai a seguire quello di prima e a osservare ogni suo movimento.»

«Nonna, c'è qualcosa che non capisco. Perché il serpente viene associato alla vagina? Da piccola ho sentito storie di serpenti che si introducono nella vagina o che si trasformano in uomini per accoppiarsi con la donna. Cosa c'è di vero in tutto ciò?»

«Tutte storie, storie inventate per nascondere il potere del nostro sesso di fronte all'uomo. La donna possiede una zona occulta situata all'altezza dell'osso sacro: i suoi organi sessuali, che hanno un potere magnetico. È lì che si celano tutti i desideri e gli aneliti dell'umanità. La donna, per mezzo del sesso, è in grado di infondere pace nell'uomo, solo lei può far affiorare i suoi desideri più intimi o conoscere i suoi sogni più reconditi. Per questa ragione è sempre l'uomo che cerca la donna e non viceversa. Gli uomini ci cercano, ci seguono, ci infastidiscono, ci parlano, ma dietro ogni loro azione si nasconde un unico interesse: il nostro sesso.»

Kantu lo sapeva per esperienza. Gli uomini le erano sempre corsi dietro, l'avevano importunata e corteggiata ma, in fondo in fondo, il loro unico desiderio era quello di portarsela a letto. Interrompendo i suoi pensieri l'anziana le disse: «Io sono Mama Maru. Da me imparerai a conoscere l'energia che governa il mondo e la sessualità. Dentro di te si sta già risvegliando il potere legato all'energia sessuale che dovrai imparare a utilizzare e a dominare. Dovrai accantonare tutti i pregiudizi secondo i quali il sesso sminuisce o degrada la donna e dimenticare le affermazioni che tendono a ridurre la donna a un semplice oggetto sessuale o a una macchina per fare figli. La funzione della tua energia non si esaurirà semplicemente nelle relazioni sessuali, ma servirà per ricevere e trasmettere il potere e l'energia capace di generare, di creare, di guarire e di trasformare».

Kantu ascoltò attentamente quelle parole, frutto dell'esperienza di una donna che era giunta alla libertà e alla realizzazione di sé. Il sole di ponente illuminò con i suoi ultimi raggi il volto dell'anziana e, da quella posizione, le sembrò che il luccichio dei suoi occhi fosse lo stesso di quello che, poco prima, aveva visto brillare negli occhi del serpente.

«Presto farà buio. Raccogliamo legna per cucinare e per scaldarci, perché qui le notti sono fredde.» Mama Maru posò la lana e il fuso e si alzò. Prese poi due vecchie coperte da un angolo della casa e, porgendone una a Kantu, le ordinò: «Raccogli la legna che troverai alla sinistra della casa, io andrò a destra».

«D'accordo, nonna» disse Kantu e si allontanò verso il lato della casa che le era stato affidato.

Doveva affrettarsi a trovare fusti e radici secche fra le rocce, i muri o fuori dalla zona coltivata, sul terreno incolto e semiarido. Mentre raccoglieva la legna pensò a tutte le difficoltà che dovevano affrontare quotidianamente le persone che vivevano in campagna, lontano dalla città. Non c'era acqua né luce a portata di mano, il gas o il telefono non esistevano, né sembrava che sarebbero mai esistiti. Eppure, nonostante la miseria che sembrava regnare, le persone possedevano una grande ricchezza spirituale e sapevano vivere in intimo contatto con la terra. Conoscevano la natura, convivevano con essa e si sentivano parte integrante di essa. Al di là delle ristrettezze economiche e della fame, uomini, donne e bambini avevano una serenità profonda e vivevano con una tranquillità maggiore rispetto agli abitanti delle città. Il fatto di essere un'india cresciuta in città le permetteva di conoscere entrambi i mondi e di convivere con quelle due realtà così diverse.

Quando rientrò era quasi notte. A malapena riuscì a riconoscere il sentiero che la ricondusse alla casa di Mama Maru. L'anziana aveva già acceso il fuoco su un focolare di pietra, sul quale aveva posato due pentole di terracotta.

«Hai raccolto legna sufficiente per i prossimi giorni?» chiese mentre versava farina d'orzo e fecola di patate in una delle due pentole.

«Qui intorno non se ne trova molta, nonna. Ne ho potuto raccogliere solo un po'» rispose.

«Allora domattina presto andrai fino alla vallata di Cheqa. Lì ne troverai di certo. Per il momento questa basta per cucinare e per scaldarci» aggiunse invitandola poi ad avvicinarsi al fuoco per scaldarsi.

Cominciava a fare freddo e Kantu si accovacciò vicino al

focolare. Il silenzio che le circondava era inquietante, non si udiva il minimo rumore. Guardò attraverso la stretta porta dell'abitazione: l'oscurità aveva già dispiegato il suo nero mantello.

La giornata era stata piuttosto pesante per Kantu. Dopo aver mangiato, le sue palpebre si fecero pesanti e le venne voglia di andare a dormire quindi disse all'anziana curandera: «Mama Maru, vorrei andare a dormire; sono molto stanca».

«Vai pure a riposare, figliola; conosci già la strada. Io mi tratterrò ancora un po'» le rispose, guardandola negli occhi.

Kantu uscì dalla stanza e il vento gelido la destò un poco. Sebbene il cielo fosse sereno, la notte era scura ma lo spettacolo del firmamento costellato di puntini luminosi era qualcosa di grandioso. La giovane camminò fino all'abitazione assegnatale da Mama Maru e si mise a riposare.

A letto, pensò all'esistenza dura e solitaria di Mama Maru che, a prima vista, sembrava non temere la solitudine. Pensò a se stessa, alla paura che s'impossessava di lei ogni qualvolta doveva affrontare particolari situazioni. La paura l'aveva accompagnata sin da piccola: paura di chiedere, di sapere, di guardare in faccia le persone, paura di sbagliare. Sempre quella maledetta paura. Ma aveva cominciato a controllarla, a contrastarla. Condori un giorno le aveva spiegato: «La paura è una forma di energia. È come l'amore, come l'odio, come l'ira: è semplicemente energia volta in una determinata direzione. Sfida la paura e modificherai la sua direzione».

Nonostante le raccomandazioni, non poteva evitare di provare paura. Quella notte avrebbe dovuto affrontare il timore di dormire da sola; aveva sempre dormito assieme a qualcuno e ora, in quel luogo desolato, lei e Mama Maru erano da sole, senza un uomo accanto che le potesse proteggere. La paura cominciava a insinuarsi insistentemente dentro di lei; decise di mettere in pratica la tecnica insegnatale da Condori: respirò lentamente e con estrema naturalezza, finché il sonno non la portò via con sé.

Non sapeva in che momento aveva cominciato a sognare. Nel suo sogno Mama Maru, prese le forme di un enorme serpente nero e squamoso, strisciava verso di lei avanzando con uno sguardo sinistro. Vedeva solo quegli occhi, occhi che brillavano, che la ammaliavano. Poi il rettile gigantesco spalancò la bocca e le si avvicinò. Si sentì piccola, impotente, debole. Voleva scappare ma non poteva, non ne aveva la forza; era come se fosse inchiodata a terra. Non vedeva più gli occhi ma solo le enormi fauci, i denti appuntiti che si avvicinavano, lentamente, a lei. Si vide agguantare da quelle fauci, e triturare da quei denti sottili. Gridava, si contorceva nel disperato tentativo di divincolarsi, ma il suo corpo era imprigionato. Si svegliò con il cuore che batteva all'impazzata. Solo allora si accorse che era rimasta intrappolata fra le coperte: rigirandosi nel tentativo di scaldarsi vi era rimasta imprigionata e l'incubo nasceva da questa situazione.

«Era solo un sogno» ripeté a se stessa.

Poco dopo si riaddormentò. Sognò ancora Mama Maru; questa volta era una donna cattiva che la sottoponeva a una serie di supplizi ai quali lei, esausta e priva di forze, non riusciva a sottrarsi. Mama Maru la colpiva duramente con un bastone. Kantu aveva paura ma, mentre cercava disperatamente di sfuggire a quel castigo, ricordò nel sogno le parole di Condori: «Anche nei sogni la donna deve rimanere sempre vigile, attenta, deve affrontare le sue paure». Quelle parole le diedero il coraggio e le forze necessarie per sfidare l'anziana e, in breve, il duro e rigido bastone di legno si trasformò in uno strumento leggero: una grande piuma con la quale Mama Maru accarezzava il suo corpo.

Si svegliò ancora e, mentre cercava di riprendere sonno, le ritornarono alla mente altre parole di Condori: «Il sogno è un'attività sacra, l'opportunità che abbiamo di entrare in contatto con il mondo spirituale, per riceverne consigli, per esserne guidati». E poi aveva aggiunto: «I nostri avi erano grandi sognatori. Attraverso i sogni trasformavano in realtà la vita, la vita vera, che non è questa. Per prima cosa, occorre inseguire la visione e la visione si dà solo nei sogni; sempre si sogna, anche quando siamo svegli. Il sognatore, per forza di cose, è un creatore e, se è capace di creare, deve anche essere in grado di curare, di dare salute. La donna sogna molto di più dell'uomo; è una delle sue caratteristiche, ed è proprio attraverso il sogno che essa entra in contatto con l'infinito, con l'aldilà. Il sogno guida, insegna come comportarsi durante la veglia, insegna a realizzare determinate azioni. Nel sogno le fantasie e gli ideali della donna si fanno reali proprio perché è mediante il sogno che essa può accedere a uno spazio più grande nel quale acquisisce maggiore sapienza. Per sognare bene si deve rafforzare la propria capacità di ricordare i sogni e di modificarli mentre si dorme».

Condori le aveva anche spiegato che la gente che vive in città, per lo stress a cui è sottoposta, non sogna e, se lo fa, non ricorda ciò che sogna, e se lo ricorda, non sa come utilizzarlo. Durante il sogno anche le situazioni più difficili diventano facili. Il sogno, è il mezzo attraverso il quale una persona può entrare in contatto con se stessa.

"Che cosa significherà questo mio sogno su Mama Maru?" si domandò Kantu. Lo avrebbe scoperto nei giorni successivi perché, da una maestra così dura ed esigente, non sapeva proprio cosa aspettarsi. E così disse ad alta voce, con gran determinazione, quasi come per farsi coraggio: «Voglio resistere e affrontare qualsiasi cosa mi aspetti perché voglio raggiungere il mio scopo. Voglio liberarmi della paura radicata dentro di me e riuscire a superare ogni ostacolo. Ho intrapreso questa strada e non ritornerò sui miei passi!».

Nel pronunciare quelle parole si sentì invadere da una sensazione di sicurezza e di pace, come se si fosse liberata da un peso e potesse finalmente cominciare a volare. Senza accorgersene, richiuse gli occhi e dormì fino al giorno seguente.

# 9
# SAPERE È POTERE

Quando aprì gli occhi la sua stanza era completamente illuminata dalla luce del sole; in piedi, davanti al suo letto, vide Mama Maru.

«Alzati!» le disse energicamente, dirigendosi verso la porta. «Oggi avrai il giorno libero per familiarizzare con il posto; domani cominceremo la tua preparazione.»

Kantu balzò giù dal letto, fece alcuni degli esercizi che Condori le aveva raccomandato, e si precipitò fuori dalla stanza.

Mama Maru era già in cucina. Era una giornata fresca e i raggi del sole ormai perpendicolari illuminavano la solitaria dimora della curandera. Nei dintorni non c'erano altre case; erano le uniche due abitanti del posto e Kantu non capiva come Mama Maru potesse vivere lì. Solo Dio sapeva il perché! Non concepiva che la donna avesse scelto di sua volontà in quel posto. Doveva esserci qualcosa di speciale lì, per questo viveva così appartata da tutti, pensò.

Guardò l'anziana e non poté fare a meno di chiederle: «Nonna, non hai paura a vivere qui da sola?».

«Paura di cosa?»

«Del buio, degli animali selvatici, dei ladri, dei delinquenti, degli uomini.»

«Non bisogna temere l'oscurità ma considerarla un'alleata. Qui non ci sono animali selvaggi o pericolosi. E, in quanto a ladri e malviventi, a volte ne appare qualcuno ma io li so tenere a bada; l'ho sempre fatto, sin da quando ero giovane.»

«Come sei riuscita a vincere la paura?» chiese allora Kantu, stupita da quelle parole.

Mama Maru cominciò a filare sul suo arcolaio e, senza distogliere lo sguardo dal lavoro, prese a narrare alcuni episodi della sua vita: «Per molto tempo fui schiava della paura, ma ormai me ne sono liberata. La paura è una trappola che imprigiona le donne, impedendo loro di esprimersi liberamente. Ho dovuto imparare sulla mia pelle, in un modo brutale e in seguito a una esperienza assai dolorosa, che chi riesce a sconfiggerla diventa padrone della propria vita».

Da ragazza Mama Maru doveva essere stata molto bella e il suo corpo, agile e sinuoso, conservava ancora tracce di quella bellezza. Quanti uomini doveva aver attratto, pensava Kantu. E così, sulla scia di tali pensieri, le domandò: «Sicuramente, da giovane, molti uomini ti avranno assediata. Come facevi per difenderti?».

«Dimostrando loro di non essere una donna qualunque, ma una vera donna» rispose lei.

Kantu ricordò il tentativo di violenza subìto qualche tempo prima e ne approfittò per raccontare a Mama Maru quella spiacevole esperienza. Al termine del racconto chiese ancora: «Tu dici che riesci a tenerli a bada, che lo hai fatto sin da giovane, ma avrai pure cominciato in qualche modo a controllare la tua paura verso gli uomini, verso le persone?».

La curandera riprese la parola. Fissava la giovane discepola chiedendosi chi si credeva di essere quella ragazzina per farle tutte quelle domande, per intromettersi tanto nella sua vita privata ma poi, ricordandosi che si trovava lì proprio per ricevere i suoi insegnamenti, decise di aprirsi e di raccontarle parte della sua vita.

«Allora ero una viandante – iniziò a raccontare – possedevo dieci mule e trasportavo carne, *chuño*[1], quinua, *qañiwa* fino alle valli temperate dove acquistavo mais, grano, orzo, frutta. A volte viaggiavo sola, altre volte, invece, accompagnata da qualche donna. Spesso, com'è naturale, lungo il cammino ho incontrato uomini violenti che volevano possedermi con la forza; eppure non vi sono mai riusciti, per il semplice fatto che io non lo volevo. Se non avessi opposto loro tutta la mia volontà, avrebbero tranquillamente potuto riuscirvi. Ma io mi donavo a un uomo solo per amore, non per timore.

Appena arrivata a Cuzco dal piccolo paese nel quale ero nata e cresciuta, un uomo mi aveva violentata. Ero entrata a lavorare come domestica in casa di una famiglia di avvocati; il padre era già avvocato e il figlio stava studiando per diventarlo.

Io, allora, ero una ragazzina di sedici anni e il ragazzo ne aveva più di venti. Mi molestava continuamente, io lo respingevo ma lui diventava sempre più insistente. Il pericolo maggiore lo correvo quando rimanevamo in casa da soli anche se, in qualche modo, riuscivo sempre a sfuggirgli. Fino a quando, un giorno, approfittando del fatto che erano usciti tutti, serrò tutte le porte, e prese a rincorrermi per la casa fino a quando non riuscì ad acchiapparmi, a buttarmi per terra e a violentarmi. Io cercai di opporre resistenza, ma lui era molto più forte di me e, così, mi divaricò le gambe con le ginocchia ed entrò dentro di me con la forza. Non appe-

1 Patata secca disidratata e sterilizzata.

na sua madre rientrò le raccontai l'accaduto, ma la signora, una bianca, anziché riprenderlo mi cacciò di casa senza pagarmi urlandomi contro: "Fuori di qui, bugiarda! Come puoi pensare che mio figlio metta gli occhi su di te!". Mi buttò in strada scagliandomi addosso tutti i miei vestiti e poi aggiunse: "Non farti più vedere da queste parti o ti accuserò di essere una ladra. Non riuscirai a macchiare la reputazione della mia famiglia".

All'infuori di loro, in quella città a me completamente estranea, non conoscevo nessuno, non avevo nemmeno un parente. In lacrime, cominciai a camminare. Ero affamata e senza un soldo. Trascorsi la notte all'addiaccio, vicino alla casa dell'avvocato. Il giorno dopo aspettai nelle vicinanze della casa; forse avrebbero avuto compassione di me e mi avrebbero fatta rientrare, pensavo. Erano stati loro a portarmi lì dal mio paese e il signore aveva assicurato a mia mamma: "La farò studiare, la tratterò come se fosse figlia mia". Mia madre, vedova, mi aveva affidata a lui raccomandandomi: "Vai con questo signore, sii obbediente e cerca di comportarti da adulta. Chissà che il tuo destino non si trovi proprio lì". Ma quel giorno, non appena mi vide fuori dalla casa, il signore mi urlò: "Che ci fai qui?".

Io piansi, senza dirgli nulla. Allora lui mi guardò, guardò la gente che si era fermata a osservare la scena e aggiunse: "Andiamo a casa ma non dire mai che mio figlio ha avuto dei rapporti con te. Parlerò con la signora e così potrai tornare a stare da noi".

Non appena entrammo in casa la signora mi picchiò urlando: "India, selvaggia. Se osi provocare un'altra volta mio figlio, ti bastonerò a sangue. E ora corri a scopare le stanze, a lavare i servizi e... comportati bene!".

E fu così che tornai in quella casa nella quale ricevevo solo umiliazioni, maltrattamenti e avanzi con cui cibarmi.

Rimasi lì perché non sapevo dove altro andare, sfuggendo e difendendomi continuamente dalle insidie di quel giovane che continuava a cercare di approfittare di me. Con il passare dei mesi, il mio ventre si fece sempre più grosso. Ero rimasta incinta! Quando la signora lo venne a sapere andò su tutte le furie e cominciò a maltrattarmi ancora di più mentre io mi limitavo a piangere in silenzio. Non volle più tenermi in casa e cominciai a dormire in strada, a un angolo della casa. Quando mi vennero le doglie mi portarono all'ospedale "Lorena", dove diedi alla luce un maschietto. Poi mi riportarono a casa e, qualche mese dopo, quando smisi di allattare il bambino, la signora mi allontanò da casa con un sotterfugio. Mi fece salire in macchina e, quando giungemmo in una strada isolata, mi fece scendere dicendomi: "Aspettami qui, tornerò subito".

La aspettai tutto il giorno ma lei non ritornò. Solo allora mi resi conto che mi avevano sbattuta fuori di casa, impossessandosi di mio figlio. Vagai per le strade della città cercando di ritrovare la casa ma non vi riuscii. Per due notti dormii all'aperto, senza mangiare niente; di giorno, continuai inutilmente a cercare la casa. Il terzo giorno, mentre vagavo sperduta e senza meta per le strade, svenni. Mi raccolse una fruttivendola che mi portò nella sua modesta casa. Nei giorni successivi l'aiutai nel suo lavoro e non tornai più alla ricerca di mio figlio: la città era troppo grande e sconosciuta per me.

Vissi con quella fruttivendola fino a quando non conobbi un'anziana donna che, ogni volta che veniva a comprare la frutta da noi, mi fissava attentamente come se volesse sapere chi ero. Fino a quando, un giorno, mi raccontò che viveva sola e mi propose di andare a stare da lei. Dal momento che io e la fruttivendola guadagnavamo appena di che vivere, decisi di accettare; la signora diede un po' di denaro alla donna e mi portò a casa sua.

Le raccontai le mie vicissitudini facendole il nome del signore che mi aveva fatta venire in città dal paese e le raccontai di come questi, d'accordo con sua moglie, mi aveva sbattuta fuori di casa tenendosi mio figlio. La donna, adirata per quel terribile abuso, andò a cercare l'avvocato presso il tribunale e, quando lo trovò, lo rimproverò e minacciò di denunciarlo. Pretese la restituzione di mio figlio che doveva stare con me, sua madre. Cercando di risolvere la questione pacificamente, gli diede il nostro indirizzo di casa e, quello stesso pomeriggio, il signore e sua moglie si presentarono da noi, ma senza il mio bambino. Senza ostentare prepotenza alcuna, senza alzare la voce e mostrando, piuttosto, una certa umiltà, conversarono a lungo con la donna; le dissero che erano di buona famiglia e che non potevano accettare che il loro figlio avesse una relazione con una india. Si offrirono di prendersi cura del mio bambino, di dargli il meglio e le assicurarono che me lo avrebbero restituito una volta cresciuto. Aggiunsero anche che io potevo vederlo tutte le volte che volevo.

"Figliola, come farai con un bambino, senza soldi e senza lavoro? Impara prima a guadagnarti da vivere e allora te lo restituiremo" mi suggerirono. Io non sapevo cosa rispondere, anche perché avevano ragione: era vero, non sapevo ancora come mi sarei guadagnata da vivere. La mia madre adottiva rifletté un momento e poi disse loro: "E va bene, ma esigo una dichiarazione firmata mediante la quale vi impegnate a mantenere quanto promesso".

Il signore scrisse la dichiarazione e, dopo averla letta all'anziana, i due coniugi la firmarono. Quindi se ne andarono, ma non senza prima avermi raccomandato di lavorare e di guadagnarmi di che vivere: solo così avrei potuto riavere mio figlio.

La signora mi mandò a scuola. Imparai a leggere e a scrivere, ma mio figlio riuscii a incontrarlo ben poco: me lo facevano vedere assai di rado. Ero ormai diventata un'estranea per lui, cosa che mi faceva soffrire tremendamente, ma mi facevo forza pensando che un giorno sarebbe ritornato da me. Durante una di quelle visite, rividi il padre di mio figlio. Si era fatto più maturo; mi guardò e mi sorrise. A partire da quel giorno cominciò a seguirmi a scuola, mi diceva tante belle cose e mi prometteva persino che un giorno saremmo andati a vivere insieme. Era già diventato avvocato. Con il tempo riuscì a persuadermi e presi a frequentarlo di nascosto. Piano piano mi innamorai di lui e un giorno, mentre stavamo facendo l'amore, mi supplicò di consegnargli l'accordo firmato dai suoi genitori. Mi promise che ci saremmo sposati e che presto saremmo stati tutti e tre insieme: io, lui e il nostro bambino. Da ragazza ingenua com'ero io gli credetti e gli consegnai il documento, senza dire nulla alla mia madrina. Ma lui, da quel giorno sparì e non si fece più vedere e quella che prese a cercarlo, allora, fui io: ancora una volta si era approfittato di me. Quando un giorno ritornai a casa loro per vedere mio figlio, mi sbatterono la porta in faccia e mi cacciarono. Quella fu l'ultima volta che vi andai. Subito dopo persi anche la madre adottiva che morì senza mai sapere nulla dell'accaduto.

Nel frattempo mi feci donna e tutti dicevano che ero anche bella. Forse fu proprio per quello che il padre di mio figlio riprese a molestarmi. Un giorno mi propose di lavorare per lui nel suo studio ma, con un raggiro, mi condusse in una stanza dove l'unica cosa che c'era era un letto. Sebbene lo amassi mi rifiutai di stare con lui e così, a suon di botte e sotto minaccia, mi piegò ai suoi voleri.

"Sono stato il tuo primo uomo e sarai mia fino alla morte, che tu lo voglia oppure no. Ti troverò ovunque tu vada. E se ti dovessi trovare con un altro, ti ammazzerò!"

Nell'udire quelle minacce, presi a tremare. In realtà io avevo sempre provato paura, fin dal mio arrivo in città.

Allora avevo cominciato a lavorare come commessa in un negozio di confezioni. Un giorno arrivai al negozio in lacrime e, vedendomi in quello stato la mia padrona, una donna anziana, mi chiese: "Perché piangi? Chi ti ha picchiata?".

Le raccontai tutta la storia: la violazione, la perdita di mio figlio e di come quell'avvocato, a forza di botte, mi avesse nuovamente obbligata a stare con lui. Il racconto di tutte le mie disgrazie la fece incollerire.

"Non appena chiudiamo il negozio, andremo a trovare una signora. Faremo pagare a quel disgraziato tutto quello che ti ha fatto passare. I membri di quella famiglia sono dei maledetti, io li conosco bene. Hanno fatto soffrire molta gente" mi disse.

E così, dopo la chiusura del negozio, mi condusse per una strada in salita che portava al quartiere di San Blas. Lì conobbi Jacinta Qoyllur, una curandera che ascoltò attentamente il mio racconto e che mi disse di ritornare il giorno successivo. Il giorno dopo ritornai e, nel porgermi un sacchetto, mi disse: "Nascondi questo sacchetto sotto i vestiti e portalo sempre con te. Qualsiasi cosa faccia, quest'uomo non l'avrà più vinta su di te; lasciati andare, non impiegare la forza, non resistergli e vedrai: non ti accadrà nulla. Poi torna a raccontarmi quanto è successo".

Io tentai di ricompensarla, ma lei rifiutò il denaro che le offrii e, così, me ne tornai a casa.

Non appena Ronald, così si chiamava il padre del mio bambino, cercò nuovamente di stare con me, io acconsentii e lo seguii. Non opposi resistenza e mi lasciai andare; ma lui, nonostante il suo impegno, non riuscì ad avere un'erezione e non poté, quindi, penetrarmi né soddisfare le proprie voglie. Si sentì impotente e non aveva nemmeno nessun pretesto per picchiarmi dal momento che non avevo opposto resistenza. Si rivestì e mi accompagnò per un tratto. Nei giorni successivi ci provò varie volte, ma sempre con il medesimo risultato. Da quel momento prese a evitarmi: non si sentiva più uomo e così smise di cercarmi e di seguirmi. Allora fui io, ancora innamorata di lui, quella che prese a cercarlo, ma lui si rifiutava di vedermi. Con il tempo mi rassegnai alla perdita di quell'amore; l'unica cosa che m'importava era riavere mio figlio. Tornai, quindi, da Jacinta a riferirle come andavano le cose con Ronald e a chiederle se sarebbe stata in grado di aiutarmi a recuperare mio figlio. Lei ascoltò pazientemente ciò che, in lacrime, le raccontavo e poi mi rassicurò: "Calmati: se vuoi potrai riavere sia tuo figlio che quell'uomo. Ti aiuterò, ti insegnerò le arti per mettere quel miserabile ai tuoi piedi e, se lo vorrai, in seguito potrai diventare una curandera come me".

Io non volevo diventare curandera, ero solo ansiosa di riabbracciare mio figlio: quello era il mio più grande desiderio. E certo, desideravo anche che Ronald ritornasse da me: era stato il mio primo uomo, il mio unico uomo. E così accettai la sua proposta.

"Ritorna questa sera e comincerò a istruirti" annunciò. Jacinta era un donna bassa, dal corpo massiccio e vigoroso. Portava sempre un grembiule blu, tipico delle venditrici di mercato e si copriva la schiena con uno scialle grigio. Sul suo viso dagli occhi vivaci e brillanti era già apparsa qualche ruga ed era solita raccogliere i suoi capelli neri in due grosse trecce. Viveva in una casa appartenente a un professore in pensione che, da quando si era trasferito a Lima due anni prima, non aveva più fatto ritorno a Cuzco. Lei si era presa cura di quella casa che aveva diverse stanze sulla parte anteriore e un patio che dava su un'altra stanza sul retro.

Nonostante il timore che provavo, spinta dall'amore che sentivo per mio figlio, quella notte tornai. Jacinta mi condusse nella stanza sul retro. All'interno non vi era neanche un mobile; solo un tappeto sul pavimento e qualche coperta. Dentro era buio; la donna, allora, accese una candela e, facendosi strada con quella luce fioca, si diresse verso il focolare situato in un angolo della stanza e lo attizzò. Non appena le fiamme si ravvivarono, gettò sul fuoco il contenuto di un sacchetto che prese a crepitare. Un gradevole profumo invase tutta la stanza.

Con un gesto mi ordinò di sdraiarmi sul tappeto: io obbedii e mi sistemai su quella superficie dura e gelida. Jacinta, nel frattempo, aveva acceso il fuoco in un braciere situato lì vicino. Spense la candela, sparse delle polveri sul braciere e intonò un canto incomprensibile. Quel canto e quel profumo mi pervasero di timore. Un brivido percorse tutto il mio corpo facendolo irrigidire; poi seguì un formicolio. Lei passò ripetutamente il braciere fumante lungo il mio corpo. Non fuggii solo perché la conoscevo, perché ero certa che non mi avrebbe fatto del male, ma ero, comunque in preda al panico. Il canto di Jacinta era un incrocio tra una preghiera e una cantilena grazie al quale riusciva a canalizzare inesorabilmente tutta la mia attenzione verso di sé. Mi guardava e io seguivo i suoi occhi con molta concentrazione. Per qualche strana ragione non riuscivo a distogliere il mio sguardo dal suo né a pensare ad altro. Poco a poco quello sguardo incantato s'impossessò di me e io persi il controllo del mio corpo, come trascinata da un vortice che mi conduceva verso il fondo di un abisso.

Un'infinità di pensieri assalirono la mia mente fino a quando sentii che qualcosa, dalla parte più profonda del mio essere, lottava disperatamente per venire fuori senza riuscirci. Alla fine qualcosa si incrinò e prese a sgorgare dalla mia testa. Ci fu un momento in cui parve che io, il fumo e il fuoco del braciere fossimo un tutt'uno. La mia essenza si librò, come il fumo che si alzava lentamente, fluttuando liberamente in un ambiente sereno e pacifico: non c'era nulla che mi turbasse. Poi precipitai velocemente in un vortice senza fine. La paura si impossessò ancora di me. Come in un film, vidi scorrere davanti ai miei occhi tutta la mia esistenza: dal mio tranquillo paesello circondata dai miei cari, dagli amici, dalla gente conosciuta, passai rapidamente alla casa dei miei ex padroni dove me ne stavo lì, immersa nel mio dolore, debole, in lacrime. "Non voglio tornare lì" mi dissi inconsciamente. "Mi sento sola, non so dove andare, ho paura, tanta paura." A quel punto udii una voce che cercava di rincuorarmi: "Lotta con tutte le tue forze; affronta la paura pensando a tuo figlio; cerca una via d'uscita". Nell'udire quelle parole qualcosa dentro di me si mosse e prese a spingere violentemente verso l'esterno. Non so da dove venisse tutta quell'energia che mi stava sopraffacendo, ma lottai con tutte le mie forze; mi sembrava di annaspare nel mezzo di un oceano. Poco a poco cominciai a muovermi con più forza, a nuotare verso un punto luminoso; continuai ad avanzare verso quel punto, ora in modo cosciente. Non avevo più paura, capisci? Lottavo con tutte le mie forze contro qualsiasi cosa mi si presentasse davanti, ma poi sentii che stavo per precipitare di nuovo in fondo a un abisso. Continuai a opporre resistenza cercando di mettermi in salvo: volevo vincere, volevo uscire viva da lì. Improvvisamente cominciai a galleggiare immersa in un oceano di pace e di tranquillità. Mi sentii forte, potente, sicura; ormai sapevo che potevo!

Anche le parole di Jacinta m'infusero serenità: "Calmati! Ci sono qua io per proteggerti e per spiegarti ciò che stai vivendo. In questo momento stai ritrovando te stessa, al di là dei ricordi, al di là del mondo materiale. Sei giunta fino al centro di te stessa, e ciò ti darà forza per sempre. Non avrai più paura del mondo esterno perché, da questo momento, sai che il tuo mondo interiore è estremamente potente. A partire da oggi potrai spingerti sempre fino a quel centro dove potrai conoscere te stessa, la tua anima, e dove entrerai in contatto con lo spirito di luce che vive dentro di te. E io ti aiuterò non appena sarai pronta per farlo" disse aggiungendo ancora: "Ti rivelerò due segreti: ognuno di noi possiede una propria strada, una propria meta, un proprio obiettivo. Una volta individuato il tuo cammino, dovrai dedicarti a servire gli altri perché, solo nel momento in cui vivi per gli altri, vivi anche per te stessa. Tra il tuo cammino e il tuo servizio per gli altri vi dovrà essere equilibrio altrimenti correrai il rischio di trasformarti in un essere immerso nel caos oppure di divenire la schiava di qualcuno. Io ti aiuterò a mantenere l'equilibrio e a non farti precipitare. Dovrai essere sempre te stessa: accetta quello che sei e poi comincia a camminare.

Il secondo segreto è riconoscere che tutti provano paura: tutti, assolutamente tutti, capisci? Nessuna persona è estranea a questo sentimento perché la paura fa parte della natura umana. Ma tu dovrai riuscire ad affrontarla, a dominarla perché solo così potrai sovrapporti a essa e usarla secondo i tuoi desideri. Ricorda: se ti farai sopraffare dalla paura, sarai perduta, vinta, irrimediabilmente sconfitta. Se, invece, la affronterai, se deciderai di vincerla, correrai un pericolo, è vero, ma dimostrerai l'enorme potere di cui sei dotata. Saprai che potrai vincere oppure perdere, non c'è altra alternativa. Quando qualcuno affronta la propria paura, dal centro del suo essere si sprigiona un'energia potente che la trasforma in un altro sentimento". Le sue parole si fecero sempre più distanti, più fievoli mano a mano che io entravo nel regno dell'inconscio: avevo sonno, molto sonno. Improvvisamente mi sentii pervadere da una sorta di sopore. Non m'interessava dove, né come; avevo solamente voglia di dormire. E così mi addormentai e poi non ricordo più nulla se non che mi svegliai l'indomani mattina, alla luce del giorno.

Quando aprii gli occhi mi ritrovai in una stanza a me sconosciuta, stesa per terra e avvolta in due coperte: Jacinta mi aveva coperta mentre dormivo. Fu così che cominciò il mio apprendistato» concluse Mama Maru, terminando il suo racconto.

«Ma, alla fine riuscisti a riavere tuo figlio, a sposarti con Ronald?» chiese Kantu curiosa di conoscere il finale della storia.

«Sì, ci riuscii. Con tutto quello che imparai da Jacinta, non mi fu difficile. Eppure non riuscii a modificare il percorso di quelle due vite: quella di mio figlio e quella dell'uomo che tante sofferenze mi aveva causato. Mio figlio, cresciuto lontano da me per tanti anni, mi vedeva come un'estranea. Per lui sua madre era la nonna che gli aveva inculcato quell'idea sin da piccolo e che, soprattutto, gli aveva insegnato a pensare a modo suo. Io non ero nessuno per lui.

In quanto a Ronald, una volta finito il mio apprendistato, ci rincontrammo e passammo la notte insieme. Usai tutto il mio potere di donna: gli feci conoscere il piacere più profondo, lo feci sentire un vero uomo, lo feci fremere di passione. Ma compresi che continuava a considerarmi solo un oggetto di piacere e lo sfidai: "Se mi ami, vivremo insieme o non mi vedrai mai più".

Lui, allora, mi minacciò con una pistola e cercò di picchiarmi ma io ero sicura di me, serena e forte, ormai: non poteva più dominarmi. Lo guardai dritto negli occhi e gli dissi: "Non potrai farmi nulla, se io non vorrò. Spara, se vuoi: potrai uccidermi ma non potrai mai farmi tua". Lui capì. Dopo quell'incontro, cambiò. Iniziò ad amarmi e un giorno, sebbene fosse già sposato, decise di venire a vivere con me. La doppia vita non faceva per me; io ero la sua donna, ma lui apparteneva a una sfera sociale completamente diversa dalla mia. Per poter stare con me avrebbe dovuto rinunciare a ogni cosa, scontrarsi con la sua famiglia, con il suo ceto sociale e persino con se stesso. Ma alla fine lo fece, decise di stare con me perché mi amava e mi desiderava ardentemente: io lo avevo fatto sentire un uomo come nessun'altra aveva mai fatto.

Fece quel terribile passo! Litigò e lottò contro tutti. Divorziò da sua moglie e si sposò con me ma non fu mai realmente felice: su di lui pesavano la sua famiglia, la società, le amicizie, il "cosa diranno". Viveva ancorato al passato, ricordando e rimpiangendo quanto aveva vissuto, oppure preoccupato per il futuro. Inoltre, ancora completamente soggiogato dalla madre, non riuscì a riprendersi nostro figlio. Io soffrivo nel vederlo così triste, così taciturno, così malinconico e nel vederci entrambi lontani da nostro figlio, che avrebbe rallegrato le nostre esistenze. Per amore tentai di aiutarlo con ogni mezzo, sia come sposa che come compagna. Riuscii a fargli sfruttare al massimo tutte le sue potenzialità ma, quando giunse al limite delle sue forze, capii che non potevo fare altro per lui. Capii anche che stavo sprecando la mia vita e che sarebbe stato meglio non rimanere più al suo fianco. Lo lasciai... libero di rifarsi una vita fittizia e piena di pregiudizi, libero di seguire la propria strada. E io cominciai a servire gli altri come curandera.»

«E sai come stanno loro adesso?»

«Sì, lui è andato in pensione. Fu nominato avvocato con il grado di colonnello della Polizia Giudiziaria. Anche mio figlio Manuel è diventato avvocato, affiliato alle Forze Armate. È maggiore.

Di tanto in tanto Manuel viene a trovarmi. Gli piacerebbe portarmi in città a vivere con la sua famiglia, ma io non voglio. Quando si sposò e, successivamente, divenne padre, cominciò a cambiare atteggiamento verso di me. Ora mi chiama mami, mammina. Dopo tanti anni di separazione un giorno venne a trovarmi e, inginocchiatosi ai miei piedi, mi disse: “Mamma, scusami per il disprezzo con cui ti ho trattata durante tutti questi anni. Ora che sono padre e che ho perso mio figlio so quanto hai dovuto soffrire per la nostra separazione; anch’io e mia moglie abbiamo sofferto tanto. Il dolore che ho provato mi ha fatto pensare a quanto devi aver patito quando la nonna mi sottrasse a te. Ti ho cercata ovunque con questa spina piantata nel cuore”. Pianse fra le mie braccia; piangemmo tutti e due. E così, dopo tanti anni avevo finalmente ritrovato mio figlio.

Ronald, invece, non ha avuto fortuna con il suo terzo matrimonio. Non è felice della sua vita. Non sa che solamente lui, lui solo, potrà conquistare la pace e la serenità come feci io negli anni successivi al mio apprendistato. Quando mio figlio mi viene a trovare, viene anche lui. Ora è vecchio, grasso, ha i capelli bianchi ed è pieno di acciacchi. Ogni volta che ci vediamo mi dice che mi ama ancora, che sono l’unica donna che abbia mai amato, che ha riflettuto molto sulle nostre vite. Venne qui qualche mese fa, per l’ultima volta. Si inginocchiò, mi baciò i piedi, mi chiese perdono per tutto il male che mi aveva fatto. Piangendo mi disse: “Ti rubai l’innocenza, mi approfittai di te. Mia madre ti tolse il tuo bambino... E la vita mi ha castigato con l’odio e il disprezzo di nostro figlio. Manuel è cambiato molto da quando è diventato adulto. Non viene più a trovarmi, mi disprezza e odia sua nonna. Io e mia madre stiamo raccogliendo i frutti di ciò che abbiamo seminato”.»

Mentre narrava quella parte della sua vita, gli occhi di Mama Maru si inumidirono e la luce del focolare scoprì tutta la loro amarezza, tutta la loro tristezza. Kantu non osò chiederle altro. Le due donne rimasero in silenzio, i loro occhi s’incrociarono: l’una aveva già camminato assai, l’altra, invece, aveva appena imboccato il suo cammino. Chissà cosa l’aspettava! Mille pensieri passavano per la mente di Kantu.

Il fuoco del focolare sul quale cuoceva il loro cibo, prese a estinguersi lentamente, quasi come a voler simboleggiare la caducità e l'imprevedibilità dell'esistenza umana.

L'atmosfera si era fatta piuttosto tesa, carica per via del triste racconto di Mama Maru. Kantu decise di uscire: voleva mettere un po' di ordine nei suoi pensieri. I tiepidi raggi del sole si posarono sul suo viso. A passi sicuri e decisi si diresse verso la sua stanza dove cominciò a riflettere sulla sua relazione con Juan e sul passato di Mama Maru. Sebbene vi fossero anche molte discrepanze, c'era qualcosa di simile nei loro destini. Juan non l'aveva mai violentata; era stata lei a donarsi volontariamente a lui. Ronald, invece, aveva abusato di Mama Maru approfittandosi del suo status sociale, del suo potere. Lavorando come maestra, Kantu aveva ascoltato molte storie simili dalle madri dei suoi alunni. Pensava a come avrebbe affrontato Juan se lo avesse incontrato dopo essere diventata anche lei una curandera.

In quel momento si trovava sotto la guida dei curanderos andini per cercare di imparare a controllare la propria forza interiore, della quale era completamente conscia. Grazie agli esercizi tattili praticati a lungo, aveva imparato a conoscere il proprio corpo, a capirlo, a conoscerne le capacità, le potenzialità. Fino a poco tempo prima per lei il suo corpo era stato semplicemente la parte materiale, fisica, di sé; ora, invece, si era trasformato in uno strumento meraviglioso capace di trasmetterle tutta una serie di informazioni: sentimenti, desideri, sensazioni, pensieri, sogni; uno strumento in grado anche di risolvere diverse situazioni della sua quotidianità. Poteva darle anche piacere, quel piacere negatole tante volte e che ora percepiva con tutti i pori della sua pelle. Una gioia intensa che ora adorava provare, un appagamento che le dava una gran soddisfazione e che non aveva nulla a che fare con quel senso di peccato che, prima, provava ogni qualvolta si toccava certe parti. Ora poteva toccarsi liberamente, senza remore.

Quel pomeriggio, quando Mama Maru entrò nella sua stanza, la trovò intenta a meditare e a fare gli esercizi raccomandatile da Condori.

«Prima di cominciare il tuo apprendistato devo purificare tutto il tuo corpo» le disse. Kantu vide che l'anziana aveva portato con sé un braciere, delle erbe aromatiche e alcune boccette. Guardando la ragazza direttamente negli occhi, aveva aggiunto: «Svestiti». Quindi disegnò sul pavimento un cerchio sul quale tracciò i quattro punti cardinali. Successivamente, indicandole quella figura, aggiunse: «Mettiti in piedi nel centro».

Dopo essersi completamente spogliata, Kantu si mise al centro.

«Caspita! La natura è stata generosa con te! Fisicamente sei proprio una bella donna; vediamo se lo sei anche spiritualmente e mentalmente» disse Mama Maru e, dopo una breve pausa, riprese: «Molto spesso la città deforma i pensieri e la donna finisce col diventare artificiale, quasi maschile. La città offre comodità, ma ti riempie anche di cose inservibili, ingannevoli che finiscono col cambiare la tua vera natura».

Mentre parlava Mama Maru aveva acceso il piccolo braciere sul quale, di tanto in tanto, soffiava per ravvivare le braci.

Completamente nuda e infreddolita, Kantu prese a muoversi da una parte all'altra cercando di riscaldarsi.

«Stai ferma in centro!» ordinò l'anziana con tono perentorio.

Kantu si sistemò nel punto indicatole.

«Chiudi gli occhi e apri le gambe» aggiunse la curandera.

La giovane discepola obbedì. Mama Maru sistemò sotto le sue gambe un recipiente di argilla colmo di braci accese sulle quali, successivamente, versò un pugno di erbe aromatiche sminuzzate. Nell'entrare in contatto con le braci le erbe sprigionarono un fumo biancastro che avvolse il suo corpo nudo. Quel fumo, mescolatosi all'aria, le entrò nei polmoni facendola tossire.

«Stai ferma!» ingiunse l'anziana con voce decisa e sicura. «Non manca molto. Quello che sto per farti ti sarà molto utile nei prossimi giorni.»

Quindi prese a strofinarle tutto il corpo con quelle erbe medicinali, alla fine versò il liquido di alcuni recipienti in un catino e prese a lavarla.

«Ti servirà per intraprendere il cammino delle donne serpente» spiegò mentre la lavava.

A occhi chiusi Kantu sentì la frescura del liquido scivolarle sulla pelle, udì il crepitio del braciere e inalò quel fumo acre che le impediva di respirare bene e che, a momenti, la faceva tossire.

«Alza le braccia!» le ordinò la curandera con voce autoritaria sistemandole una pietra sotto ognuna delle ascelle. «Abbassa le braccia e sorreggi le pietre.»

Successivamente sentì che la nonna sistemava lungo tutta la sua spina dorsale qualcosa che la risucchiava verso l'esterno, come se si trattasse di una sorta di ventosa; in realtà erano delle pietre di diversi colori sistemate destramente dall'anziana in diversi punti del suo corpo.

«Sono le *khuyakuna*[2]» le spiegò. «Sto cercando di bilanciare la tua energia, di equilibrarti. Le prove che dovrai affrontare saranno dure e dovrai avere sufficiente forza ed equilibrio per essere in grado di sopportarle. «Stai ferma, ho quasi finito!»

Qualche istante dopo Kantu sentì che qualcosa di tiepido scendeva dalla sua testa, percorreva tutta la colonna ver-

2 Pietre cristalline dai poteri magici.

tebrale e arrivava fino al coccige; il liquido vischioso bagnava, quindi, le sue natiche e scivolava lungo le gambe andando a finire per terra. Subito dopo udì la voce di Mama Maru che diceva: «Queste sono le piante sacre che ripuliscono la luce del tuo corpo... Ora puoi rivestirti e andare a riposare». Kantu si rivestì e andò a sdraiarsi sul letto. Al suo fianco, Mama Maru diceva: «Ricorda che sapere è potere; ora entrerai in un circolo nel quale apprenderai i segreti delle donne serpente. Capirai che ciò che ti è stato insegnato fino a ora non è la vita autentica; la vera vita è un'altra. Qui imparerai a essere donna».

Kantu l'ascoltò in silenzio, cercando di non perdersi nemmeno il più piccolo particolare. La curandera proseguì: «Devi anche tenere presente che il sapere non serve a nulla se lo si conserva nascosto dentro di noi. Il sapere deve essere trasmesso, altrimenti diventa come i gioielli: servono per abbellire ma quasi sempre rimangono custoditi al sicuro. Oppure come il denaro nascosto gelosamente e che, invece, se venisse fatto circolare liberamente, potrebbe divenire utile. Sapere è potere: un potere che deriva dall'azione. Potrai impiegare quel potere ogni volta che vorrai perché solo agendo e sperimentando saprai e comprenderai se ciò che stai facendo è buono oppure cattivo, se stai andando nella direzione giusta oppure in quella sbagliata».

E mentre pronunciava tali parole avvicinò le sue mani alla fronte di Kantu, appoggiò i pollici all'attaccatura del naso mentre le altre dita riposavano sulle tempie.

«I pensieri degli esseri umani, molto spesso, sono confusi perché non hanno meta né finalità alcuna; la direzione del proprio cammino la si trova solo quando si agisce. Ad esempio, se vuoi percorrere una strada comincerai a renderti conto che lo stai facendo solo dopo aver iniziato a camminare e solo così potrai vedere cosa ti attende oltre; se invece ti fermerai, non saprai esattamente in che direzione quel cammino ti avrebbe portata e sarai perduta. E ancora, se dovessi camminare e finire col perderti, potrai sempre tornare indietro e cercare nuovamente la tua strada.»

Kantu ascoltava attentamente tutto ciò che Mama Maru le diceva. Improvvisamente sentì che un calore intenso fuoriusciva dalle mani dell'anziana e penetrava fino alla parte più profonda del suo essere. Si spaventò: sentì una sorta di scarica elettrica che, dal coccige, saliva su fino al cervello. Qualcosa dentro di lei si stava muovendo, facendole quasi perdere coscienza. Sentiva un ronzio costante dentro di lei, simile al sibilo di un serpente. A occhi chiusi, percepiva un universo costellato di puntini luminosi che si espandevano e si contraevano in una frazione di secondo. Poi fu invasa da una sonnolenza che la spingeva sempre più nel regno dell'incoscienza sebbene nella sua mente continuasse a rimbombare la voce della curandera: "I pensieri degli esseri umani, molto spesso, sono confusi perché non hanno meta né finalità alcuna... La direzione del proprio cammino la si trova solo quando si agisce... E se cammini e poi ti perdi, potrai sempre tornare indietro...".

# 10
# PER VINCERE BISOGNA RISCHIARE

Stava albeggiando quando Kantu si alzò per fare i suoi esercizi mattutini. Condori le aveva consigliato di alzarsi presto per assorbire l'energia accumulatasi fra il cielo e la terra. «Mezz'ora prima dello spuntare del sole, fai una passeggiata per risvegliare e preparare il tuo corpo alla pioggia di energia che scende con l'arrivo dei primi raggi del nostro *Tata Inti*»[1] le aveva detto.

Kantu metteva in pratica tutti i giorni questo consiglio. Quella mattina se ne stava lì in piedi, già vestita, riparandosi dal freddo sotto una coperta.

Si affacciò alla porta per contemplare il paesaggio mattutino. Alle prime luci dell'alba il profilo delle montagne appariva completamente sfuocato. A ovest regnava ancora l'oscurità, mentre a est le nubi erano illuminate da bagliori sfumati, come se un pittore le avesse pennellate di rosso, d'arancione, di toni dorati. Da dietro le montagne pareva innalzarsi un'aureola di luce; un contrasto di colori dal rosso

1 Padre Sole.

mattone all'oro, delimitava con estrema precisione il profilo grigioverde della montagna.

Le mattinate sulle Ande erano fresche; era il momento in cui la vita rigermogliava dopo un intervallo d'oscurità. Kantu uscì dall'abitazione e, fra gli sbadigli, si stiracchiò lentamente come un felino, quindi cominciò a muovere i primi passi. L'aria fresca le stuzzicò il viso e il corpo, svegliandola completamente. Vide Mama Maru che ritornava verso casa dopo aver fatto la sua passeggiata mattutina. Alla luce dell'aurora la figura della curandera sembrava avvolta da un velo nero; mentre si avvicinava a passi lenti si poteva scorgere il profilo del suo cappello, il mantello che la copriva dal collo alla vita e le gonne che le arrivavano fin sotto le ginocchia.

Quella stessa luce inondava le pareti di pietra grigia e di terra rossiccia e i tetti di paglia delle case in lontananza e ne metteva in risalto le gradazioni dal plumbeo al caffè dorato. Il suo sguardo si posò poi su di un cortile delimitato da un recinto di pietre nel quale riposava una mandria di lama e di alpaca. Alcuni dormivano ancora, altri, protendendo le orecchie vigili, iniziavano a muoversi nell'incerta luce del mattino.

Fuori l'atmosfera era serena, silenziosa, fresca. Da lontano giunsero il sonoro canto di un gallo, il cinguettio di alcuni passeri a cui si accodò, poi, il gorgheggiare dei lama che salutavano il nuovo giorno. Tutto sembrava rinascere in una grande armonia di suoni e colori. Kantu inspirò profondamente, riempiendosi i polmoni d'aria. Muovendo ritmicamente la testa si destò e diede inizio alla sua passeggiata mattutina. La superficie sulla quale avanzava era brulla e irregolare eppure, con quei suoi movimenti leggeri e cadenzati, pareva che stesse camminando sulla paglia. Di tanto in tanto si fermava a riprendere fiato e a riempire i polmoni non solo dell'ossigeno delle alte montagne, ma anche dell'energia eterea che, a quell'ora, era molto concentrata. Condori le aveva detto: «I primi raggi del *Tata Inti* sono un alimento per tutti gli esseri viventi. E i raggi del sole mescolati all'aria sono l'alito vitale della *Pachamama* che noi respiriamo. Per questo gli animali, soprattutto gli uccelli, cantano alla vita tutte le mattine».

Quando il re di tutti gli astri apparve in tutto il suo splendore, Kantu si fermò a guardarlo in cima alle montagne. Respirò ripetutamente con gli occhi aperti e le braccia tese verso il *Tata Inti*, mormorando: «Padre Sole, tu sei luce e calore per il nostro popolo. I tuoi raggi dorati baciano la terra donandole vita e, dopo una notte d'assenza, ritorni a noi ringiovanito, forte, potente». Le sue labbra seguitarono a muoversi e la sua gola intonò un suono, un canto d'amore alla vita. Intorno a lei, i campi grigiastri si facevano dorati e le piante e gli arbusti emanavano egual fulgore. Guardò i lama e gli alpaca; erano tutti in piedi avvolti da una sorta di aura. Sì, non vi era alcun dubbio: il sole era calore, vita, risveglio!

Non appena ebbe terminato i suoi esercizi, s'incamminò verso Mama Maru che era rimasta a guardarla in silenzio, con gli occhi accesi di una luce soprannaturale. Dal viso enigmatico emanava uno sguardo magnetico che affascinava e intimoriva al tempo stesso e a cui non ci si poteva sottrarre. La curandera le si avvicinò sempre di più, fissandola dritta negli occhi senza battere ciglio. La forza del suo sguardo la soggiogava, la ipnotizzava quasi. Improvvisamente attorno a lei tutto prese a girare e si sentì cadere in una sorta di abisso; le sembrava di trovarsi nel bel mezzo di un turbine che la faceva girare vorticosamente facendole perdere il senso dell'orientamento. Non appena ebbe recuperato il controllo, si ritrovò davanti all'anziana india che, con voce pacata, le diceva: «Oggi inizierai il tuo apprendistato con questo serpente che ho portato fin qui dalla valle temperata. Starai con lui fino a quando non riuscirai ad accarezzargli la schiena prima nove volte con la mano destra, da destra a sinistra e poi altre nove volte con la sinistra, da sinistra a destra».

Non appena vide il *Jergón de la Costa*, un brivido la percorse dalla testa ai piedi; il lungo animale si ritorceva tutto, stretto nella mano dell'anziana. All'idea di doverlo toccare, la paura, la ripugnanza e il timore dell'ignoto, si rimpossessarono di lei. Quella paura era il retaggio dell'educazione ricevuta dalle suore in collegio. «Il serpente è il diavolo in persona» le era stato ripetuto costantemente e da allora il ribrezzo non l'aveva più lasciata. Una paura che Mama Maru pareva ignorare, forse proprio perché conosceva meglio quegli animali. Condori le aveva detto di lei: «È riuscita a domare il serpente e ora è una donna coraggiosa, una vincitrice, una donna libera e indipendente».

La vecchia curandera ripose il serpente in una cavità, quindi ritornò dalla giovane che se ne stava lì, pietrificata dallo spavento.

Passato il primo momento di terrore, Kantu recuperò la calma e cercò di apparire serena sebbene fosse ancora scossa. Per compiacere la sua maestra nel salutarla si inchinò davanti a lei.

«Mama Maru, ti sei alzata prima di me eppure ti vedo fresca e piena di energia. Dimmi, cosa devo fare per cominciare il mio apprendistato?» le domandò.

«Per tutto il giorno, ma senza avvicinartici troppo, osserverai il serpente: non dovrai perderlo di vista un solo istante. Se ti distrarrai, verrai castigata oppure addirittura rimandata indietro» rispose l'anziana senza prestare la minima attenzione all'amabile saluto della giovane discepola.

«Sì, nonna, farò molta attenzione» rispose Kantu mordendosi il labbro inferiore per cercare di reprimere l'impulso di risponderle o di mandarla al diavolo. Cercava di essere cortese anche quando la curandera l'aggrediva verbalmente.

«Allora, sii cauta. Il serpente è nascosto in quella cavità coperta da un masso piatto. Non avvicinartici troppo; è suscettibile e, a volte, di cattivo umore.» E dopo averle fatto quelle raccomandazioni, si allontanò.

Kantu se ne rimase lì, ferma; poi si sedette ad aspettare che il serpente uscisse dal buco. Aspettò diverse ore sotto il sole cocente, senza bere né mangiare nulla; rimase solamente lì, quieta. Aveva aspettato a lungo e, per un momento, aveva anche pensato che forse il serpente non si trovava più lì. Ma non voleva nemmeno muoversi perché Mama Maru le aveva detto chiaramente che si trattava di un compito. Le dolevano gli occhi e la schiena; era tutta tesa e, per la posizione scomoda, le gambe si erano intorpidite. Se le strofinò ripetutamente senza perdere di vista l'apertura.

Ma, a un certo punto, ecco che, finalmente, il serpente cominciò a uscire! Avanzava lentamente formando semicerchi con tutto il suo lungo corpo. Lo guardò affacciarsi con quella bocca rotonda serrata, leggermente schiacciata e nerognola; le sue narici parevano degli antri tenebrosi e nei suoi occhi circolari color grigio fumo s'indovinava appena la piccolissima pupilla nera. Il serpente, come se volesse rispondere al suo profondo desiderio di osservarlo attentamente, si arrestò a un metro e mezzo da lei e la fissò. Kantu rimase immobile senza fare il minimo rumore; si limitò a guardarlo in silenzio.

La sua pelle squamosa era disegnata da figure geometriche e brillava sotto il sole emanando riflessi argentati. Dopo un po' l'animale si diresse verso il cortile e s'infilò in una fessura tanto piccola che Kantu pensò che non ci sarebbe passato. Non lo perse di vista e, non appena anche la coda sparì dentro il buco, corse dall'altra parte della parete camminando a passo leggero; era sicura che il serpente avrebbe percepito qualsiasi suono. Quando giunse dall'altra parte Mama Maru se ne stava col braccio destro appoggiato alla parete e canticchiava una canzone monotona e acuta: «Nenri, nenri, nenri, nenri».

Al suono di quella cantilena il serpente uscì dal suo nascondiglio e si avvicinò all'anziana; strisciò dritto verso il suo braccio teso e vi si attorcigliò attorno, appoggiando la testa sulla sua spalla. Kantu osservò la scena assolutamente stupefatta, senza pronunciare parola.

«Questo serpente è docile con me; mi obbedisce perché sa che la più forte sono io. Sta cominciando a conoscermi, ma devo comunque essere cauta» disse Mama Maru srotolandolo dal braccio per riappoggiarlo delicatamente al suolo.

Il serpente si allontanò emettendo un sibilo; avanzava con la bocca aperta e la lingua biforcuta all'infuori, zigzagando graziosamente; alla fine si sistemò in un angolo del cortile, arrotolandosi su se stesso.

Kantu si stupì della familiarità dell'anziana donna con il serpente e, senza staccare gli occhi dall'animale, le chiese: «Nonna, come mai possiedi questo serpente? Da quanto tempo lo stai allevando?».

«Lo raccolsi nella valle temperata quando seppi del tuo arrivo. Qui ci sono solo serpenti più piccoli che temono l'uomo; questo, invece, capta e comprende il pensiero degli esseri umani. Se ti ci avvicini senza paura, non ti farà nulla; ma se ti avvicini a lui intimorita, allora cercherà di accrescere ulteriormente la tua paura, riuscendo a impossessarsi della tua energia vitale. È per ciò che devi essere sempre vigile e attenta: ricorda che senza la tua energia vitale sei una donna morta.»

Kantu fece un sospiro profondo nel ricordare che, presto, avrebbe dovuto passare la sua mano sulla schiena dell'animale per ben diciotto volte. Prima o poi avrebbe dovuto superare quella prova che avrebbe anche potuto costargli la vita.

«Vai a mangiare qualcosa e poi torna qui. Non smettere di osservarlo, seguilo ovunque vada. Osserva tutto quello che fa e ricorda che poi ti chiederò il resoconto di tutti i suoi movimenti.»

«Sì, nonna.»

Kantu s'incamminò velocemente verso la cucina. Mangiò un poco di mais cotto e dei fichi secchi quindi ritornò da Mama Maru che, con la mano, le indicò il posto in cui si trovava il serpente in quel momento. Era un buco sulla parete che, probabilmente, nascondeva una grande cavità.

Quel giorno e quello dopo Kantu continuò a osservare la serpe, sino a familiarizzare con lei; sorvegliava ogni suo movimento ed esplorava qualsiasi indizio le permettesse di domarla e di annientare la sua paura. Più la osservava, meno paura ne aveva. Doveva essere comunque sempre accorta e vigile: anche la più piccola disattenzione avrebbe potuto risultarle fatale. Il serpente le stava insegnando parecchie cose per esempio che, nella vita, tutto è movimento mentre la morte è immobilità.

Memore di quell'agghiacciante racconto narratole da Apolinario quando questi lavorava in un accampamento minerario nelle prossimità della foresta amazzonica, stava attenta e usava molte precauzioni con il serpente. «Un giorno, mentre camminavo in mezzo agli arbusti e ai sassi, sentii dei denti aguzzi affondare nel mio polpaccio seguiti, poi, dal colpo di una coda che mi urtava. Era un serpente a sonagli ma io saltai troppo tardi, quando ormai il serpente stava sparendo in mezzo all'erba. Mi guardai la parte che mi bruciava per vedere se c'erano delle tracce del morso; non appena le trovai, estrassi il coltello che portavo legato alla cintura e me lo piantai nella carne cercando di recidere il pezzo infettato dal veleno. Sentii un dolore atroce, ma sopportai stoicamente perché sapevo che mi stavo giocando la vita. Incisi il pezzo di carne e mi succhiai la ferita sputando poi il veleno. Raccolsi della *contrahierba*[2], la pestai con due sassi e me la misi sulla ferita sanguinante; poi strappai un lembo di camicia e ne feci una fascia con la quale bendai la ferita fermandola con una molletta in modo da non far circolare il sangue avvelenato. Zoppicante ritornai all'accampamento urlando di dolore e con il terrore di dover morire fra grida, convulsioni e deliri atroci. Per mia fortuna lì si trovava il mio amico Paxi, un indio, che esaminò immediatamente la ferita, ci mise sopra un altro impasto di erbe e poi si arrampicò rapidamente su per un monte; lì cacciò una scimmia e le estrasse il fegato che più tardi mi fece mangiare crudo, mentre mi portava verso il fiume. La gamba aveva già cominciato a gonfiarsi. Mi sentivo molto male, avevo la gola secca, la lingua impastata e acida. Ero completamente annebbiato, ricordo tutto come se si fosse trattato di un sogno: per prima cosa passò un tizzone ardente lungo tutto il corpo, quindi mi immerse nelle acque del fiume e, a quel punto, la febbre cocente se ne andò. In seguito mi riportò all'accampamento dove rimasi completamente privo di forze per qualche giorno.» Kantu si ricordava di quella storia ogniqualvolta guardava quel *jergón* velenoso. Ma non aveva altra alternativa: doveva rimanere vicino a quel serpente sebbene l'idea non le piacesse.

2 Antidoto (*N.d.A.*).
Pianta appartenente alla famiglia delle Moracee, tipica dell'America Meridionale usata come antidoto contro i serpenti. Secondo la terminologia italiana, appartengono a questa famiglia di piante il gelso e il fico (*N.d.A.*).

Il terzo giorno Mama Maru le insegnò a evitare il morso dei serpenti più velenosi: «I serpenti possono essere assai pericolosi. Ce ne sono di tre tipi: i primi sono quelli che si spaventano facilmente o che sfuggono e che, non appena sentono i passi dell'uomo, scappano e attaccano solo se si vedono intrappolati. I secondi sono aggressivi, perversi, con un brutto carattere e, quando si arrabbiano, sono soliti girare in tondo. A volte, quando non riescono a mordere l'uomo, mordono se stessi finendo così per suicidarsi proprio come fanno gli esseri umani. Gli ultimi, infine, sono serpenti sereni, normalmente molto grandi, pacifici e saggi che, a volte, proteggono persino i bambini in pericolo; solitamente muoiono di fame o di morte naturale. A questo proposito ti racconterò una storia: "Un colono che viveva nella foresta assieme alla sua sposa e al figlio, un giorno dovette portare la moglie gravemente malata al centro ospedaliero più vicino; non potendo portare con sé anche il figlioletto di cinque anni, lo richiuse nella sua stanza con acqua e cibo, raccomandandogli di non uscire. Sentendosi solo il povero bimbo cominciò a piangere disperatamente. Vicino alla loro casa viveva *Yakumama*, un grande serpente che, sovente, si lasciava avvicinare dal bambino e che giocava con lui. Quando il rettile udì quel pianto, s'infilò in un'apertura della casa per andare a tenere compagnia al piccolo. Non appena il bimbo lo vide si calmò, ci giocò insieme e infine si addormentò; il serpente rimase con lui in modo che, al risveglio, non si ritrovasse nuovamente da solo. Quello stesso pomeriggio un giaguaro che aveva visto allontanarsi il colono con la moglie, ghiotto della carne tenera dei bambini, si avvicinò silenziosamente alla casa dov'era rinchiuso il piccolo e, non appena ne sentì l'odore, cercò di penetrare nella capanna. Non riuscendo a trovare nemmeno una piccola feritoia, cominciò a raschiare le mura fatte di legno e di liane. Il bimbo si svegliò spaventato ma, non appena vide *Yakumama* accanto a sé, si tranquillizzò. Poco a poco, il giaguaro riuscì ad aprire un varco nella parete, quindi s'intrufolò in casa e si lanciò sopra il bambino quando, all'improvviso, una forte frustata lo colpì proprio in mezzo alla faccia, allontanandolo così dalla sua preda: era stato *Yakumama*, intervenuto in difesa del suo amico. Il giaguaro, allora, decise di liberarsi per prima cosa del serpente. Si lanciò di scatto sulla testa del rettile afferrandolo con le zampe anteriori ma questi fu rapido e riuscì ad aggrovigliarvisi contro, avvolgendolo completamente; e così, mentre il felino lo azzannava a morsi, *Yakumama* lo avvinghiò soffocandolo in una stretta mortale. Moribonda, la serpe non mollò il suo avversario fino a quando questi non esalò anche l'ultimo respiro; poi, ferita, si trascinò e morì. Il povero bambino assistette inerme a tutta la scena e, non appena il padre rincasò, gli raccontò l'accaduto. Il colono allora comprese che *Yakumama* aveva difeso suo figlio da una morte sicura"».

Kantu ascoltava in silenzio ogni particolare della descrizione dei serpenti e Mama Maru continuò: «Ci sono due modi per domare i serpenti: con la voce e con lo sguardo. Con il primo ci si serve delle parole di potere. Sono parole che non bisogna limitarsi semplicemente a pronunciare ad alta voce ma che bisogna ripetere anche mentalmente. Questa tua prima tappa di addestramento e di trasmissione di poteri basata sull'osservazione durerà, a partire da oggi, sette giorni: in questo lasso di tempo dovrai imparare ad avvertire i rumori prodotti dal serpente, a capire cosa gli piace e cosa lo fa infuriare. Ora stammi a guardare in silenzio prestando molta attenzione: ti mostrerò come agisce questo serpente».

Mama Maru alzò la voce ed emise dei suoni, poi, di colpo, si zittì e prese a colpire delicatamente i massi che coprivano la cavità nella quale il serpente si era infilato. Successivamente, con voce acuta, iniziò a pronunciare ininterrottamente delle parole in quechua, infine ordinò al serpente di uscire dal suo nascondiglio.

«Sta dormendo nel buco di questa parete. Non gli piace essere disturbato e potrebbe rispondere in modo aggressivo e persino attaccarti, anche se ti conosce. Potrebbe farlo anche con me; per questo bisogna sempre stare in guardia.»

Poiché il serpente non rispondeva ai richiami della donna, Mama Maru riprese a cantare e a pronunciare quelle stesse parole con un tono di voce più forte e determinato. Questa volta, come se stesse realmente rispondendo alla sua chiamata, il serpente si affacciò di malavoglia e con fare aggressivo. Mama Maru allungò il braccio verso di lui senza smettere di guardarlo negli occhi. Il loro era un duello di sguardi. Alla fine il serpente si rizzò in posizione di difesa, ma poi si riabbassò e andò a posarsi docilmente sulla mano di Mama Maru. Questa lo sollevò mantenendolo in aria affinché Kantu lo potesse vedere da vicino. Il serpente era imprigionato nelle mani dell'anziana, ma non faceva nulla per liberarsi.

Una volta dimostrato alla giovane il potere che era in grado di esercitare su quel serpente, Mama Maru lo depose a terra e questi si avviò rapidamente verso la cavità dalla quale era uscito. La curandera alzò nuovamente la voce e gli ordinò di fermarsi: il rettile si arrestò di scatto.

«È così che bisogna domare il serpente. Ed è così che si deve superare la paura» concluse l'anziana.

Durante i giorni successivi Mama Maru non smise di raccomandarle: «Usa la voce e gli occhi, se vuoi riuscire a domarlo». «Devi insegnargli a non disubbidire ai tuoi ordini e concentrati tantissimo» le ripeteva. Kantu ascoltava in silenzio, prestando grande attenzione finché un pomeriggio Mama Maru le disse: «Nella vita non è sufficiente saper convivere con loro, ma è fondamentale imparare a conoscere e ad affrontare serpenti di qualsiasi specie. A questo scopo ora ti mostrerò un serpente molto pericoloso».

L'anziana la condusse fino a una vallata dalla vegetazione fitta; si fermò vicino a un albero e cominciò ad arricciare il naso, aprendo e chiudendo velocemente le narici, come se stesse annusando qualcosa.

«Qui, una volta, vidi una famiglia di serpenti a sonagli. Ne sto annusando uno...» spiegò molto sicura di sé.

«Mama Maru è impossibile che tu riesca ad annusare un serpente. I serpenti non odorano, sono privi di odore.»

«Questo lo dici tu che non possiedi un olfatto sottile come il mio: i serpenti odorano proprio come tutti gli altri animali. Ora lasciami lavorare; devo concentrarmi intensamente per localizzarne uno e ordinargli di non mordermi.»

Quindi Mama Maru chiuse gli occhi e fiutò ovunque, come se fosse un cane da caccia. Con gli occhi chiusi, aprì le mani, stese le braccia e le puntò come antenne in diverse direzioni. Poi aprì gli occhi, si diresse verso una buca e prese a gridare: «Serpente, so che sei lì, esci fuori! Per il potere che possiedo, ti ordino di uscire immediatamente!».

Il tempo passava ma il serpente non accennava a uscire dalla sua tana. Mama Maru, allora, con gli occhi scintillanti e le labbra tese, gridò adirata: «Esci da lì, ti ho detto».

Dato che non si decideva a uscire, Mama Maru si accovacciò e, usando le dita a mo' di artigli, cominciò a ingrandire l'entrata della cavità. Kantu non poteva vedere il serpente che, sicuramente, se ne stava nella parte più profonda del rifugio, ma l'anziana continuò a scavare cantando e parlando ad alta voce. Quindi si approssimò ancora di più al buco, vi introdusse il braccio fino al gomito e lo ritirò velocemente trascinandone con sé uno. Il serpente si contorceva rabbiosamente, ma Mama Maru lo teneva ben saldo; lo aveva afferrato con forza, come se si trattasse di una corda inerme e inoffensiva. Lo guardò fissamente e gli disse: «Saresti dovuto uscire quando ti ordinai di farlo! Per il potere che ho su di te, adesso mi obbedirai».

E, detto ciò, lo sbatté per terra; il serpente si aggrovigliò immediatamente su se stesso e assunse la posa d'attacco. Mama Maru, però, fu più veloce, lo prese per la coda mentre questi si ritorceva cercando di sfuggire alla sua cacciatrice. Ma non riuscì a divincolarsi da quella mano che, con un movimento rapido, lo prese per il collo e lo sollevò. Il rettile s'inarcò sibilando furiosamente. Mama Maru lo sosteneva con fermezza e lui, rendendosi conto di non avere scampo, poco a poco si acquietò. Allora l'anziana, volgendosi verso Kantu, disse: «Vedi? Ti sei convinta? Questo serpente è velenoso, è grande, ma non mi morde. Non può mordermi perché gli ho proibito di farlo. E poi non può disobbedirmi perché adesso sa chi è la più forte».

Poi, rilasciando la mano, lo lasciò scivolare nuovamente a terra. Una volta libero, l'animale prese a svoltolarsi in mezzo alla terra e Mama Maru, come misura di precauzione, gli poggiò la mano sulla coda, impedendogli così di scappare.

Kantu lo osservò attentamente. L'animale misurava all'incirca un metro e mezzo e poteva avere un diametro di tre o quattro centimetri. Quegli occhi che, all'inizio, le parvero sinistri e minacciosi e che avevano guardato Mama Maru con fare assassino, ora sembravano aver compreso che la lotta fra lui e quella donna era ormai terminata.

La curandera, allora, gli ordinò di posare la testa sulla sua mano mentre, al tempo stesso, lo persuadeva: «Non potrai mordermi e non dovrai mordermi perché io sono Mama Maru, la donna serpente. Il mio potere è superiore al tuo».

Il serpente, con gli occhi ancora fissi su di lei cercò di divincolarsi in un inutile tentativo di ribellione; alla fine si arrese e smettendo finalmente di sibilare, adagiò dolcemente la testa sul palmo della mano della curandera.

Kantu, che non aveva mai visto nulla di simile, rimase allibita di fronte a quello spettacolo impressionante e surreale. Il serpente, nel frattempo, aveva aperto la bocca lasciando così vedere a Kantu i suoi denti ricurvi collegati a due sacche di veleno sufficienti per uccidere una persona. Un fremito di terrore si unì al sentimento di profondo rispetto che provava per il potere che Mama Maru esercitava su quegli animali.

«Per domare un serpente dovrai usare la tua forza mentale con la quale dovrai riuscire a persuaderlo che non può e che non deve morderti. Dovrai infondere molta forza al tuo canto, facendo nascere i suoni all'altezza del ventre; solo così l'assoggetterai. Per domarlo completamente e sottometterlo alla tua volontà dovrai usare i tuoi occhi. Non dovrai dubitare nemmeno per un istante di te stessa, del tuo potere, della tua volontà» le raccomandò Mama Maru.

Kantu continuò a esercitare il suo canto e il suo sguardo seguitando, al tempo stesso, a osservare il serpente della casa di Mama Maru. Al sesto giorno gli occhi del serpente e i suoi s'incrociarono. Vincendo la tremenda paura che provava, si preparò ad affrontare la grande sfida della sua vita: dolcemente ordinò al serpente di avvicinarsi a lei e, rimanendo in piedi con il palmo della mano all'insù, stese il braccio verso il rettile. L'animale scivolò attraverso il palmo della sua mano senza morderla e Kantu sentì una sorta di familiarità; non provava più per lui il timore che prima la bloccava. Quindi prese delicatamente per il collo il serpente e lo alzò in alto mentre, con l'altra mano, raccolse gli anelli che si erano attorcigliati al suo braccio seminudo. Successivamente lo depositò a terra e respirò sollevata nel constatare che il serpente obbediva alla sua voce. Una volta a terra il serpente continuò tranquillamente la sua avanzata verso il muro.

Mama Maru le aveva spiegato che i serpenti potevano addormentarsi o arrestarsi al suono della sua voce o al suo sguardo. Nei giorni precedenti Kantu aveva eseguito un canto acuto e monotono, molto efficace in quei casi. Allora fece la prova: emise quel suono e ordinò al serpente velenoso di fermarsi. Con tutta la forza che le nasceva da dentro, ripeté varie volte l'ordine di prestarle attenzione e di fermarsi e, obbediente, il serpente si fermò, si girò completamente su se stesso e strisciò verso di lei minaccioso. I loro sguardi di sfida s'incrociarono. Il serpente pareva infuriato ma Kantu, sicura di sé, pensò: "Io sono più forte di te" e con voce profonda e imperativa gli intimò: «Fermati!». Senza distogliere lo sguardo da lei, il serpente si fermò. Kantu stava vivendo i giorni più intensi della sua vita. Un serpente le stava facendo mettere alla prova tutte le sensazioni note e anche quelle a lei ancora sconosciute. Fu così che Kantu si convinse che il tono di voce che stava usando era in grado di imporsi al serpente e di dimostrargli che lei era più potente. Ora non le restava che imparare a usare il potere degli occhi.

Al settimo giorno, il pensiero che quello fosse il suo ultimo giorno a disposizione, la sua ultima opportunità, la rendeva estremamente inquieta. Ripensò a ciò che le aveva detto Mama Maru a proposito del potere della voce e degli occhi. "Che cosa aveva voluto dire con quel 'potere degli occhi'?" Sia Anselmo che Condori le avevano detto che le donne sono in grado di proiettare il loro potere interiore servendosi degli occhi. Che cosa voleva dire?

Come un cacciatore pazientemente appostato in attesa della preda, rimase tutta la mattina lì ferma ad aspettare. Si mise a fissare il nascondiglio del serpente; la sua mente analizzava insistentemente ogni dettaglio, ogni momento vissuto negli ultimi giorni. Improvvisamente si ricordò di un particolare che aveva trascurato: quando Mama Maru voleva immobilizzare il serpente, prima guardava fissamente il sole per alcuni minuti con gli occhi spalancati. Immediatamente le vennero alla memoria anche le parole di Eusebio Laura, un anziano contadino, un virtuoso del flauto di canna, che aveva vissuto per molti anni nelle valli fredde e in quelle temperate: «Per riuscire a catturare un serpente, bisogna prima ipnotizzarlo, intontirlo con la luce degli occhi e, così facendo, l'animale si calma. Bisogna fissare il sole e poi volgere immediatamente lo sguardo su di lui». Pensò e ripensò a tale possibilità: ma certo, la soluzione per superare una volta per tutte la prova doveva essere proprio quella!

Trascorsero diverse ore. Kantu aspettò pazientemente, affamata e assetata per via del caldo e con la schiena a pezzi, ma imperturbabile. Ecco che all'improvviso il serpente fece la sua comparsa. Cautamente, cominciò a strisciare fuori, fermandosi un attimo come per fiutare l'ambiente; poi mise fuori anche la testa e il resto del suo lungo corpo.

Kantu volle mettere alla prova il potere dei suoi occhi. Il sole era alto, quasi perpendicolare; lo contemplò a lungo, senza prestare molta attenzione al serpente. Poi, con gli occhi ancora accecati dall'intenso riverbero dei raggi del sole, volse la testa e posò il suo sguardo sugli occhi del serpente che strisciava verso di lei. Riuscì a distinguere solo delle chiazze grigie e nere sulla testa dell'animale che, nel sentirsi osservato, si arrestò, rimanendo immobile. Quando riacquistò una visione normale, vide che il serpente se ne stava lì rigido, quieto, come assopito. Armandosi di tutto il coraggio di donna innamorata disposta a qualsiasi cosa, allungò la mano destra verso la schiena dell'animale, gliela posò sopra e l'accarezzò delicatamente una sola volta. Il serpente non fece nessun movimento; Kantu, allora, senza smettere di fissarlo negli occhi, lo accarezzò altre otto volte e poi fece lo stesso con la mano sinistra. L'animale non si mosse; rimase quieto fino a quando lei non abbassò lo sguardo. Quando ebbe finito di accarezzarlo con ambedue le mani, guardò altrove: i suoi occhi erano tesi e irritati, quindi sbatté le ciglia diverse volte. Il serpente, come se si fosse improvvisamente destato dal sonno, riacquistò la sua mobilità e sibilando scivolò via sinuoso, allontanandosi nella direzione opposta al suo nascondiglio e sparì velocemente dentro un'altra cavità.

«Magnifico! Ben fatto! Sei riuscita a domare il serpente! E lo hai fatto secondo i termini stabiliti!» udì alle sue spalle: era la voce di Mama Maru che era rimasta nascosta a osservare tutta la scena.

Kantu si voltò a guardarla; sul suo volto solitamente privo di emozioni si era disegnato un gran sorriso. Si rese conto solo allora che l'anziana aveva visto quanto era successo. "Ma, si era presentata solo in quel momento? Da quanto tempo la stava osservando?" si chiedeva Kantu stupita.

«Mama Maru, non ti ho sentita arrivare. Ti sei avvicinata silenziosamente e proprio al momento opportuno.»

«La vera donna si deve muovere come il serpente: deve sapersi avvicinare e allontanare senza farsi notare.» E, sorridendo, aggiunse: «Il movimento della donna dev'essere come una carezza».

Kantu ora sapeva che avrebbe potuto ripetere quanto aveva appena fatto molte altre volte; ora sapeva quello che doveva fare. In quel momento si dimenticò di tutta la stanchezza, della fame, della tensione che aveva sopportato in quegli ultimi sette giorni, giorni che le erano sembrati interminabili e durante i quali aveva rivissuto parecchi istanti della sua vita. Era stata lei sola, completamente concentrata su quella sfida.

«Bene... per concludere la giornata ritorneremo dove siamo già state» disse Mama Maru. «Solo così mi convincerò che puoi davvero.»

In quei giorni aveva scoperto da sola che la fede, la forza del pensiero e la volontà giocavano un ruolo fondamentale nell'addomesticamento di un animale.

Le due donne ritornarono nella vallata dove Mama Maru catturò due serpenti a sonagli che poi mise in una cesta e portò in una pianura. Lì, dove non vi erano né sassi né cavità ma solamente terra, i serpenti potevano strisciare ma non nascondersi. Mama Maru infilò la mano nella cesta, afferrò un serpente e, nel porgerlo a Kantu, le ordinò: «Prendi questo, non avere paura».

Il perentorio ordine della curandera fece sobbalzare Kantu. Le due donne si guardarono negli occhi. Come se fra le due si fosse stabilita una comunicazione telepatica, Kantu capì all'istante: ammettere il suo timore verso quel serpente, in quel momento così cruciale della sua esistenza, avrebbe significato il suo fallimento e, forse, anche la rinuncia a far parte del gruppo di donne coraggiose disposte a dare la vita per amore.

La situazione esigeva una decisione immediata. Con un leggero sussulto e guardando dritto negli occhi del serpente, pensò: "Io sono più forte di te; tu non puoi e non devi mordermi!". Quindi allungò una mano e prese il serpente per il collo mentre con l'altra manteneva ferma la coda. Prima di allora, la pelle dei serpenti le era sempre parsa fredda e vischiosa, mentre ora la sensazione che provava nel toccarla non le risultava affatto sgradevole. Il serpente alzò gli occhi e guardò la sua nuova cacciatrice. Sembrava che si fosse accorto di essere passato ad altre mani per via del loro diverso calore. Non si dimenò, anzi, rimase immobile e vigile, con il corpo rigido. Kantu sentì un nuovo fremito di paura, naturale e inevitabile in quel momento, ma che scomparve quasi subito. Spinta da un'enorme forza di volontà e determinata ad andare avanti, fissò i suoi occhi in quelli del serpente. Nel sentirsi insistentemente osservato, questi, senza toglierle gli occhi di dosso, cominciò a flettere il suo corpo, ritorcendolo prima su un fianco e poi sull'altro. Di tanto in tanto emetteva un sibilo o respirava affannosamente. Come prova di coraggio, Kantu avvicinò la testa del serpente alla sua: incredibilmente l'animale si acquietò.

Mama Maru, allora, glielo tolse di mano e lo rimise nella cesta; quindi estrasse l'altro e lo adagiò per terra ordinando a Kantu: «Kantu, doma questo serpente e non fartelo scappare».

Nel vedersi libero l'animale cominciò a strisciare alla ricerca di qualche fessura nella quale nascondersi e sfuggire a Kantu che lo stava inseguendo. Ma, non trovandone e sentendosi braccato, si fermò e si avvolse su se stesso in atteggiamento di difesa mentre con la coda emetteva il caratteristico crepitio dei sonagli.

Kantu, con lo sguardo fisso in quello del rettile, si concentrò mentalmente e cominciò a cantare e a parlare, infondendo vigore alle sue parole: «Non potrai mordermi perché io sono più forte e m'impongo a te».

Il serpente era irritato. L'essere estratto a forza dalla sua tana, lo aveva alterato; il vedersi inseguito e braccato, l'aveva fatto infuriare ancora di più. Con la testa leggermente sollevata emise un sibilo preparandosi per attaccare. I due contendenti mantenevano le distanze, poi Kantu cominciò ad approssimarsi alla serpe. Nel tentativo di schivare lo sguardo e la presa della ragazza, il rettile muoveva la testa. Kantu, nel frattempo, continuava a cantare e a impartire ordini: per la tensione, gocce di sudore presero a scivolarle sulla pelle.

Come se la sua autorità avesse finito per imporsi, improvvisamente il serpente si acquietò; lei allora lo afferrò rapidamente per il collo, lo sollevò da terra e gli bloccò la coda. Il serpente non oppose resistenza, anzi, sembrava disposto a sottomettersi.

«Basta così: ora sono convinta che puoi» disse Mama Maru togliendole il rettile di mano e richiudendolo nella cesta. Mentre ritornavano verso la vallata per rimettere in libertà i serpenti, guardando la sua discepola con gli occhi traboccanti di gioia, l'anziana disse: «Vedi? Li domini già. Ti sei guadagnata il diritto di entrare a far parte del gruppo delle donne serpente, di coloro che hanno vinto la guerra, di coloro che conoscono la spietata guerra che affligge il mondo. Apparteniamo a un'altra classe, noi: siamo le innamorate della vita e della morte. Hai semplicemente aperto un'altra porta».

Fu così che Kantu venne iniziata come Donna Serpente; dimostrò di potere, meritandosi quindi di entrare a far parte del gruppo delle *Amaru*.

Quando intrapresero la strada del ritorno, Kantu si mise a riflettere sul significato dell'essere divenuta una Donna Serpente. Da ragazzina, a scuola, aveva studiato la storia dell'antico Perú; in certe occasioni i professori avevano mostrato delle diapositive di diverse zone del Paese nelle quali apparivano sculture o disegni di serpenti. Nelle rovine di Chavín de Huántar, i serpenti adornavano le teste di pietra che guarnivano l'altare maggiore e che erano state scolpite in commemorazione degli uomini e delle donne più devoti di quel santuario. Nella Casa delle Prescelte, centro dove venivano educate le celebri Vergini del Sole e nel Tempio di Amaru della città di Cuzco, vi erano un'infinità di serpenti scolpiti in pietra. Anche nelle sontuose dimore di alcuni autorevoli governanti vi era sempre qualche figura intagliata di serpente.

Molti di quei personaggi avevano ricevuto un'iniziazione e avevano seguito un apprendistato simile al suo. Ora Kantu sapeva che il serpente è un animale poderoso, energico, ma aveva anche capito che la donna lo è molto di più. Cominciò a comprendere il significato del simbolo della donna che calpesta la coda del serpente, impiegato da alcune religioni. Capì che la donna possiede una forza interiore molto potente che può proiettare all'esterno attraverso la voce e gli occhi.

L'esperienza vissuta in quei giorni era stata durissima. Per superarla erano necessari dei nervi d'acciaio, una gran determinazione, coraggio, audacia e molta pazienza che lei aveva dimostrato di avere; aveva resistito stoicamente per nove lunghi giorni. E, adesso che aveva concluso il suo apprendistato, si sentiva molto più sicura di sé: ora sapeva che poteva. Quell'esperienza le dimostrò che aveva sempre posseduto quella forza dentro di sé ma che, prima d'allora, non aveva saputo come proiettarla.

Sebbene ormai fosse già piuttosto lontano, la giovane discepola continuava a sentire il sibilo del serpente; una parte di quel suono era rimasto impresso in lei. Si rallegrò immensamente d'aver superato la prova d'iniziazione. La vita le parve improvvisamente più bella che mai: una gioia profonda la invase completamente mentre faceva ritorno verso casa camminando lungo il polveroso sentiero. Ripensava alle parole di Mama Maru: «Se vogliamo ottenere qualcosa dobbiamo osare, dobbiamo affrontare gli ostacoli che si presentano quotidianamente sulla nostra strada e che fanno parte della vita. Solo affrontandoli s'impara. Dobbiamo essere audaci e rischiare. Gli ostacoli superati ci irrobustiscono e ci fanno crescere come esseri umani perché ci permettono di avvalorarci».

Kantu osservò, ora con molto amore, la sua maestra che camminava davanti a lei. L'andatura di Mama Maru era silenziosa e sicura: sembrava che si muovesse strisciando. La curandera acquisiva così, agli occhi della giovane, una poderosa aureola di Donna *Amaru*.

# 11
# COME IMPARAVANO A ESSERE DONNE

Quel pomeriggio Kantu e Mama Maru erano sedute vicino al focolare e preparavano la cena. Le nuvole di vapore che si innalzavano dalla pentola di terracotta indicavano che presto l'acqua avrebbe cominciato a bollire. Kantu aveva pelato il *chuño* precedentemente lasciato in ammollo.

Mama Maru, invece, aveva pestato una gran quantità di mais nel mortaio di pietra. Accanto al focolare era pronto il tegame per l'infusione di foglie di coca che avrebbero bevuto dopo cena per stimolare la digestione e per proteggersi dal freddo delle notti sulle alte montagne peruviane.

«Kantu, passami il *chuño*, che dobbiamo cuocerlo» le ordinò Mama Maru.

Nel porgerle il piatto, Kantu la guardò. L'anziana scorse uno strano luccichio negli occhi della sua discepola che, ormai, non era più la stessa, sebbene non fosse ancora cosciente di cosa esattamente fosse cambiato in lei. Non era più la timida donna di un tempo; si era fatta una donna matura, determinata. Ora fra loro vi era una gran complicità e la curandera scambiava la sua esperienza e le sue conoscenze con la gioventù e l'entusiasmo della giovane. Kantu aveva ormai cominciato a disfarsi dei condizionamenti dell'educazione ricevuta fino ad allora e imposti dalla religione e dalla società. Forse fu proprio quello che la indusse a domandare a Mama Maru: «Come si impara a essere una vera donna?».

«Studiando attentamente la natura», rispose la curandera. «Ma, prima di tutto, è importante che impari a conoscerti e ad accettarti per quella che sei. Dovrai essere solamente te stessa, te stessa e nessun altro. Spesso costruiamo la nostra vita raccogliendo i pezzi dell'esistenza degli altri e cerchiamo di plasmarci su modelli che ci vengono imposti dall'esterno. È molto probabile che tua madre abbia influito su di te o che, forse, in realtà tu sia stata influenzata da tua nonna, da tua zia, da un'amica o da altre tue conoscenze. Sono i pezzi con i quali vai tessendo una sorta di coperta che ti copra davanti agli altri e ti renderà infelice. La vera donna scopre chi è veramente e segue il suo cammino, pienamente cosciente di sé.»

La giovane discepola ascoltò in silenzio le parole della sua maestra, senza farle ulteriori domande.

La curandera la guardò con affetto materno. Gli sguardi delle due donne s'incrociarono: quello di Kantu, aperto e diretto, privo di paura o di dubbi sostenne quello di Mama Maru, alla quale disse: «Nonna, riflettendoci bene, mi rendo conto che non so chi sono. Anzi, potrei quasi dire che tutta la mia vita è stata condizionata dall'esempio di altre donne. Ho sempre cercato di essere come loro e mai di essere semplicemente me stessa».

Mama Maru la guardò con fermezza e poi rispose: «Sì, sono molte le donne che cercano di apparire ciò che non sono e assai poche quelle che, invece, si prendono il tempo di scrutare dentro di sé per scoprire chi sono e cosa vogliono veramente. Nel tuo caso, la natura ti ha donato un corpo e un'anima nei quali risiede lo spirito. Solo tu, come donna, e nessun altro all'infuori di te, sei in grado di cambiare la tua vita». E, mentre metteva altri rami nel focolare, continuò: «Solo nel momento in cui avrai chiarito a te stessa chi sei, sarai sulla buona strada per diventare una vera donna. Donna, nel vero senso della parola, è colei che un giorno diverrà la compagna di un uomo, la madre dei figli che la natura vorrà darle e la maestra di entrambi. Sarà un'abile amministratrice della sua casa, una signora rispettata da tutti, un'eccellente compagna, una dea e un'artista dell'amore. La sua prudenza, la sua saggezza e la sua grazia saranno il suo principale ornamento.

Una donna che scopre la sua vera natura, che risveglia i poteri sopiti dentro di lei e che rendono vano il ricorso alla forza, può riuscire a fare tutto questo. Se tu non lo farai, rimarrai a vegetare come la maggior parte delle donne».

«Nonna, parlami di questo nostro potere» la supplicò Kantu sorridendole.

«L'arma più potente di una donna è la sua energia interiore che protegge lei e tutti coloro che ama» proseguì Mama Maru. «È per questa ragione che dovrai imparare a calarti nel tuo mondo interiore: solamente nel momento in cui scoprirai la tua vera essenza potrai usare tutta la tua energia interna. Sei forte e sei dotata di molta energia ed è proprio per questo che appartieni al gruppo delle donne capaci di muovere il mondo. Eppure hai un limite: non ti conosci ancora e, di conseguenza, non ti accetti.»

Kantu ascoltava l'esperta anziana, quella donna che era riuscita a superare con successo la dura scuola della vita; aveva ragione in tutto ciò che diceva e lei faceva tutto il possibile per imprimere nella memoria ogni suo insegnamento.

Mama Maru osservò nuovamente Kantu e dovette dare ragione a Condori: «Oltre a essere bella, questa ragazza è anche molto forte e determinata, disposta a rischiare qualsiasi cosa pur di raggiungere le proprie mete».

Mentre ravvivava nuovamente il fuoco che si stava spegnendo, l'anziana donna continuò, assorta, il suo discorso: «La società contemporanea non vuole sapere chi sia veramente la donna e cerca di deformarne l'indole fin dal giorno della sua nascita. Che cosa impara, oggigiorno, la donna dalla società? A falsificarsi, a nascondere i suoi veri sentimenti, a celare le sue opinioni, a mascherare i suoi pensieri».

«Ma oggi le donne ricevono un'educazione, molte riescono a diventare delle vere professioniste, in grado di esprimere liberamente le loro idee» osservò Kantu.

«Ciò che dici non è affatto vero: la maggior parte di queste donne escono da scuole di stampo maschile che hanno finito col deformare la loro vera natura influenzando così la loro esistenza e togliendo loro la possibilità di esprimere la propria femminilità. Doti come l'intuizione, la creatività, l'arte, i sentimenti, si allontanano sempre più dal loro mondo. In nome del lavoro, queste professioniste spesso hanno dovuto sacrificare una parte della loro natura. È un fenomeno tipico delle società industrializzate.» La voce della curandera s'interruppe un momento, poi riprese: «Non confondere l'istruzione con l'educazione. Ci sono molti uomini ben istruiti e male educati e, al contrario, ci sono molti ignoranti che seducono proprio per la loro educazione: la vita quotidiana ce lo dimostra. Nella maggior parte dei centri "educativi" di oggi sono molti coloro che lavorano per distruggere la vita sulla terra mentre sono assai pochi quelli che lavorano per difenderla. Fra uno scienziato privo di morale e di coscienza e un ignorante educato è da preferire il secondo che non ti danneggerà mai quanto il primo».

Kantu rifletté un poco prima di rispondere a quanto sosteneva la sua maestra. Era vero, infatti, che nel mondo su dieci scienziati e studiosi, sette lavoravano per le industrie di armamenti o per altre che provocano l'inquinamento, solo due lottavano in difesa della vita sulla terra e appena uno cercava di preservare la conoscenza pura. Era anche vero che avevano arrecato più danni alla terra gli uomini civilizzati che gli umili agricoltori o cacciatori, quindi chiese: «Vuoi dire che sarebbe meglio che l'uomo non ricevesse un'istruzione?».

«Prima bisognerebbe educarlo e poi istruirlo. L'educazione è più importante di qualsiasi istruzione; s'impartisce già in seno alla famiglia, ogniqualvolta si insegna ad aver rispetto per la persona, per i suoi sentimenti. Questo tipo di educazione ha come scopo principale l'umanizzazione dell'uomo; l'istruzione, invece, persegue lo sviluppo della mente e della razionalità.»

«Ciò significa che la donna, per fare di se stessa una vera donna, deve rivolgersi per prima cosa al suo cuore e poi alla sua mente?»

«Esatto. Ciò che attualmente si sta facendo con la donna non è altro che bloccarne la femminilità. Nella scuola, nel collegio, nell'università, la donna apprende il pensiero maschile. Lì non insegnano né a conoscersi né a comprendersi.»

Kantu dovette riconoscere che la sua maestra aveva ragione. «E allora, dove, come dobbiamo educarci? Cosa dobbiamo imparare?» domandò estremamente interessata.

«Dovremmo creare un'istituzione educativa che risponda alle necessità e agli interessi della donna. All'epoca dell'Impero inca esisteva un'istituzione chiamata *Akllawasi* che aveva un orientamento palesemente femminile. Sfortunatamente sparì qualche secolo fa: prima venne chiusa dagli incas e successivamente venne distrutta dai conquistadores spagnoli. In quel centro s'insegnava che la donna è l'artefice della creazione e della consolidazione della società umana, l'asse attorno al quale ruotava quella società e che l'educazione doveva cominciare in casa. Perché educare e istruire un uomo vuol dire formare un individuo che potrebbe anche non lasciare nulla dietro di sé, mentre educare e istruire una donna vuol dire formare le generazioni a venire.»

«Mama Maru con questo vorresti dire che la donna educatrice deve iniziare il suo compito nella sua stessa casa? E se è così, come dev'essere quella casa?»

«La donna deve fare della propria casa un luogo di pace, di tranquillità, di stabilità, di felicità. Dovrà essere un piccolo centro nel quale poter educare il proprio compagno e i propri figli. Canalizzerà gli istinti di ognuno di questi suoi discepoli seguendo la loro specifica natura; ne svilupperà il carattere, ne modellerà le inclinazioni. Li guiderà verso la verità, la bontà e il rispetto per tutti gli altri esseri viventi perché l'educazione è vita.»

La giovane meditò un momento e poi chiese: «E qual è il ruolo dell'uomo nell'educazione dei figli?».

«La donna ha bisogno di un collaboratore maschio che assecondi il suo proposito educativo. È per questo che, nel momento in cui dovrà scegliere il suo compagno, dovrà farsi guidare dalla sua anima e non dai suoi occhi. Sì perché, se si unisce a un uomo è per percorrere tutta la sua vita insieme a lui, e con lui conoscersi, aiutarsi, appoggiarsi a vicenda.»

«E che ruolo hanno i figli nella vita di una donna?»

«Gli esseri che metterà al mondo, saranno un'elevazione per lei perché ogni figlio è un libro aperto dalla natura dal quale lei potrà imparare molte cose. La maternità è una scelta; non si tratta di una funzione meramente biologica, ma anche sociale, mentale, spirituale. Ci sono madri fisiche e madri spirituali. E, nel suo ruolo di madre, la donna è in grado di accrescere le virtù e smussare i difetti del temperamento umano.»

Mentre proseguivano la loro conversazione, la pentola sul focolare aveva preso a bollire e presto la cena sarebbe stata pronta. Di tanto in tanto Kantu aggiungeva rami al fuoco, seguitando a prestare attenzione alle parole della sua maestra. Mama Maru, invece, vedendo che era quasi tutto pronto, si sedette a riposare un po'.

Qualche istante dopo stavano mangiando in silenzio: Kantu pensava al fatto che essere una donna era cosa ardua. Nella scuola o all'università non le avevano mai parlato di queste cose; i maestri e le maestre avevano accennato qualcosa ma, nessuno di loro le aveva mai parlato dell'importanza dell'essere donna né tantomeno, di come doveva essere una vera donna. Si riferivano sempre alla donna in termini di sesso debole, di creatura inferiore, di serva fedele del marito, di essere che doveva sacrificarsi per il bene della famiglia. A volte avevano anche parlato della donna emancipata come di una ribelle, una che non voleva saperne del matrimonio, come se propugnare l'uguaglianza fra i sessi o sostenere la necessità dell'indipendenza economica equivalesse a un capriccio o peggio, a un attacco diretto alla supremazia maschile.

Non appena ebbero finito di mangiare le due donne si misero a rassettare e Kantu riprese le sue domande: «Nonna, come dev'essere la vita della vera donna?». La sua maestra la guardò a lungo e poi rispose: «La vera donna è una maestra di vita: guida il suo compagno, educa i suoi figli con l'azione, con gli insegnamenti, con l'esempio. Kantu, ricorda che nel cuore della donna risiede il pozzo della sapienza al quale attingono sia i geni che gli stolti. La donna ha bisogno di discepoli ai quali insegnare ad amare; l'uomo ha bisogno di una maestra che gli suggerisca degli ideali da poter concretizzare. Uomo e donna hanno ruoli differenti ma hanno bisogno l'uno dell'altra per completarsi. Un uomo senza donna non è nulla ma nemmeno una donna senza uomo è molto meglio. Separati siamo esseri incompleti alla ricerca di qualcosa che non troviamo; uniti, il vero uomo e la vera donna sono una forza.

La vera donna non ha bisogno di competere con l'uomo; è un essere dotato di qualità specifiche che è assurdo paragonare a quelle maschili. La donna in comunione, in cooperazione assoluta con il suo uomo, intraprende il cammino dell'amore, della verità, del rispetto delle leggi universali. Una vera donna cammina verso il futuro con amore, con dedicazione e accettazione. Ha uno sguardo sereno e parla con dolcezza e rispetto; c'è tenerezza nel suo cuore. La sua energia è costituita da vibrazioni più sottili che la elevano a un livello più spirituale. Per questo ancor oggi si dice: "La donna apre all'uomo la porta dell'eternità; la vera donna è una semi dea, figlia della *Pachamama*, della Grande Madre Cosmica, fonte di vita eterna". E così lei è il cammino verso l'eternità, la strada che permette di fondersi con l'infinito per imparare a comprendere e a realizzarsi nella vita».

«Cosa deve fare l'uomo assieme alla donna?» chiese Kantu molto interessata alla sua vita futura.

«L'uomo vicino alla vera donna si divinizza» spiegò con molta sicurezza Mama Maru. «Per scoprire i misteri della divinità l'uomo deve penetrare nel cuore della donna perché la *Pachamama* vuole solo ciò che la donna desidera. Se la *Pachamama* è amore, anche la donna lo è. L'uomo deve considerare la donna come la versione della natura creatrice la cui morale si basa sul rispetto per la vita.»

«In cosa consisteva, nel passato, l'educazione della vera donna?» domandò Kantu.

Osservando attentamente il suo volto Mama Maru prese

a spiegarle: «Anticamente, per imparare a essere una vera donna si doveva ricevere un'iniziazione. La donna entrava da sola nel Tempio del Puma dove vi rimaneva per sette giorni e otto notti. Adagiata su di una pietra del tempio conosceva e assaporava la vera solitudine. Nell'oscurità più assoluta affrontava la sua paura dell'ignoto e, immersa nel silenzio più impenetrabile, cercava di conoscere la sua vera natura; e ti assicuro che è una battaglia difficilissima. La lotta più dura da sostenere non è quella combattuta contro un avversario, uomo o donna che sia, ma quella sostenuta contro se stessi. Lì, dove non percepiva il benché minimo rumore, la donna cominciava a udire i suoni emessi dal suo stesso corpo: il battito del cuore, i suoni sordi dei polmoni, del fegato, del pancreas, dell'intestino, dello stomaco, delle ovaie... Ogni organo cominciava a intonare la propria musica: suoni mai uditi, mai ascoltati. In quel ritiro assoluto, attraverso la meditazione, la riflessione e l'analisi di tutta la sua vita, la donna vinceva i propri timori, le proprie paure, fino a scoprire chi fosse veramente e che cosa fosse venuta a fare sulla terra. Colei che entrava nel Tempio del Puma ne usciva preparata, consapevole del proprio potere e della propria forza. Così, persino la donna sterile poteva uscire in grado di concepire figli».

Kantu ascoltava estasiata le parole dell'anziana curandera, cercava di cogliere il significato di ogni parola, di ogni gesto di quella donna, che aveva già percorso una buona parte del proprio cammino. Con lo sguardo rivolto verso il fuoco, Mama Maru, continuò: «Ma, per poter cominciare la sua iniziazione, la donna doveva prima superare una serie di prove che mitigassero il suo carattere per poter quindi imparare, nel Tempio, a controllare a poco a poco il proprio corpo e la propria mente. Di tutto quel percorso, la lotta più grande che doveva affrontare era quella del controllo della mente. Lì dentro era continuamente assalita da paure e dubbi: doveva imparare ad avere fede, perché chi non ha fede in se stesso è perduto. Concentrata su se stessa, la donna ripercorreva con il ricordo tutto ciò che aveva fatto da quando era venuta al mondo. Per la prima volta in vita sua affrontava e giudicava se stessa. Rinchiusa in quel recinto la donna doveva imparare ad attraversare la porta dell'eternità senza timore. E se lo voleva davvero, ce la poteva fare» aggiunse, infine, Mama Maru, ponendo enfasi su quelle ultime parole.

«Tutte le donne possono, è solo questione di volontà. Se tu vuoi qualcosa, puoi; basta semplicemente che lo desideri con tutte le tue forze. Se, invece, la tua volontà è debole, fragile, allora non ce la farai. Una volta che avrai compreso la potenza che risiede dentro di te, potrai alzare la testa, guardare gli altri con amore e con dolcezza e agire, al tempo stesso, con serenità e determinazione.»

La mente di Kantu prese a viaggiare, giungendo fino alla casa di Mama Rosa, un'anziana contadina che si avvicinava assai alle descrizioni di Mama Maru. Sebbene non fosse una persona istruita, molti, fra uomini, donne e bambini, avevano riconosciuto in lei le virtù di una grande donna, di maestra, compagna, amica, sorella, consigliera. Era una donna rispettabile che trasmetteva simpatia e allegria. Si diceva che, quando era giovane, molti uomini avevano tentato di sedurla ma che, dopo averle parlato, avevano cambiato opinione imparando a rispettarla. Di tutte le case che Kantu aveva conosciuto, quella di Mama Rosa era l'unica dove regnasse davvero la felicità. Suo marito era profondamente innamorato di lei e i due erano legati da una storia e da una complicità che durava da più di quarant'anni. I suoi figli l'adoravano e lei era un vero esempio per le nuore. Qualsiasi giovane che si trovasse in difficoltà andava alla ricerca di un suo consiglio e, quando qualche donna del paese aspettava un bambino, sebbene nessuna glielo chiedesse, Mama Rosa preparava il corredino per il piccolo in arrivo. L'allegria che irradiava attraeva i bambini e lei, nei suoi momenti liberi, intratteneva quei piccoli raccontando loro con maestria qualche bella fiaba. Allo stesso modo, anche durante le riunioni sociali, era la persona attorno alla quale si stringevano sia uomini che donne e bambini. Le esperienze che raccontava non erano un'ostentazione di sé, ma storie interessanti e utili a tutti. Mama Rosa era esattamente il tipo di donna che Mama Maru stava descrivendo. Uscendo dal suo mutismo Kantu domandò: «Nonna, perché ci sono famiglie felici e famiglie infelici? In tutta la mia vita ho conosciuto una sola coppia di sposi felici e, a quanto pare, la donna di questa coppia corrisponde proprio alla descrizione che stai facendo. Eppure non capisco come abbia fatto quella donna ad adeguare il proprio carattere e il proprio modo di percepire il mondo a quello di suo marito».

Mama Maru si affrettò a risponderle: «Probabilmente quella donna si era preparata per diventare una vera donna e poi, usando la propria energia interiore, ha teso il *Pachachaka*[1], cioè il ponte cosmico. È possibile che lei abbia fatto transitare suo marito attraverso quel ponte conducendolo così all'Oceano dell'Amore nel quale risiede il Divino».

«Non capisco cosa vuoi dire» replicò Kantu.

«Coloro che entravano nel Tempio del Puma imparavano a tendere un ponte; era una delle prove che dovevano superare. Tu stessa, per superare la prova, dovrai dimostrare di poter tendere il *Pachachaka* per poter condurre, poi, l'uomo che ami verso l'eternità. Attraverso la donna, l'uomo può giungere all'assoluto; per questo è così importante

1 Ponte cosmico, ponte dell'eternità.

per lei imparare a indirizzare la propria energia. La donna ha il potere di liberare l'uomo dal materialismo. In questa vita se una donna riesce a fare in modo che l'uomo s'incammini verso la piena realizzazione di sé, questi rimarrà al suo fianco come un discepolo. Grazie a lei l'uomo, condannato altrimenti a rimanere schiavo del proprio materialismo, riceverà il fuoco che gli permetterà di essere creatore. Se la donna riuscirà a tendere quel ponte di energia, l'uomo che lo percorrerà saprà che lei è il cammino capace di condurlo alla divinità. È per questa ragione che la vera donna deve darsi completamente al suo uomo; solo donandosi totalmente a lui questi riceverà la forza e l'energia necessarie per attraversare il *Pachachaka* e giungere così davanti alla Madre Divina e al Padre Divino, riconoscendosi come loro figlio. Di fronte alla divina presenza diverrà un vero uomo, ovvero, un *Runa*[2], un essere umano amoroso, rispettoso, studioso della vita.»

«Adesso comincio a capire una cosa che mi ha sempre inquietata e cioè come siano riuscite, certe donne, a influire sui loro compagni sebbene non fossero fisicamente belle» rifletté Kantu.

«In quel luogo, tempio del tempo e dello spazio, la donna imparava a entrare in armonia e in pace con se stessa. Oggigiorno, nelle città, migliaia di donne vivono in completa disarmonia. L'armonia è fondamentale affinché ogni elemento si uniformi a quell'unità chiamata Essere e la donna possa così godere della vita con calma, tranquillità, sicurezza. La donna che conosce l'armonia manterrà la serenità anche nei momenti più difficili; i suoi occhi rifletteranno la purezza della sua anima e s'illumineranno della sua bellezza interiore, quella che non si deteriora mai. Con il passare degli anni

2 Si definisce così l'essere umano che vive in armonia con la Natura.

la sua bellezza fisica risentirà dell'effetto del tempo, mentre quella interiore ne avrà giovamento, crescendo ulteriormente. Una donna armoniosa godrà di maggior salute e giovinezza che, condivise con il suo compagno, allungheranno la sua esistenza. Il suo corpo sarà una panacea per il suo consorte e, grazie alla sua enorme energia vitale, potrà alleviarne e curarne le malattie in modo più rapido e dolce.»

L'anziana tacque. Un gran silenzio invase tutta la stanza portando con sé un'atmosfera di serenità che invitava alla meditazione. Kantu rimase per qualche istante con lo sguardo rivolto verso il basso, pensierosa; poi, come se si fosse improvvisamente risvegliata da un sogno, infranse il silenzio chiedendo una cosa che aveva sempre desiderato sapere: «E cosa deve fare una donna per essere iniziata?».

«Deve ritornare all'utero della *Pachamama* e immergersi nell'oceano della vita. Lì dovrà entrare in contatto con la propria intimità e in armonia con gli elementi simpatici: la terra e l'acqua. Solo così lo spirito potrà manifestarsi. Dovrà imparare a sovrapporsi al dubbio, al timore, al dolore, alla paura, alla disperazione, alla stanchezza, al fastidio, alla frustrazione, alla disillusione. Mediante quella prova saprà se il suo corpo lavora in armonia con la sua mente nell'individuazione del pericolo. Grazie alla preparazione ricevuta imparerà a vedere e a sentire nell'oscurità, a capire se è il momento di pazientare oppure quello d'agire e, non appena i suoi sensi l'avviseranno dell'esistenza di un pericolo imminente, saprà affrontarlo facendo ricorso alla sua prudenza, alla sua saggezza, alla sua calma e alla sua serenità. E, quando finalmente sarà riuscita a superare qualsiasi tipo di pericolo, allora imparerà a viaggiare nel tempo e nello spazio.»

«È importante imparare a viaggiare nel tempo e nello spazio?» chiese Kantu.

«È fondamentale» rispose Mama Kantu. «Durante le notti trascorse nel Tempio del Puma, la donna imparerà che il tempo e lo spazio sono una cosa sola, da conoscere e da attraversare. Imparerà a viaggiare andando avanti e indietro dall'infinito perché il tempo e lo spazio sono contigui e non divisi e, così facendo, visiterà piccoli e grandi mondi lontani. Potrà anche attraversare lo spazio interiore, penetrando nella mente degli altri e anticipando così gli eventi. E così, mentre una persona comune si sta avviando, la vera donna è già di ritorno: era così che le nostre ave viaggiavano nel tempo e nello spazio.»

«Ciò che dici mi sembra fantastico» disse Kantu meravigliata. «Davvero è possibile?»

«Ti dirò di più» continuò Mama Maru. «Colei che usciva dal Tempio del Puma sapeva anche controllare gli elementi. Tu sapevi che in natura esistono degli elementi che la muovono e che, di fatto, sono quelli che la fanno funzionare? L'uomo ubbidisce loro e li usa, ma questi possono a loro volta controllare l'uomo, se egli li lascia agire. La vera donna impara a conoscere e a controllare con dolcezza gli elementi naturali. Se solo lo desidera, l'iniziata può provocare o fermare le piogge, le inondazioni, gli incendi, le tempeste e le eruzioni vulcaniche.»

«Credo che anche l'uomo possa muovere questi elementi» specificò Kantu.

«Solo l'uomo iniziato è in grado di farlo perché unicamente attraverso la conoscenza, la saggezza, l'amore e la volontà, gli elementi si possono avvicinare a lui. Ma la donna iniziata è più potente.

Nella donna, più che nell'uomo, vibrano delle correnti sottili che emanano una luce bellissima capace di attrarre gli elementi della natura. Anche loro, proprio come noi, sono dotati di sentimenti, sebbene a un altro livello: vivono nella terra, nel vento, nell'aria, nella pioggia, nel fuoco. Non è possibile comandarli, ma è possibile chiedere loro di fare qualcosa per noi. Non per nulla esiste un'espressione che recita: "Chiedi e ti sarà dato". La donna chiede molto spesso, ma prima dovrà imparare come farlo, perché una cosa è chiedere o suggerire e un'altra ben diversa è ordinare.

Con voce dolce, la donna amorosa è capace di frenare gli elementi naturali; se la donna dice "placati, vento" o "placati, tempesta", poco a poco questi si acquieteranno. Nei periodi di siccità, come quello che stiamo vivendo adesso, le vere donne chiedevano acqua dicendo: "Possiamo avere un po' d'acqua, per favore?" e, qualche istante dopo, scendevano degli acquazzoni che colmavano gli aridi solchi formatisi nella terra. La donna, con la dolcezza, è capace di vincere gli elementi naturali che combattono anche dentro il suo stesso corpo; una volta riuscitaci, sorgerà la donna maestra, la condottiera dell'umanità.»

Kantu si mise a pensare alle fate protettrici, alle maghe, alle streghe: erano tutte donne. Anche le veggenti più famose erano donne. Si ricordò della famosa leggenda della grotta nella quale un potente capobanda aveva fatto nascondere dei magnifici tesori facendo poi chiudere l'entrata con una porta che si apriva solo al suono di una formula magica, che soltanto lui conosceva. Disgraziatamente durante un combattimento quell'uomo morì, portando con sé il segreto di quella formula. Per anni, diversi uomini ambiziosi cercarono invano di aprire la porta; ritti davanti a quella pietra immobile alcuni pronunciarono parole strane, altri minacce e altri ancora parole volgari, ma nessuno riuscì mai ad aprirla. Finché un bel giorno, una donna che conosceva l'esistenza del tesoro nascosto nella grotta, si presentò accompagnata da un bambino affamato. Decise comunque di provare laddove altri avevano fallito e disse: «Porticina, ti apriresti per favore?» e, al suono di quelle semplici parole, la porta si aprì donando così alla donna il tesoro che custodiva.

Tutto pareva dimostrare che la donna possedesse davvero poteri a lei sconosciuti. Kantu rifletté un poco prima di porgere un'altra domanda alla sua maestra:

«Nonna, se una donna supera le prove del Tempio, allora sarà una donna di potere?».

«L'iniziata che esce dal Tempio del Puma è più saggia, più sensibile; possiederà le armi del sapere, del potere, del volere, del fare e dell'ardire. Avrà imparato anche ad agire e a rimanere in silenzio. Colei che incontra se stessa, entra in possesso di un potere terrificante: il potere di vita o di morte che la donna userà, non in beneficio suo, ma in quello degli altri.»

«Perché anticamente la donna era una parte imprescindibile dei sacrifici?»

«Perché solo la donna è in grado di usare il suo cuore stillando amore. Sono molte le donne che si sono sacrificate per amore di un uomo, dei figli o della comunità: ricorda che per ricevere bisogna dare. Se dai amore, riceverai amore. L'uomo, a differenza della donna, non può capire queste cose perché la sua mente e le sue vibrazioni spirituali non possiedono la sensibilità necessaria per percepirle; la donna, invece, sa che l'amore è il fondamento sul quale si basa l'esistenza della società.»

«A me non sta più bene di dover dipendere da un uomo» replicò Kantu. «Non voglio più essere il suo giocattolo.»

«Non sto parlando della donna che si aggrappa a un uomo qualsiasi e che è schiava delle sue passioni» rispose Mama Maru. «Sto parlando della donna che si dona a un uomo che lei ha scelto come compagno, con il quale sente di poter intraprendere il cammino della conoscenza.»

Rimasero in silenzio e Kantu ne approfittò per osservare

meglio la sua maestra, quell'anziana che stava imparando a conoscere. Condori aveva detto di lei che era una donna di potere e lo aveva detto con profondo rispetto: «È capace di smuovere le montagne, di provocare la pioggia, di trovare tesori nascosti, di curare le malattie più difficili e persino di fare molto male, se lo vuole. Lei ha scelto il cammino del servizio, della dedizione e dell'altruismo; vive umilmente e con semplicità perché lei lo ha voluto. Se solo volesse, potrebbe avere tutto ciò che desidera».

Davanti a Kantu c'era quel personaggio, quella donna poveramente vestita che viveva in una piccola capanna e si alimentava a stento. E, mentre la guardava, le venne alla mente ciò che proprio lei le aveva detto a proposito delle donne: «La donna è capace di sopportare i sacrifici più tremendi perché sa di essere la base del Tempio, la leva che solleva la terra, colei che semina le idee nel cervello dell'uomo, facendone un essere positivo o negativo. La salvezza dell'umanità è nelle mani della donna che, non appena diventerà una vera donna, s'incontrerà con altre vere donne e tutte insieme, unite, potranno salvare la terra».

«Come fai a essere sicura di questo?», incalzò Kantu.

Mama Maru rispose: «Esiste una profezia secondo la quale la terra, all'inizio del Terzo Millennio subirà dei grossi cambiamenti climatici che si ripercuoteranno sulla salute, sull'economia, sulla organizzazione sociale della umanità. I *Payakuna* e le *Machukuna* tramandano che giungerà il momento in cui lo spirito femminile si risveglierà da un lungo letargo durato più di cinque secoli, per dare, infine, origine a un mondo di pace e di armonia».

«Allora cosa può fare ogni donna per favorire la realizzazione di questa profezia?»

«Fintanto che nel cuore della donna continuerà a brillare la luce dell'amore il mondo sarà salvo ma, se quell'amore scemerà, allora l'odio e l'indifferenza dilagheranno e finiranno col distruggerlo.

La donna è il ponte teso verso l'eternità, è il senso dell'ordine morale, intellettuale, spirituale, è uno stato di coscienza. Non appena l'uomo avrà realizzato lo scopo per il quale è venuto sulla terra, non appena si sarà unito al cielo e alla terra, allora si ricongiungerà con il Creatore e la donna sarà il ponte che gli permetterà di accedere a lui.»

Quando aveva pronunciato quelle parole colme d'insegnamenti la figura di Mama Maru aveva acquisito la solennità della grande maestra e ora che Kantu la stava guardando attentamente, le sembrò che una tenue aureola di luce avvolgesse tutta la sua persona.

«Nonna, vuoi dire che noi donne dobbiamo guidare gli uomini?»

«È nostro compito essere le loro maestre; la vera donna è sempre stata una maestra. L'uomo è un alunno difficile e capriccioso, ma la donna, con tenerezza, semplicità e pazienza saprà educarlo e illuminarlo. Solo così la donna potrà portare a termine la sua missione» e, detto ciò, l'anziana curandera rimase in silenzio.

Ora la giovane discepola sapeva, almeno in teoria, ciò che l'aspettava. Doveva solo decidere se affrontarlo oppure no. In quella decisione, la più importante della sua vita, non c'era spazio per le vie di mezzo: o tutto o niente. E lei sapeva che se voleva vincere avrebbe dovuto superare la sua paura; non aveva altra scelta. Ci pensò sopra un attimo e poi, con tutta la sua grande forza di volontà e la sua enorme risolutezza di donna innamorata disposta a tutto per conquistare l'uomo che ama, balzò in piedi e muovendo un passo in avanti, esclamò: «Mama Maru, sono disposta ad affrontare qualsiasi cosa!».

La voce della donna serpente, allora, risuonò nelle sue

orecchie: «Sarai sufficientemente forte e padrona di te stessa da poter affrontare qualsiasi prova?».

Lei fece di sì con la testa.

«Allora, avanti. Sei arrivata a un punto dal quale non si può più tornare indietro. Domani cominceremo le prove per farti diventare una vera donna» disse la curandera.

Fu così che Kantu offrì anima e corpo all'ignoto; sapeva che non sarebbe più potuta tornare indietro nemmeno se lo avesse voluto, ma era decisa ad arrivare fino in fondo, anche a costo di morire.

Chiunque avesse potuto vedere gli occhi di Kantu in quel momento, avrebbe visto tutta la luce che irradiavano, segno che la sua energia interiore si stava muovendo, che si stava sviluppando. Sulla ragazzina sottomessa, timorosa, indecisa e caotica di un tempo stava cominciando ad affiorare la donna forte, decisa, coraggiosa, che presto sarebbe diventata. La vita era dura e lei si stava preparando per imparare a farle fronte. Grazie alle parole e agli insegnamenti di quell'anziana curandera, la giovane discepola stava riscoprendo i poteri che la natura regala a ogni donna ma che poche sono consce di possedere.

Dopo cena le due donne prepararono i loro modesti letti e andarono a dormire. Kantu non riuscì a prendere sonno immediatamente. A occhi aperti, nel buio della sua stanza, si mise a pensare a cosa avrebbe fatto in futuro se tutto fosse andato bene, se fosse davvero riuscita a superare delle prove sicuramente ancora più dure di quelle che aveva dovuto affrontare fino a quel momento; doveva avere fiducia.

Attraverso la finestrella della sua stanza volse lo sguardo al firmamento. In qualche punto di quell'immenso cielo ci doveva essere anche la stella che guidava i suoi passi. La cornice della piccola finestra ne isolava una che brillava di una luce speciale. La contemplò a lungo e poi le disse: «Se sei la stella incaricata di dirmi che supererò la prova continua a brillare, altrimenti smorzati». Per un istante la luce della stella si fece ancora più luminosa come se volesse annunciarle che avrebbe percorso con successo il suo cammino. Kantu la contemplò fino a quando i suoi begli occhi si chiusero e lei si addormentò con un beato sorriso dipinto sulle labbra.

# 12
# CON LA VOLONTÀ SI PUÒ VINCERE LA PAURA

Immersa nel silenzio delle alte montagne, lontano dal frastuono del mondo civilizzato, Kantu seguitava a esercitarsi per riuscire a domare il serpente d'energia che viveva in lei, con Mama Maru che continuamente la poneva di fronte a nuove difficoltà. Un giorno la curandera la condusse in un luogo segreto che non si era mai soffermata a guardare. Il posto si trovava a una cinquantina di metri sopra la casa di Mama Maru.

«Per proseguire il tuo apprendistato», le spiegò la curandera «dovrai entrare in contatto con gli elementi affini alla donna: la terra e l'acqua. Dovrai tenere presente che una donna è in grado di fare tutto ciò che vuole ma che, per riuscirvi, deve prima vincere la paura facendo ricorso alla propria volontà.»

La giovane discepola ascoltò con attenzione e reverenza le parole della maestra mentre questa le mostrava una porta celata dalla vegetazione. Dietro agli arbusti si nascondeva una struttura in pietra completamente coperta da una roccia enorme. Mama Maru esercitò una pressione su uno spigolo della roccia fino a quando questa non si mosse, scoprendo una cavità che si apriva su una grotta.

«Questo posto è una *Paqarina*[1], l'utero della terra nel quale la donna dovrà addentrarsi per poter rinascere. Anticamente le donne serpente venivano iniziate proprio qui e, al posto della casa nella quale stiamo vivendo, s'innalzava il tempio segreto di *Amaru*. Era il posto nel quale venivano iniziate anche le grandi donne del *Tawantinsuyo*, le *Qoyakuna*[2] detentrici dei sacri conoscimenti. *Qoya* significa "colei che conosce la scienza sacra, colei che ha visto in faccia il Grande Spirito". All'arrivo degli spagnoli, uomini violenti e ignoranti, i nostri antenati cancellarono ogni traccia di questo posto. Quegli estirpatori di idolatrie passarono di qui senza trovare nulla perché i templi furono coperti o spostati e l'unica cosa che rimase furono proprio questi nostri santuari sotterranei. Furono molte le maestre che temprarono il loro carattere in queste gallerie; queste terre e i templi sacri del nostro popolo sono impregnati del passaggio e dello spirito di quelle donne.»

Le due donne si addentrarono in quella profondissima cavità con le pelli e le coperte che si erano portate appresso. Lungo la grotta si snodavano una serie di gallerie tondeggianti dalla struttura bizzarra, tutte di andesite, una roccia comune in quella zona.

«Questa galleria ha la forma di un serpente che striscia sinuosamente formando una specie di onde. La luce arriva solo fino a un certo punto, poi sparisce immergendo la grotta nella più assoluta oscurità. Le rocce, inoltre, assorbono ogni rumore, quindi i tuoi occhi non vedranno e le tue orecchie non udiranno assolutamente nulla» le spiegò Mama

1 Luogo di nascita, luogo di rinascita.
2 Guardiane dei conoscimenti sacri.

Maru e, detto ciò, si addentrò ancora più profondamente per riapparire poco dopo e aggiungere: «La galleria ha un solo ingresso, quindi, qualsiasi cosa succeda, non potrai perderti. Ma ricorda: la prova consiste nel rimanere in questo posto senza uscire fino a quando te lo dirò io. Seguimi!» ordinò a Kantu, dopo aver acceso la lanterna che aveva con sé.

Le due donne si addentrarono ancor più nella grotta. Mama Maru avanzava facendo luce con la lanterna e Kantu la seguiva in silenzio, pensierosa fino a quando, spinta dalla curiosità, chiese: «Mama Maru, vuoi dire che dovrò rimanere qui da sola?».

«Esatto» rispose l'anziana. «Qui dovrai imparare a temprare la tua volontà. Sistema qui le pelli e le coperte con cui ti riparerai dal freddo e gli alimenti dei quali ti ciberai. Osserva attentamente questa galleria perché, una volta che me ne sarò andata, potrai procedere solo a tentoni. E ricordati che, se a un certo punto deciderai di uscire da qui perché non riesci più a sopportare il silenzio o l'oscurità, potrai farlo, ma sarai una donna sconfitta.»

«No, no» disse Kantu «ti ho già detto che sono disposta a tutto.» E ricacciando il nodo che si sentiva in gola, decise di affrontare la prova.

«Mama Maru, quando verrai a trovarmi?» le domandò con tono affettuoso.

«Uscirai quando te lo dirò io. Hai cibo e acqua sufficienti per diversi giorni. A presto, colombina» le disse dandole una pacca sulla spalla. Poi sparì inghiottita dal buio, portando con sé la lanterna.

Non appena la curandera se ne fu andata Kantu sperimentò una sensazione mai provata prima d'allora. Quel silenzio non era scalfito nemmeno dal più piccolo rumore, nemmeno dal più lieve mormorio; in quel posto le tenebre regnavano sovrane. Qualcosa le fece pensare di aver attraversato la dimensione della vita e di essersi addentrata nel regno della morte. Era l'unico essere vivente del luogo. I suoi cinque sensi erano tutti presenti, ma non poteva usare né la vista né l'udito; alla mercé degli altri tre, si sarebbe vista costretta ad affinare la sua capacità ultrasensoriale pér mantenersi allerta, per mantenersi calma, viva. Cercò di accomodarsi in un angolo dove, a tentoni, sistemò le pelli nel modo più confortevole. Si inginocchiò e si avvolse nelle coperte cercando di proteggersi dall'umidità del posto che le stava già penetrando nelle ossa.

Respirava in modo ritmico e ascoltava il suono prodotto dall'aria che entrava e usciva dai suoi polmoni. Fintanto che riuscì a concentrarsi sulla respirazione, rimase tranquilla, ma quando si distrasse, sentì il peso di tutta quell'oscurità, a lei ignota, che la circondava. All'improvviso le sue narici presero a dilatarsi e mille pensieri affollarono la sua mente. Le sembrò che un insieme di entità nefaste e maligne la stesse circondando nel tentativo di trascinarla via: un brivido la scosse completamente e fu invasa da una paura sempre più intensa. Avrebbe voluto fuggire da lì, fuggire da quell'oscurità assoluta, minacciosa, mortale e accettare la sconfitta. Pensieri di paura, di pericolo, di dolore e di morte si accavallarono nella sua mente ed ebbe la sensazione di ritrovarsi in un ambiente carico di potenza psichica. Percepì una strana atmosfera in quel buio corridoio: era come se le rocce respirassero. Senz'ombra di dubbio in quel posto c'era vita, doveva senz'altro essere popolato da esseri invisibili, forse addirittura da spiriti maligni. Da un momento all'altro si aspettava di udire emergere da quel silenzio assoluto una voce sepolcrale. La solitudine di quel luogo, unita a quelle oscure tenebre che la opprimevano, che la soffocavano, era terrificante. Una paura meschina che si faceva mano a mano sempre più palpabile, si agitava dentro di lei. C'era qualcosa di malvagio, di pericoloso in quel posto, come ombre maligne che svolazzavano da una parte all'altra o una sorta di immagini sinistre, di volti satanici pronti a scagliarsi contro di lei. Si fece coraggio pensando che, in passato, molte donne ardite e decise a tutto, persino a sfidare la morte, erano passate di lì. Con i pugni serrati, pronta a difendersi da qualsiasi aggressore, si preparò ad affrontare la lotta per la sopravvivenza e, per infondersi maggior coraggio, si disse: «Calmati, Kantu. Sii forte e accetta l'inevitabile. Ora o in qualsiasi altro momento saresti dovuta passare per un'esperienza difficile; questo non è altro che un passo in più verso la tua meta. Nessuno ti ha costretta a farlo; l'hai voluto tu».

Il cuore le batteva all'impazzata. Un sudore freddo percorse tutto il suo corpo facendole accapponare la pelle. Una suprema minaccia sovrastava lei e quel posto. Il silenzio era irriducibile e si aspettava che, da un momento all'altro, un botto, un morso oppure degli uncini si sarebbero appigliati al suo corpo. Per farsi animo si disse: «Quando entrammo alla luce della lanterna non vidi bisce, ragni e pipistrelli, né tracce di animali feroci; se ci fossero emetterebbero stridii e versi».

Per un attimo si calmò, poi venne di nuovo assalita da altri brutti pensieri. Non ci saranno, per caso, delle presenze d'oltretomba come gli spiriti delle donne che trionfarono in questo posto oppure che furono sconfitte proprio da forze invisibili? si chiedeva. Un timore imprecisato le seccava la gola, le faceva rizzare i capelli e una sensazione negativa cominciò a dibattersi nuovamente dentro di lei. Avrebbe voluto scappare, lasciarsi tutto alle spalle e precipitarsi fuori, ma la sua ferrea volontà riuscì a imporsi a quell'istinto e alla fine decise di rimanere, sebbene si sentisse completamente prosciugata da tutta quella tensione. A volte le pareva addirittura che affiorassero, non sapeva bene da dove, grida, urla atroci, visioni terribili. Ancora una volta, per tranquillizzarsi e per farsi coraggio, congiunse premendo con tutte le sue forze il pollice contro il dito medio di entrambe le mani, tecnica che, secondo Mama Maru, infondeva serenità e proteggeva da ogni pericolo.

Il tarlo del dubbio s'insinuò sempre più dentro di lei e, poco a poco, nella sua mente cominciarono ad apparire immagini che adottarono forme definite: esseri mostruosi, deformi, sinistri che andavano avanti e indietro per la grotta alimentando in lei un'indefinibile sensazione d'inquietudine che le stava facendo perdere il controllo. Il suo cuore pareva il rullo di un tamburo, ma lei era decisa ad andare avanti e, sebbene quelle immagini fossero riuscite a intimorirla e ad allarmarla, ritrovò nuovamente le forze e si fece animo. Decise di rimanere, pensando che molte donne prima di lei avevano superato quella tremenda prova; sapeva che anche la più piccola esitazione le avrebbe impedito di portare a compimento il suo proposito. Quella prova impostale da Mama Maru era una forma di tortura, di abuso nei confronti della sua anima ma, in fondo al suo cuore, c'era qualcosa che la spingeva ad andare avanti fino a trionfare. Sulla scia di quei pensieri riuscì a recuperare per un istante la serenità, ma poi giunse il momento culmine della sfida.

Alla sua mente si affacciò una nuova schiera di figure grottesche e fantasmagoriche, di mostri usciti dagli inferi che le davano una repulsione fino ad allora mai immaginata, serrandola in una paura mortale che la induceva a urlare. Ma, ancora una volta, facendo appello alla sua volontà di ferro e al suo autocontrollo, rimase lì ferma, in silenzio, con le mandibole serrate e i muscoli tesi, pronti a combattere. Avanzò di un passo come per attaccare, decisa a lottare contro tutti e, per farsi forza, lanciò il grido di guerra delle donne incas accompagnato da parole d'incoraggiamento. L'eco della sua voce rimbombò tanto da farle scaldare il sangue nelle vene, infondendole ancora maggior sicurezza. E fu così che quelle tremende visioni scomparvero, come dissolte nel nulla, permettendole di riacquistare un po' di calma e di serenità. I suoi nervi tesi, quasi a pezzi ormai, si rilassarono completamente; ora Kantu sapeva che poteva vincere la paura.

Ma quella sensazione cambiò ancora quando cominciò a sentire una nuova presenza che, anziché farle paura, le dava forza e coraggio: un essere luminoso la guardava con occhi amorevoli trasmettendole una sensazione di sicurezza e di pace. Accanto a quell'essere, subito dopo, apparve un'altra figura luminosa; entrambe si fermarono al suo fianco. Erano due donne vestite come le Vergini del Sole, circondate da un alone luminoso che esaltava la loro lucente presenza: doveva trattarsi di due sacerdotesse dell'antico Impero Inca. Le due visioni rimasero immobili e, con le mani congiunte sul petto, la contemplarono in silenzio. Poi le loro labbra si schiusero: «Perché sei venuta in questo posto, figlia mia?» le chiese la più anziana delle due. «Non ti basta la tua bellezza? Stai facendo questa prova per conquistare un uomo? Di uomini ce ne sono tanti» disse. «Vattene di qui! Torna dai tuoi parenti e dai tuoi amici e vedrai che presto lo dimenticherai.»

Probabilmente stava solo udendo con le orecchie dell'anima, perché nella grotta il silenzio continuava a regnare sovrano, eppure rispose: «No, no. Rimarrò qui fino alla fine. Se non posso conquistare quell'uomo, per me non ha alcun senso essere donna».

L'eco delle sue parole dilagò per tutta la galleria per poi diluirsi nel silenzio più assoluto. I due esseri si guardarono e fu di nuovo la più anziana a parlare: «Stai inseguendo un'illusione che ti sta allontanando dai limiti della ragione; potresti anche perderti per sempre. Vattene, sei ancora in tempo, e vivi come tutti gli altri».

Kantu mormorò a denti stretti: «Ho già percorso molta strada. Sono decisa ad arrivare fino in fondo, non ho altra scelta. Il mio cammino è questo; non c'è via di ritorno, per me».

Allora la sacerdotessa fece un passo avanti e disse: «Possiedi il coraggio e la forza sufficienti per diventare una di noi. Ma ricorda: ora non sei più una donna come le altre. Potresti anche divenire una donna solitaria. Saresti disposta a vivere in quel modo?».

«E perché no? Se non posso conquistare l'uomo che amo, saprò continuare da sola» rispose convinta.

A quel punto anche la seconda sacerdotessa parlò: «La tua volontà è forte e la tua determinazione lo è ancora di più; per questo ti staremo sempre accanto e sapremo consigliarti. Rimarrai sempre sotto la nostra ala protettrice... Sdraiati sul letto che ti sei preparata!».

Kantu si stese supina rilasciando il corpo, i muscoli. Qualche istante dopo il suo corpo iniziò a perdere energia, a farsi pesante. Si trovava in uno stato di semi veglia e, improvvisamente, ebbe la strana sensazione che la sua fine fosse ormai vicina. Sentì che tutto il suo essere si ripiegava verso l'interno, verso la parte più profonda di sé. Il suo respiro s'indebolì sempre più e cominciò a cadere in una sorta di letargo. Stoicamente si preparò per accettare l'inevitabile: la propria morte. Il freddo aumentò gradualmente, invadendola, paralizzandola completamente fino a quando fu colta da un attacco cardiaco. Improvvisamente sentì che un vortice di energia la lanciava verso l'alto, verso lo spazio infinito, verso l'ignoto e poi... fu di nuovo libera. Sperimentò delle sensazioni completamente nuove, affiorarono alla sua mente un'infinità di pensieri e, improvvisamente, si produsse una sorta di esplosione, uno spettacolo di fuochi artificiali, e il suo essere si espanse nell'universo. Forse aveva abbandonato il suo involucro terreno e ora si trovava in una dimensione diversa, priva di peso e di forma. Si vide appesa a un sottilissimo e lunghissimo filo di luce. Si stava librando nello spazio in mezzo ai corpi celesti che potevano attraversarla: era diventata un essere etereo. Ma, all'improvviso, una mano invisibile la costrinse a tornare sulla terra e la voce di una delle sacerdotesse la ricondusse alla realtà: «Devi sapere, figlia mia, che le *Akllakuna* anticamente seguivano questi riti e che, mediante quest'esperienza, potevano entrare in una dimensione diversa, che permetteva di comprendere la loro vera essenza di donne e di conoscere il potere insito in loro stesse e che dovevano mantenere segretamente vivo; lo trasmettevano unicamente alle donne in grado di superare qualsiasi difficoltà. Porta dentro di te questo insegnamento. Nella donna è racchiuso il destino dell'umanità; è lei la modellatrice della razza umana, la creatrice. La donna incarna l'amore ed è la messaggera della *Pachamama*, la nostra madre divina che ama ogni cosa. La donna è il canale della vita governato da leggi impercettibili mosse dall'amore, al quale successivamente accedono anche gli uomini». Quindi la sacerdotessa continuò: «Figlia mia, oltre a sapere che sei una donna molto potente, dovrai dedicarti anche a cercare nel tuo cuore il cammino che ti condurrà alla *Pachamama*. Il mistero dell'esistenza è il mistero della tua stessa anima; è per questo che per conoscerti dovrai avventurarti nel tuo mondo interiore, penetrare in quella zona sconosciuta del tuo essere nella quale ritroverai la tua anima. Solo così, nella parte più profonda del tuo essere, incontrerai il tuo tempio. Solo così potrai apportare il tuo contributo alla realizzazione della profezia secondo la quale in questo ciclo cosmico il risveglio del femminile permetterà di risanare le ferite inferte a madre natura. Ora ci saluteremo ma, ricorda, saremo sempre con te. Addio». E così dicendo, gli esseri luminosi si dileguarono.

Kantu cercò di parlare ma non vi riuscì; ignara di dove si trovasse e di come si sentisse, percepiva solamente una rigidezza mortale, l'inerzia di tutte le sue facoltà. Spinta dal desiderio di muoversi, di tornare alla vita, facendo uno sforzo immane riuscì a muovere prima una mano, poi un braccio fino a che, poco a poco, tutti i suoi muscoli rigidi e atrofizzati cominciarono a risvegliarsi. Il suo corpo recuperò flessibilità e movimento: la vita tornava al suo essere e Kantu aprì gli occhi su quell'impenetrabile oscurità. Il suo corpo rabbrividì e, in preda all'agitazione, gridò: «Aspettate. Non andatevene!».

Il silenzio fu la risposta a quel grido.

Da quel momento l'oscurità che regnava nella grotta sembrava non inquietarla più. La sua mente entrò in uno stato d'armonia e di serenità e il suo corpo reclamava un profondo sonno ristoratore. Si coprì con le coperte e si sdraiò di nuovo chiudendo gli occhi e sprofondando nel regno dell'incoscienza. Quando si svegliò non seppe dire quante ore avesse dormito; non sapeva se fosse giorno oppure notte ma si sentiva più tranquilla. Aveva fame e quindi mangiò e bevve qualcosa. La grotta aveva cessato di sembrarle un luogo minaccioso, quindi si dispose a fare ciò che Mama Maru le aveva detto: meditare, ritrovare se stessa, analizzare minuziosamente la sua vita cercando di trovare la rotta.

Aiutata dalle tenebre, dalla solitudine e dal silenzio, Kantu ripercorse lentamente, passo per passo, la sua storia personale, analizzando tutto ciò che aveva fatto, quello che avrebbe potuto fare, oppure ciò che avrebbe fatto se solo ne avesse avuto la possibilità. E così trascorse molte ore alternando la meditazione e la riflessione al silenzio e al sonno. Dormiva tutto il tempo che voleva, mangiava solo quando aveva fame e beveva quando aveva sete. Se era passato solo un giorno oppure l'eternità, questo lei lo ignorava. Non aveva coscienza del tempo trascorso: sapeva solo che non sarebbe potuta uscire di lì fino a quando Mama Maru non glielo avesse ordinato. Iniziò, quindi, a confrontare la sua esistenza con quella degli altri: quella di sua madre, di suo fratello, di suo padre, dei suoi amici, oppure quella di Juan.

L'ultima tappa della sua preparazione consisteva nel guardare con gli occhi della sua anima. Mama Maru le aveva detto che per vedere con quegli occhi avrebbe dovuto mantenere le palpebre abbassate. E così fece, cercando per molte ore di ottenere una qualche sensazione visiva, ma senza riuscirvi. Per non cadere nella tentazione di aprire gli occhi se li coprì con una benda. All'improvviso, cominciò a vedere un certo chiarore, al principio offuscato poi sempre più visibile e, dopo qualche ora, riuscì a definire i contorni della grotta. Sorpresa, si ritrovò in una gigantesca grotta arrotondata. Si sentiva come un lombrico che aveva scavato una galleria circolare più grande di lui. Avanzò di qualche passo e, stupita, si accorse che poteva vedere al buio, che poteva percepire le rocce vicine muovendosi senza correre il rischio di ferirsi o d'inciampare: la grotta le sembrava luminosa. Finalmente capì ciò che Condori e Mama Maru avevano tentato di spiegarle riguardo agli occhi dell'anima: la nostra luce interiore può guidarci attraverso le tenebre. "Ho imparato a vedere al buio! Spero che questa mia luce interiore non si spenga mai" pensò, per poi esclamare a voce alta: «Grazie *Pachamama*, tenera e amorosa madre! Hai dato alle donne numerosi doni e poteri e io sono una delle poche fortunate che è giunta fino al tuo ventre e che ora può vedere il mondo esterno affacciata al tuo ombelico».

L'esperienza appena vissuta fu seguita da un dolce relax. Guardò il suo letto improvvisato, lo sistemò, ci si adagiò per riposare un po', ma cadde in un sonno profondo. Trascorsero diverse ore e, quando si svegliò, accanto a lei c'era Mama Maru.

«Bene», disse, «la tua permanenza in questo posto è giunta al termine. Puoi uscire.»

Mosse gli occhi da un lato all'altro e, solo in quel momento, si accorse che stava guardando Mama Maru attraverso la benda. La figura della curandera era nitida e una luce azzurrognola sembrava circondare tutto il suo corpo.

«Mama Maru», disse Kantu sbigottita «posso guardare al buio: ti sto vedendo.»

«È proprio così» disse la curandera. «Da questo momento gli occhi dell'anima ti guideranno attraverso l'oscurità; potrai camminare nella notte più scura e vedere ciò che le altre donne non vedono. Il tuo sguardo interiore ti permetterà di vedere l'ignoto ma, ricorda, non appena aprirai i tuoi occhi fisiologici, la finestra della tua anima si chiuderà. Quando vorrai guardare con gli occhi dell'anima, dovrai abbassare le palpebre; solo così apparirà questo tipo di visione.» Poi, cambiando argomento, aggiunse: «Bene, è giunto il momento di uscire da qui. Raccogli le tue cose e seguimi mantenendo ancora per un po' gli occhi bendati. Devi abituarti gradualmente alla luce del sole. Ti dirò io quando togliere la benda».

Si diressero lentamente verso l'uscita della grotta. A un certo punto Mama Maru disse: «Fermati. A partire da questo momento useremo i nostri occhi fisici».

Kantu, allora, si tolse la benda e, in lontananza, laddove l'oscurità si faceva meno densa, scorse un minuscolo punto luminoso che, a ogni passo, si faceva sempre più definito e visibile. Mano a mano che avanzavano la luce si fece sempre più forte fino a diventare uno splendore intenso. Aspettò fintanto che i suoi occhi non si riabituarono alla luce del giorno, quindi si diresse verso l'uscita. Quell'oceano di luce l'avvolse completamente, mentre un fresco venticello giocava con la sua chioma. Quando chiese a Mama Maru per quanto tempo era rimasta nella grotta, questa rispose: «Vi sei rimasta il tempo necessario alle donne per conoscersi. Io ti ho vegliata e seguita da fuori, nel caso ci fosse stato il bisogno di venirti in aiuto. Ma non è stato necessario: ci sei riuscita anche senza di me».

«Grazie, Mama Maru, per la tua dedizione e le tue attenzioni» disse la giovane.

L'anziana curandera la guardò e Kantu si accorse che il suo sguardo era dolce, tenero ma, al tempo stesso, determinato. Non disse niente; si limitò a sorridere mentre caricava le coperte e le pelli. Si diressero quindi verso la casa di Mama Maru; Kantu la seguiva a distanza, camminando con passo deciso. Aveva appena vissuto un'esperienza per la quale c'erano voluti nervi d'acciaio. Le due donne procedevano in silenzio e, non appena giunsero alla casa, dopo aver sistemato al loro posto coperte, pelli e tutto il resto, Kantu si mise di fronte all'anziana, che le disse: «La prova che hai appena superato e che è durata diversi giorni ha dimostrato la grande fiducia che nutri in te stessa, fiducia che ti ha permesso di esercitare un controllo sul tuo corpo e sulla tua mente. Se così non fosse stato, saresti uscita di lì a gambe levate oppure saresti impazzita. Ma il tuo apprendistato non finisce qui. Ci sono altre prove piuttosto dure da affrontare, ma ora riposati un poco e recupera le forze. E ricorda: la donna che ha fede in se stessa, colei che ha fiducia nelle proprie forze e nella propria energia interiore, è quella che esce vincente da ogni situazione».

Dopo qualche giorno di riposo, le due donne s'incamminarono verso le montagne caricando dei grossi pesi sulle spalle, al modo andino. Mama Maru le aveva detto: «Per entrare definitivamente in sintonia con te stessa dovrai ancora affrontare un'altra prova e, a questo scopo, andremo alla foce del fiume, alla *Mamaqocha*[3], dove entrerai in contatto con l'elemento acqua». Stando a quanto diceva Mama Maru, in quel luogo doveva esserci una cascata la cui acqua, cadendo con forza, era riuscita a scavare ai suoi piedi una profonda grotta.

Camminavano già da diverse ore in direzione del fiume Vilcanota e Kantu si sentiva stanca. Le acque del fiume provenivano dalle nevi dell'Ausangate e la tradizione diceva che erano fonte di vita. Avevano percorso molti chilometri attraversando quelle aride montagne, salendo e scendendo lungo stretti sentieri che ne costeggiavano i fianchi o le gole e avevano persino guadato qualche ruscello. Ora stavano percorrendo un sentiero per animali che si apriva al loro passaggio. Di tanto in tanto incontravano terreni coltivati che offrivano un autentico spettacolo di colori: dal verde scuro degli eucalipti al verde chiaro dei cereali, al colore dorato dei campi di grano che cominciavano a sfiorire o al color caffè dei campi seminati a quinoa.

I contadini avevano fatto di quelle terre la loro casa. La vita di campagna era dura, ma quella gente lavorava con entusiasmo servendosi di mezzi assai rudimentali. In un appezzamento che affiancava il sentiero sul quale camminavano videro quattro donne e un uomo chini sulla terra: le donne nelle loro vesti variopinte sulle quali risaltava il rosso e con un cappello che le proteggeva dal sole; l'uomo vestito di grigio e blu, anche lui con un cappello. Ignari della loro presenza continuarono a lavorare: stavano raccogliendo *isaños*, dei tubercoli andini, amari se consumati crudi, ma dolci se cotti. La curandera disse voltandosi verso Kantu: «Presto arriveremo al posto nel quale rimarrai per qualche giorno. Domani, notte di plenilunio, l'acqua scenderà ancora più

[3] Sorgente madre.

carica di energia e sarà allora che dovrai entrare in contatto con quest'elemento».

Kantu non disse nulla; continuò a camminare in modo quasi automatico, intenta a osservare le persone che lavoravano quelle terre. Alla sua sinistra vide un uomo e un bambino e, accanto a loro, una coperta bianca, ormai sporca di terra; sulla coperta, alcune patate probabilmente appena raccolte con la *raukana*, la tradizionale zappa a mano. Erano talmente concentrati su quello che stavano facendo da non accorgersi nemmeno delle due viandanti. Poco più in là, un uomo e tre donne raccoglievano la quinoa tagliando uno a uno i gambi che poi sistemavano su una coperta variopinta. Un lieve venticello che proveniva dalle montagne li accompagnava durante il loro lavoro.

Quando giunsero sul posto, Mama Maru disse alla sua discepola: «Il passo successivo per dimostrare di essere una vera donna, sarà trascorrere qui tre notti. Preparati un letto in questa grotta per riscaldarti quando sentirai freddo ma, ricorda, non ti ci dovrai mai addormentare. Cerca di essere forte, qualsiasi cosa succeda».

Detto ciò se ne andò senza aggiungere altro. Poco a poco la figura della curandera si rimpicciolì fino a scomparire lungo il cammino per il quale erano arrivate.

Non appena rimase sola nella grotta, Kantu si avvolse nella coperta per proteggersi dal freddo e dall'umidità della cascata. Si preparò per passare la sua prima notte al fragore dell'acqua che cadeva dall'alto rompendo l'immobilità del laghetto sottostante. Presto sarebbe sopraggiunta la notte e, guardando il sole calare dietro le montagne, Kantu ricordò le parole di Mama Maru: «In quel posto scoprirai un altro aspetto della donna. Noi siamo intimamente unite alla terra e, in modo ancora più speciale, all'acqua. L'acqua è il nostro elemento ed è con essa che dovrai familiarizzare adesso».

Prima di essere condotta alla grotta, era rimasta a digiuno per due giorni; passati i due giorni lei e Mama Maru avevano eseguito un rito di fertilità in onore della *Qocha Mama*[4] in una sorgente nelle vicinanze. Per il rituale avevano usato molti fiori e balsami che poi avevano gettato nelle acque della sorgente che sgorgava dall'interno della montagna. Ripensò a lungo a ciò che le aveva detto Mama Maru quindi chiuse gli occhi e prese a meditare. Lo scrosciare dell'acqua, quasi una monotona cantilena, fungeva da sottofondo musicale infinito. Rifletté sul suo saper essere donna e scoprì che non esisteva una risposta diretta, precisa, a una domanda tanto grande. Aveva studiato che, fisicamente, lei era il frutto di una complessa base organica che dava origine a una determinata circostanza genetica che avrebbe, infine, definito la sua personalità sessuale e genitale. Aveva riflettuto molto sul fatto che essere donna era completamente diverso dall'essere uomo. Ed era proprio per quello che, ora, si trovava in quel posto; in quei tre giorni avrebbe forse imparato quale fosse la vera essenza femminile. Oltre alle cosce sode, ai fianchi generosi, a due natiche rotonde e a un seno prorompente, doveva pur esserci qualcos'altro nella donna.

Era così difficile definire cosa fosse una donna. Aveva conosciuto madri, sorelle, bambine e amiche e forse, consciamente o inconsciamente, si era pure identificata con qualcuna di loro, probabilmente con la madre o con la zia. Era convinta che la donna fosse un essere umano completo e che la sua permanenza sulla terra fosse guidata da desideri, sensazioni, sentimenti e idee che le facevano assumere un determinato atteggiamento, una determinata condotta di fronte alla vita.

[4] Dea che rappresenta la fonte della vita, la laguna nella quale ha origine la vita, il mare.

Al principio aveva scoperto che una parte molto potente di sé era situata fra il cuore e la zona perineale: il suo sesso. La scoperta della sua sessualità era stata condizionata da fattori ambientali. Come tutte le donne del mondo, anche lei aveva ricevuto un nome speciale: Kantu. Pensò al nomignolo che le avevano appioppato da piccola: *fagiolino*, per il fatto di essere irrequieta e allegra. Era un soprannome che, per molto tempo, aveva dato nell'occhio e che era stato difficile, poi, far dimenticare a quanti lo avevano conosciuto. Kantu significava "bel fiore" ed era considerato il nome simbolo della vita e dell'amore. Ora era cosciente del suo nome e di quanto significasse per lei.

Poi si ricordò dei giochi, dei giocattoli, dei vestiti e degli ornamenti da lei usati fin dalla tenera età. Ripensò a tutto ciò che aveva fatto prima di trasformarsi in una persona adulta. Adesso capiva i giochi ai quali aveva dovuto prendere parte per il semplice fatto di essere donna. In questa società, pensava, la donna è vista come un oggetto da decorazione, un possedimento, una mercanzia in balìa degli uomini, siano essi sposi o amanti. Attraverso la televisione, la radio o le riviste, i venditori di illusioni attribuiscono alla donna un mero valore decorativo: comprare un'automobile, un barattolo, un pacchetto di sigarette implica l'eccitazione condizionata che passa attraverso la donna. La pubblicità di molti prodotti, constatava, sovente si serve dell'immagine di una donna procace e adeguatamente svestita. Lo scopo era sempre e solo quello di generare una necessità d'acquisto nei lettori e negli spettatori.

In quella grotta riparata da ogni contatto umano, al fragore della cascata, Kantu continuava a meditare. Nella sua vita, fino a quel momento, la sua immagine aveva subito un lento deterioramento e lei aveva spesso adottato una condotta diversa da quella che le corrispondeva. Due persone diverse avevano vissuto dentro di lei: la vera Kantu e quella finta che si mostrava agli altri. Questo sdoppiamento l'aveva allontanata dai fini essenziali della vita e, soprattutto, l'aveva spersonalizzata tanto da impedirle di riuscire a valorizzare pienamente il suo essere donna, con la conseguenza di creare in lei una gran confusione. Questo suo modo di agire non le consentiva di realizzarsi pienamente come donna. Per adeguarsi al modello che la società le imponeva, aveva dovuto rinunciare all'onestà verso se stessa e alla sua stessa intimità, ricavandone danni che parevano irreparabili.

Con il passare degli anni, nel suo intimo, era affiorato quel timore d'invecchiare tipico delle donne, che altro non era, se non il frutto della visione infantile di se stessa. Ora, però, conosceva il segreto per poter condurre un'esistenza ricca e per mantenere la propria vitalità, anche quando non fosse stata più tanto giovane. La vitalità è la gioventù dell'anima, è l'accettazione di se stessi, l'armonia ritrovata.

E mentre così meditava, il mormorio delle acque cambiò. Le sembrò che ora, mescolandosi fra loro, emettessero un suono quasi impercettibile, come se volessero comunicarle qualcosa. Poco a poco cominciò a entrare in comunicazione con esse: all'inizio percepì una musica confortante e, successivamente, sentì chiaramente che la cascata le stava parlando. La sentiva narrare racconti, leggende, storie fantastiche di luoghi vicini e lontani, parlare di mondi divini, di vite passate e future. Ma udiva anche suoni ineffabili, canzoni e melodie mai ascoltate, che la proiettavano in un mondo magico e incantato.

Di tanto in tanto apriva gli occhi, sospendeva la meditazione e usciva a contemplare il paesaggio, il cielo azzurro, le nubi che si spingevano verso est, le montagne argentate oppure velate dal niveo manto delle nubi.

Quella notte vide sorgere la luna da dietro una di quelle

candide montagne: fu uno spettacolo impressionante. Una tenue luce umettata sembrava avvolgere l'intero paesaggio e, come se quella fosse una notte magica, una notte di fantasia, le sembrò di scorgere degli esseri eterei che acquisivano vita. I contadini erano soliti dire che nelle notti di luna piena gli *Ñaupakuna*[5] o gli antichi, si risvegliavano alla vita. E proprio lì accanto a lei, cominciarono davvero a sfilare persone che indossavano indumenti antichi e che recavano con sé i propri strumenti da lavoro. Gli uni superbi ed energici, gli altri allegri oppure assorti, sfilarono tutti davanti ai suoi occhi. Il chiarore della luna lasciava intravedere le loro forme leggere e trasparenti e forse, proprio per quello, quella prima notte Kantu si sentì invadere da un certo timore.

All'indomani, verso le dieci di mattina, Mama Maru giunse alla cascata portando con sé una massa viscosa dal sapore sconosciuto che non aveva mai assaggiato prima; affamata, Kantu la divorò ma, poco dopo, fu colta da attacchi di vomito e da una forte diarrea.

«Queste erbe ti purificheranno. Devi schiudere la percezione del tuo essere in modo da poter entrare in contatto con gli spiriti dell'acqua» le aveva detto Mama Maru prima di andarsene.

Rimasta nuovamente sola, Kantu passeggiò un poco per i dintorni e infine si preparò per trascorrere la sua seconda notte lì, in veglia. L'ordine era proprio quello: non doveva dormire. Per vincere il sonno, si mise a pensare a persone di sua conoscenza, come Mama Santusa e Tata Facundo. Cosa stavano facendo in quel momento? Abitavano ancora nella loro casa di Coporaque? Forse, a quell'ora, i due anziani, marito e moglie, stavano chiacchierando o forse stavano già

[5] Un'umanità anteriore alla nostra. Le leggende narrano che questi vennero annientati con il fuoco a causa della loro arroganza e del loro orgoglio.

dormendo. Il suo pensiero si posò anche su Julicha, un bimbo vivace e giocherellone, figlio di una sua vicina, che non si stancava mai di ballare. Con quel suo cappello color crema dalle frange multicolori, la casacca rossa, i pantaloni beige consumati e i sandali di cuoio, percorreva grandi distanze lungo il sentiero inca per badare al bestiame lasciato a pascolare sulle montagne.

Le ritornarono alla mente i racconti uditi da piccola sulla cascata incantata presso la quale i musicisti più famosi della regione avevano lasciato i loro tamburi, i flauti, i mandolini, le chitarre e gli altri loro strumenti assieme ad alcune monete. Si raccontava che nelle notti di luna piena dalle acque della cascata emergessero degli esseri fantastici, delle bellissime sirene che emergevano per pettinare i loro aurei capelli con pettini d'argento.

Si ricordò anche di ciò che suo padre le aveva raccontato a proposito di un pastore di uno dei casolari vicini al loro che, stando a quanto si diceva, aveva incontrato una sirena. Quell'uomo non aveva mai visto una donna in vita sua e, quando incontrò la sirena, se ne innamorò perdutamente. Questi aveva riferito che la donna non misurava più di trenta centimetri, ma che era di una bellezza straordinaria. Suo padre le diceva che dal giorno di quell'incontro il pastore perse completamente la ragione e che, alla fine, morì.

Le cascate, pericolose per alcuni, magiche per altri, erano proprio il posto in cui lei sarebbe dovuta entrare in contatto con il suo elemento: l'acqua.

All'improvviso si ricordò di Juan. Cosa stava facendo in quel momento? Si trovava in montagna, oppure in qualche paesino? Forse stava dormendo con una donna. Pensare a lui non le causava più l'inquietudine di un tempo, ma un sentimento di tristezza e di dolore la invase istantaneamente e sentì il desiderio di piangere. Era come se il rumore dell'acqua le stesse dicendo: «Lasciati andare, versa le tue lacrime. Questo è il tuo elemento».

E, come una nube carica di pioggia, Kantu cominciò a piangere sconsolatamente. Buttò fuori tutta la sua rabbia, la sua impotenza, la sua amarezza, la sua tristezza, il suo dolore. Le sue lacrime si unirono all'acqua della cascata trascinando con sé tutto il peso accumulato durante quegli anni di solitudine. Una volta sfogatasi e rasserenatasi, fu colta dal sonno. Cominciò a sonnecchiare, ma immediatamente si ricordò dell'ordine ricevuto: sarebbe dovuta rimanere attenta e vigile tutta la notte.

Passò varie ore a riflettere, cercando di capire come dovesse essere una donna. Sopraggiunse nuovamente l'enorme desiderio di dormire, ma riuscì a mantenersi sveglia quando ecco che, improvvisamente, udì una musica che, poco a poco, invase la grotta fino a colmarla completamente. Quella melodia armoniosa sorgeva dall'acqua con un ritmo e una cadenza che la permeava d'amore e di tenerezza, di tristezza e di dolore. In quello stesso istante udì anche una dolce voce che diceva: «Il giorno in cui amerai, conoscerai e rispetterai te stessa, scoprirai che la terra comunica con te, che la *Pachamama* possiede un linguaggio attraverso il quale le montagne ti parlano, i fiumi ti mormorano e le sorgenti ti consigliano. Allora saprai che sei un tutt'uno con l'universo, che sei come l'acqua che si espande. Il giorno in cui ti accetterai davvero, orizzonti sconosciuti ti si schiuderanno e una musica mai ascoltata giungerà alle tue orecchie». Kantu si sentiva come una melodia che, poco a poco, fluiva lungo le acque della cascata, quell'acqua che era lei stessa. La musica di quell'acqua aveva spazzato via ogni cosa, schiudendola a una nuova vita, a un nuovo cammino.

«La donna è un'immensa varietà d'incanti» le sussurrava un'altra voce. «Il suo potere di ammaliare gli uomini è enorme. I suoi occhi illuminano con una misteriosa e soggiogante luce; il suo alito ha l'aroma dei fiori e la sua affascinante bellezza è un invito alla vita, all'amore. Essere donna vuol dire incarnare un essere speciale che è, al tempo stesso, montagna, bosco, lago. Un essere in seno al quale si origina la vita. Nel suo corpo vi sono cime innevate, crepe e vallate attraverso le quali l'acqua scorre intonando un'infinità di canti. Anche i passeri si librano fra i fiori e le piante colorate; l'orso si disseta con l'acqua e assapora i fiori e i colibrì dal becco appuntito vanno di fiore in fiore, succhiando il nettare della vita.

Se sei donna, sei compagna della natura e il tuo camminare è un pellegrinaggio. Sei nata donna per insegnare al mondo a stare più vicino alla *Pachamama* perché tu sei l'espressione più profonda dell'amore. Ma ricorda, anche tu, come tutti gli altri elementi della natura, puoi essere portatrice d'amore oppure di odio, di discordia. Allo stesso modo in cui puoi ospitare dentro di te una vegetazione bella e rigogliosa dalle montagne maestose e dai paesaggi incantati, puoi anche portare in te il deserto, terreno sterile, privo di vita.»

L'incessante scroscio dei getti d'acqua che scendevano la inebriò. Lentamente Kantu si sentì diluire in innumerevoli goccioline... e viaggiò! Scivolando lentamente lungo le rocce e le pietre del fiume, giunse fino al mare dalle onde enormi e lì tutto il suo essere si espanse nell'immensità dell'oceano. L'andirivieni delle onde e la melodia dell'acqua la invase completamente. Vide la sua immagine danzare un ballo di sogno e di fantasia assieme a sirene e tritoni sorridenti all'interno di un bellissimo palazzo. Musica e canti, portatori di un'immensa allegria, l'avvolgevano in un vortice di energia. La luce della luna, frastagliatasi in mille colori delicatamente mescolati e diluiti fra loro, illuminava tutto quel paesaggio.

Quel magico spettacolo di dileguò al chicchirichì di un

gallo lontano. Chissà da dove proveniva quel canto! La luce dell'aurora s'insinuava lentamente nel suo rifugio. Dall'interno della grotta Kantu guardò le montagne e vide che piano piano la luce dell'alba s'imponeva alle tenebre. Qualche istante più tardi uscì. Quelle stesse masse scure che si muovevano tra la cordigliera e il cielo presero a tingersi di un colore dorato allo spuntare del re di tutti gli astri. Il planare maestoso di un condor animò quello scenario. Chissà quali messaggi stava portando ai grandi spiriti protettori delle piante e degli esseri umani!

Quando i raggi del sole si posarono sulla cascata si formò un arcobaleno: di fronte a quello spettacolo di luce e colori Kantu capì perché gli indios adoravano l'acqua e l'arcobaleno.

La terza notte la ragazza udì ancora una musica sprigionarsi dall'acqua. Le note musicali animavano uno scenario fantastico sul quale le immagini acquisivano vita e colore: la natura si mostrava in una sinfonia di colori e di suoni. Al ritmo di quel meraviglioso fondo musicale, mantenendo gli occhi chiusi Kantu poteva proiettarsi dove voleva: a Cuzco oppure nella comunità nella quale era cresciuta. Poteva rivedere anche paesaggi già contemplati: un tramonto visto da una montagna, un'alba in campagna, i passeri che volteggiavano. Evocò un colibrì della cordigliera, con il suo dorso verde, il petto giallo paglierino, le ali nere; il colibrì dalla coda lunga, di color verde oppure quello gigante; le coppie di oche silvestri delle Ande, i passeri, le colombe e i pappagalli dalle piccole dimensioni.

Poi ripensò a certe persone, a Tiburcio, con il suo poncho rosso adornato da disegni geometrici mentre suonava abilmente il flauto. Era un ragazzo irrequieto, Tiburcio, dalla lingua lunga che si divertiva a fare scherzi a chiunque. Udì le note del suo strumento come se stesse suonando lì, accanto a lei. Con nostalgia ripensò ai suoi genitori, ai suoi fratelli, ai suoi amici; per un momento le parve di averli vicini, le sembrò di udire le loro voci, le loro risa, le loro burla. Alla fine sentì che anche Juan era vicino a lei, anima e corpo, con quel suo modo di fare, i suoi gesti; le sembrò di udire la sua voce parlare d'amore. Speranzosa di poterlo vedere davvero, aprì gli occhi ma lui non c'era eppure, se li richiudeva e ascoltava il suono dell'acqua, poteva averlo lì, accanto a sé. Ora sapeva di non essere più sola, che non lo sarebbe stata mai più. Amore e dolore affiorarono contemporaneamente in lei nel ripensare a Juan. Per amore e solo per amore, aveva affrontato tutto quello. Una sensazione di sicurezza e di piacere invase tutto il suo essere mentre ascoltava il suono dell'acqua che penetrava sino all'anima. Ora sapeva quanto doveva sacrificarsi una donna per conquistare l'uomo che amava.

Non appena comprese il messaggio delle acque, seppe di essersi fusa ad esse e che donna e acqua, insieme, formavano un tutt'uno. Da quel momento la sua anima sarebbe sempre stata come l'acqua, musicale e libera di espandersi per sempre nell'oceano della vita.

# 13
# CONOSCERE L'UOMO E LA DONNA

Mancavano pochi giorni all'arrivo di Condori. Il tempo trascorreva velocemente fra il lavoro, le lezioni di Mama Maru e i momenti di meditazione e riflessione. Come in un film, azioni e scelte della sua vita passata, dalle più insignificanti alle più importanti, sfilavano nella mente di Kantu.

Ripensava al suo primo incontro con Juan e a quanto fosse cambiata da allora. Iniziava a capire che quella relazione amorosa aveva dato una svolta radicale alla sua vita e l'aveva resa dipendente da un uomo. Spesso, nel ricordare i suoi incontri con lui, provava una rabbia profonda verso se stessa: quando si ritrovava davanti a lui tutte le sue certezze crollavano come un castello di carte mentre questo non valeva per lui. Cosa significava ciò? Perché l'uomo e la donna reagiscono in un modo tanto diverso? Perché lei amava Juan con tutte le sue forze mentre lui si limitava a desiderarla? Lui diceva d'amarla, ma si faceva vivo solo quando aveva voglia di lei, per poi sparire di nuovo. Quando erano insieme, la voce di Juan sapeva farsi flebile come un sussurro, ammaliandola; lo sguardo di lui si faceva tenero e premuroso. Come credere che le sue parole non fossero dettate dal cuore? La supplicava di rimanere con lui, di fare l'amore, di non lasciarlo, poi, colmato il suo bisogno di affetto e il suo desiderio sessuale, si trasformava; l'uomo tenero e affettuoso che qualche minuto prima l'aveva adulata e coccolata, diventava improvvisamente freddo, lontano, lasciandola sola con i suoi dubbi.

Mama Maru l'aiutò a trovare la risposta alle tante domande che l'assillavano. Come se leggesse il suo pensiero le disse: «L'uomo e la donna non sono uguali, ma complementari. In natura, ciò che è assente nell'uno è presente nell'altro e viceversa. Uomo e donna sono profondamente diversi nel corpo, nella mente e nello spirito. Essi colgono la realtà attraverso i sensi che sono però sintonizzati a frequenze diverse in base alla loro natura; di conseguenza vedono il mondo da prospettive differenti. L'uomo si interessa più alla forma delle cose, al loro aspetto esteriore mentre la donna ne vede la profondità, si interessa alla loro bellezza, a tutte le loro sfumature».

Kantu sospirò; non capiva il modo di pensare degli uomini e ciò la preoccupava. Amava appassionatamente Juan; se glielo avesse consentito gli si sarebbe consacrata con devozione pur di stare al suo fianco, ma lui se ne era andato. Non capiva l'essenza dell'amore, lui.

Con voce pacata e serena, Mama Maru continuò: «Con gli anni sono arrivata a comprendere questa verità: l'uomo è diverso da noi. Un tempo credevo che fossimo uguali, che pensassimo nello stesso modo, che volessimo le stesse cose. Ma la vita insegna e, a volte, in modo assai crudele».

«E adesso sai come sono gli uomini?» chiese Kantu guardandola attentamente.

Il viso di Mama Maru era sereno, sgombro da tracce di tristezza o di dolore, sul suo volto vi era solo comprensione.

Nonostante i suoi settant'anni sembrava molto più giovane; la sua bellezza era ancora intatta e, guardandola, era facile intuire che aveva amato molto e che aveva imparato molto da ogni suo incontro con l'amore. Solamente una volta, mentre stava parlando, Kantu aveva visto disegnarsi una piccola ruga sulla sua fronte.

Con lo sguardo fisso a terra l'anziana rispose: «A forza di guardarli e di osservarli ho imparato a conoscerli bene e, ora, questa mia conoscenza degli uomini mi serve solo per consigliare e insegnare alle più giovani. Non posso ricorrere a essa per ricostruire la mia vita: gli anni passano e la natura segue il suo corso. Se, con l'esperienza che ho ora, ricominciassi ad amare non commetterei certo tutti gli errori che feci da giovane. Sono una vecchia divenuta saggia alla dura scuola della vita. Dobbiamo unire la mia esperienza e le mie conoscenze con la tua giovinezza e il tuo entusiasmo per fare di te una donna speciale, una vera donna, in grado di muovere le colonne di energia presenti in ognuna di noi».

«E a cosa mi servirà studiare le differenze fra uomo e donna? Potrò usare queste conoscenze per fare in modo che il mio uomo rimanga accanto a me?» chiese quasi imbarazzata dalla ammissione di un interesse tutto personale.

Mama Maru la osservò attentamente, cercando di leggere su quel giovane volto i suoi pensieri, i suoi timori, i suoi desideri. Aveva cominciato a volerle bene, ad apprezzarla. Vedeva in lei una donna decisa, potente, generosa, piena di ideali e, al tempo stesso, una giovane che poco sapeva dell'amore, che iniziava ad aprirsi alla vita e soffriva per il suo primo amore. Poi riprese: «Conoscerne le differenze ti aiuterà a comprendere gli uomini, a sapere ciò che pensano, ciò che vogliono, ciò che desiderano. In questo modo saprai a chi dedicare la tua vita. Il tuo corpo, la tua anima, il tuo essere non devono essere donati a chi non li merita. Quando ti donerai a un uomo sarà per aiutarlo a crescere, per condurlo lungo il cammino dell'amore. Gli insegnerai ad amare e, grazie alla forza di quell'amore, la vostra potrà essere un'unione luminosa; se non lo farai la tua vita sarà sterile. Dovrai imparare ad aiutare gli uomini a ritrovare la loro essenza spirituale. Solo così ti eleverai e diverrai un essere di luce».

Kantu rimase per un istante in silenzio a riflettere su quanto Mama Maru aveva detto. L'anziana, nel frattempo, continuò a filare sul suo piccolo fuso, facendolo girare veloce come una trottola. Poi, rompendo il silenzio, Kantu trovò il coraggio di chiedere: «Mama Maru, potresti dirmi a cosa ti è servito conoscere queste differenze?».

La donna si voltò a guardare la giovane negli occhi; interruppe il suo lavoro e, come se stesse ricordando tempi lontani, le rispose con un sorriso: «Figliola, quando le ho comprese ho conosciuto l'essenza dell'essere donna; un essere privilegiato, dotato di un potere straordinario... e ho capito l'essenza della mia stessa vita. Grazie alle conoscenze acquisite, avrei potuto mettere ai miei piedi qualsiasi uomo, ma, ormai, era una cosa che non desideravo più e scelsi di aiutare gli altri a crescere. Ho amato intensamente ogni uomo con il quale ho condiviso qualche istante della mia esistenza. Poi giunse il momento in cui compresi che il mio amore non si sarebbe mai spento. Avevo vissuto la mia vita intensamente, ne avevo capito i segreti, avevo dato tutta me stessa e avevo ricevuto in cambio esperienza e saggezza. Fu allora che decisi di ritirarmi dal mondo. Ora, in questo luogo così appartato, completo la trama del tessuto della mia vita e mi preparo per entrare, un giorno, nella dimensione che c'è oltre la vita».

«Mama Maru, scusa se ti sembro impertinente, ma non riesco a capire perché è finita la tua storia con Ronald.»

Mama Maru si fece dapprima seria poi, sorridendo, le rispose: «Terminato il mio apprendistato per diventare curandera, accettai di rimanere con Ronald perché lo amavo. Ma iniziai a guardarlo con occhi diversi. Lo studiavo anche quando facevamo l'amore. Ero cambiata molto e avevo capito che per conquistare un uomo bisognava donarsi completamente a lui.

Quando iniziai a conoscerlo davvero, feci del mio meglio per aiutarlo a diventare un vero uomo. Vissi con lui diversi anni sforzandomi di farlo cambiare, ma mi fu possibile solo in parte perché non è facile modificare una personalità e cancellare i tanti condizionamenti sociali. La sua famiglia non mi accettò mai completamente; mio figlio mi rifiutava e riconosceva come sua madre l'unica donna con la quale aveva sempre vissuto: la nonna. E Ronald, da parte sua, che aveva paura di sua madre, non mi restituì mai mio figlio che è cresciuto senza avere al suo fianco un padre premuroso e la sua vera madre. Mio marito aveva un carattere fragile, si rifiutava di crescere e viveva in un mondo di ipocrisie e di immoralità. Trascorreva quasi tutto il giorno al Palazzo di Giustizia che per me, invece, rappresentava il "Palazzo dell'Ingiustizia". Grazie ai miei insegnamenti imparò ad amare, a rispettare i sentimenti degli altri, a essere giusto. A poco a poco il suo modo di vedere le cose cambiò e il suo modo di essere si modificò almeno in parte, ma, come dice il proverbio, "ciò che si ha per natura, sino alla fossa dura". Quando ritenni di aver fatto con lui tutta la strada necessaria, considerai concluso il mio compito e lo lasciai. È inutile dedicare la propria vita a una persona che non la merita o che non ha il coraggio di crescere. E così un giorno decisi di andarmene, ma rimasi la sua amica e consigliera.

Iniziai allora a dedicarmi al commercio. A quel tempo non esistevano ancora i mezzi e le strade di oggi; la merce veniva trasportata a dorso di animale. Attraversavo le valli e gli altipiani, si barattava frutta secca, foglie di coca e mais con carne stagionata, *chuño*, *qañiwa*, salgemma e altri prodotti. Durante uno di quei viaggi conobbi Julián Maywa, un uomo che viveva ai piedi della montagna Ausangate. Trascorsi con lui dieci intensi anni ricchi d'amore e di felicità fino a quando, un giorno, venne colpito da una polmonite fulminante e morì.

Smisi di viaggiare e mi stabilii a Calca. Lì conobbi Isidoro Tejsi, un giovane che s'innamorò perdutamente di me. Riuscii a rimettere insieme i pezzi della sua vita distrutta da una relazione precedente. Si era sposato con una meticcia che, per il semplice fatto che era povero e indio, lo trattava come uno schiavo. Sopravvivevano a fatica. Quando sua moglie lo lasciò per un altro uomo che le offriva maggiori sicurezze economiche, lui crollò in un abisso di disperazione. Riuscii a restituirgli la fiducia in se stesso, dandogli tutto il mio affetto e dedicandomi completamente a lui. Lo incoraggiai a cambiare vita e a pensare in modo positivo, a studiare, a diventare economicamente indipendente. Feci di lui un vero uomo e lo incoraggiai a cercarsi una donna giovane con la quale formare una famiglia; io volevo riprendere a viaggiare e a fare nuove esperienze. Era povero, ma aveva un lavoro che gli piaceva e aveva acquisito molta sicurezza in se stesso. Ora ha una piccola impresa di trasporti, è felicemente sposato e io sono contenta per lui. Ogni volta che vado a Calca lo vedo: lui continua ad amarmi, o almeno così dice, e a considerarmi la sua maestra; di tanto in tanto mi confida i suoi problemi e mi chiede consigli.

Poi conobbi un giovane; lui aveva venticinque anni, io quarantacinque. Nonostante la differenza d'età s'innamorò di me; diceva d'amarmi, mi parlava della sua vita, di ciò che aveva fatto e di ciò che gli avevano fatto. Quando venni a sapere delle sue disastrose relazioni amorose precedenti, provai compassione e decisi di rimanere con lui. Mi piaceva, non mi sono mai data a un uomo che non amassi o che, almeno, non mi piacesse. Passammo insieme otto anni felici; lui mi adorava e mi desiderava ardentemente. Voleva un figlio da me ma io, che ormai non potevo più averne né tantomeno ne avrei voluto, lo spinsi a cercare un'altra compagna. Gli insegnai tutto ciò che un uomo deve sapere per rendere felice una donna. Fui la sua maestra; con pazienza gli insegnai ad avere fiducia in se stesso, ad amare andando oltre la semplice attrazione sessuale, ad avere rispetto per se stesso e per gli altri. Lo lasciai con una donna più giovane con la quale avrebbe potuto avere i figli che tanto desiderava. La nostra separazione lo fece soffrire molto ma capì che era la cosa migliore per lui. Oggi siamo ancora amici e lui ha una bella famiglia.

Tutti gli uomini con i quali ho vissuto mi hanno amata e io ho amato loro. Quando saprai comprendere la loro diversità, allora inizierai a conoscerli; conoscendoli inizierai a capirli e, una volta che li capirai, comincerai ad amarli in un modo che va al di là del possesso dei loro corpi o delle loro vite» concluse l'anziana risolutamente.

Kantu non aveva mai analizzato quali potessero essere le differenze tra lei e Juan e, desiderosa d'imparare, chiese: «Mama Maru, cos'è che ci distingue soprattutto dagli uomini?».

Mama Maru non rispose immediatamente. Il suo sguardo e la sua attenzione erano tutti concentrati sulle sue mani che muovevano armoniosamente la rocca e la lana che, lentamente, si trasformava in filo. Era una donna straordinaria, piena di vita. Se ne stava lì, seduta per terra, con la sua gonna verde scuro che le copriva le gambe e un cinturone variopinto che le fasciava la vita. Le spalle erano avvolte da una giacca sulla quale aveva appoggiato una piccola coperta nera e sopra ancora un vecchio scialle color nocciola. Come se nel girare la rocca avesse srotolato i suoi pensieri, rispose: «L'uomo in genere è più oggettivo, pensa in termini individualisti, mentre la donna possiede il senso profondo della collettività, attraverso il quale si esprime l'amore, la legge. Il termine "noi" è più usato dalle donne che dagli uomini. Per imporsi l'uomo ricorre all'energia e alla forza dei suoi muscoli mentre la donna, che per ovvie ragioni non può fare altrettanto, usa la pazienza, la dolcezza, la persuasione. L'uomo analizza, trasforma, divide, distrugge; la donna unifica, dà vita, giustifica, guarisce, crea.

Nel sesso l'uomo è più superficiale: cerca il piacere, la procreazione. La donna, invece, è profonda, interiore: cerca l'amore, il darsi e il ricevere fine a se stesso. Il primo semina, la seconda raccoglie e fa germinare la vita. L'uomo costruisce la casa, la donna dà calore al focolare. Davanti agli altri l'uomo cerca il riconoscimento; se è un militare cercherà di essere un eroe; se è un intellettuale cercherà di essere un genio. L'uomo cerca sempre la notorietà in tutto ciò che fa; vuole un trono dal quale gli altri lo esaltino rendendogli omaggio. La donna non vuole un trono; ciò che anela con tutto il cuore è essere il tempio dell'amore e per riuscirvi, si servirà di tutto il suo incanto, di tutta la sua grazia, di tutta la sua bellezza interiore».

Le parole di Mama Maru impressionarono profondamente Kantu.

«Mama Maru, come devo fare per cominciare a conoscere un uomo?» chiese.

«Osservalo minuziosamente: il suo aspetto, i suoi gesti, i suoi modi. Poi chiudi gli occhi e ascolta attentamente il tono, il ritmo della sua voce. Così facendo riuscirai a sapere molte cose di lui: cosa pensa, come reagisce, cosa vuole, quali sono i suoi ideali, se è un uomo sincero oppure no. Successivamente gli domanderai cosa pensa della famiglia, del lavoro, degli amici, della vita, della religione, dell'amore, dei sentimenti, gli chiederai delle sue aspirazioni, dei suoi interessi. Osservalo in azione facendo attenzione a come lavora, a come esprime o reprime le sue emozioni, a come affronta le difficoltà e scoprirai le potenzialità delle quali è dotato in modo da poterlo aiutare a esprimersi. Solo sapendo se è una persona adatta a te potrai dedicarti a lui con amore, dedizione e gioia.»

Kantu dubitava che valesse la pena dedicarsi completamente a un uomo. Era stata testimone di numerosi matrimoni falliti e aveva sentito parlare di molte mogli abbandonate, di famiglie distrutte, di coppie che finivano con l'odiarsi. La sua amica Edith, per esempio, si era sposata e aveva vissuto per dieci anni con suo marito, poi si erano separati. Lui sosteneva che l'aveva lasciata perché aveva scoperto che lei non lo amava, che l'aveva semplicemente usato. Lei diceva che si era stancata di dedicargli la sua vita, che aveva cercato per anni di fare di lui un buon marito e un buon compagno, un uomo di successo ma a nulla era servito perché lui non voleva cambiare.

«Qual è l'elemento fondamentale di una relazione?» chiese Kantu a Mama Maru.

«L'amore» rispose senza esitazione la curandera. «L'amore unisce, rafforza, trasforma, fa crescere, eleva. Noi donne viviamo per amare; senza amore la nostra anima si inaridisce e la nostra vita non è degna di essere chiamata vita. Si vive davvero solo quando si ama. Ma l'amore non è eterno, non è duraturo. Quando uno ama deve vivere intensamente il presente di quell'amore perché è possibile che in futuro quel sentimento perisca, che si estingua, che si spenga. Bisogna innalzare la vita sull'altare dell'amore perché solo donandosi completamente per amore, si riceverà amore.»

«Ma io ho visto matrimoni in cui le coppie restano insieme anche quando non si amano più» ribatté Kantu.

«Il matrimonio è un'istituzione creata dalla società. L'ideale sarebbe un matrimonio d'amore ma tutti conosciamo anche l'esistenza di matrimoni di convenienza. Il matrimonio incatena, lega. È come una solida gabbia: quelli che sono fuori vi vogliono entrare e quelli che sono dentro vogliono uscirne. Il matrimonio non è sinonimo di amore.»

«Ma allora è giusto sposarsi o no?»

«Ti preoccupi troppo del matrimonio, mia cara. Si tratta di un'istituzione creata unicamente per proteggere la coppia, i figli, ma non ha necessariamente a che fare con l'amore. Quando due persone si amano uniscono le loro vite con o senza di esso. E quando l'amore muore è meglio separarsi: non si può adorare un defunto.»

«Come potrò sapere se un uomo mi ama o se io lo amo davvero? e come dovrò comportarmi?»

«Amare e voler bene fanno entrambi parte della relazione, ma sono due cose diverse. Quando una donna segue il proprio intuito può sapere se un uomo la ama, oppure no; l'uomo no. Lui tende a far prevalere la ragione sul sentimento, ma non sempre riesce a discernere tra ciò che desidera e ciò che davvero ama. Qualsiasi individuo è capace di provare un'attrazione reale o morbosa per l'altro sesso, anche senza amore» disse Mama Maru facendo una pausa. E poi riprese: «Nel tuo caso tu hai amato e continui ad amare appassionatamente. Lui invece, ti vuole semplicemente perché lo attrai sessualmente; è evidente che non ti ama altrimenti ti avrebbe già chiesto di vivere con lui. Per riuscire a farti amare dovrai servirti di quest'attrazione sessuale per avvicinarlo a te, così come dovrai servirti anche della tua energia interiore positiva. Il tuo sentimento giungerà a lui con l'intensità della tua energia che gli rivelerà la tua saggezza. Fai scaturire la tua energia dalla parte più profonda del tuo essere e lui vedrà in te la luce che lo illuminerà e lo guiderà nel suo cammino. Due vite si fonderanno in una sola; il cielo e la terra si uniranno e da quell'unione fluirà la sorgente dell'amore.

Studia bene il tuo uomo, non per criticarlo ma per far confluire i vostri progetti. Però, per capirlo e conoscerlo, dovrai prima conoscere te stessa e accettarti come donna. Se continuerai a credere che il sesso ti sminuisce o ti degrada sarai una donna incompleta. La sessualità non deve essere evitata o repressa, ma rispettata come un mezzo che ti permetterà di conoscere meglio il tuo amato. L'unica speranza di salvezza per l'umanità risiede nella liberazione della sessualità, sulla quale bisognerebbe imprimere il marchio della sacralità.

L'ipocrisia, la convinzione che il sesso sia cosa sporca, peccaminosa e degradante, è stata fonte di disgrazia per migliaia di esseri umani, un elemento di odio, di rancore, di violenza, di dolore. È necessario soppiantare quest'idea imposta da una civiltà che non persegue la felicità, l'allegria, il piacere, bensì la guerra, la repressione sessuale, la pornografia. Per trionfare dovrai essere sincera con te stessa, dovrai liberarti di tutti i tuoi pregiudizi e acquisire esperienza nell'arte di conoscere la tua natura e quella del tuo uomo».

«Io non ho saputo capirlo» si rammaricò Kantu. «A volte mi sembrava che mi amasse, ma poi si comportava in modo così freddo...»

«Ci sono vari modi per avvicinarsi alla natura umana partendo dal presupposto di essere uomo oppure donna» disse l'anziana curandera. «Essi non hanno le stesse reazioni nell'intimità. È per questo che bisogna sperimentare e provare fino a quando non si conoscono i meccanismi che muovono la sessualità maschile. E non dovrai limitarti a conoscere la sessualità dell'uomo che ami ma quella degli uomini in generale.»

«Ma come posso conoscerlo meglio se viene da me solo per soddisfare il suo appetito sessuale e poi se ne va.»

«Per realizzarti appieno avrai bisogno dell'amore totale di un uomo e, per ottenerlo, dovrai prima conquistarlo dolcemente con l'arma della tua femminilità, senza che lui se ne accorga perché all'uomo piace credersi il conquistatore anche se in realtà non lo è.» Mama Maru fece una breve pausa e poi continuò: «L'uomo è felice quando condivide la sua vita con una donna piena di vitalità e molto femminile, disposta a godere della vita intima tanto quanto lui. Tu sei una donna molto attraente e desiderabile e dovrai mantenerti tale il più a lungo possibile o, almeno, fino a quando la bellezza della tua anima non farà breccia sul tuo compagno».

Cambiando leggermente argomento Mama Maru aggiunse: «Dovrai inoltre sviluppare l'intuizione, la capacità di anticipare gli eventi. Per risvegliarla prova a eseguire questo esercizio: vai in una stanza dove nessuno può disturbarti con sette matite colorate, mescolale e poi, a occhi chiusi, sceglie una cercando d'indovinare di che colore è. Ripeti questo esercizio molte volte.

Una volta superata questa prova esegui un altro esercizio. Chiedi a un'amica di nascondere un anello in una scatola quadrata di un metro per lato e dieci centimetri d'altezza colma di sabbia. Dividi quindi la superficie della sabbia in quattro porzioni e cerca di indovinare in quale di esse si trovi l'anello. Una volta che avrai indovinato ripeti l'esercizio ma, questa volta, dividendo la stessa superficie per sedici, poi in sessantaquattro e così via; e capirai come si possa risvegliare la propria capacità di intuizione.

Cerca d'indovinare ciò che le persone vogliono dirti prima che inizino a parlare guardandole direttamente negli occhi. In questo stesso modo potrai sapere se un uomo ti ama oppure no, se ti mente oppure se ti dice la verità, cosa vuole davvero quando si avvicina a te».

«Come devo comportarmi con un uomo per tenerlo accanto a me, a lungo?» chiese interessata.

«Dovrai fargli capire, ma senza parole, che desideri la sua presenza; con tatto e garbo, dovrai indurlo ad agire. Non ordinare mai se vuoi dirigere i passi di un uomo: limitati a suggerire. Dimostragli di essere una donna piena di vita! Dovrai far leva sulla tua forza fisica, mentale e spirituale. Lui si convincerà che sei il suo sostegno e non un peso da portare.

Ricorda, la sessualità è una parte dell'arte d'amare basata sulla conoscenza fisica e mentale dell'altro che non può essere spiegata a parole. Bisogna sperimentarla».

«Tutto ciò che so riguardo al sesso l'ho imparato con Juan. E mi ha detto di avermi insegnato tutto» dichiarò Kantu.

«Quanto lontano dal vero è l'idea che sia l'uomo quello che deve istruire sessualmente una donna. La conoscenza che vanta il tuo innamorato è solo una piccola parte, che si ferma ai primi livelli: alla procreazione e al piacere. Il sesso è anche salute e spiritualità, ma lui non può capirlo perché non esiste luogo dove insegnino una materia tanto importante qual è vivere con un altro essere umano scambiandosi reciprocamente piacere e amore. L'uomo è ignorante quanto la donna nell'arte del piacere e dell'amore poiché gli mancano abilità ed esperienza nell'arte della convivenza.»

Sorpresa da quelle parole Kantu domandò: «Nonna, come deve prepararsi sessualmente una donna?».

«Innanzitutto deve iniziare a considerare il proprio corpo come qualcosa di sacro. La parte intima è la più sacra perché è proprio lì che ha luogo la riproduzione, la creazione, la rigenerazione e l'alchimia spirituale. È da lì che si diramano tutte le energie che muovono l'essere vivente. I nostri avi lo chiamavano *chaka*, punto d'incontro del mondo visibile con quello invisibile. Bisogna praticare un tipo di sessualità unitaria, detta anche sessualità sacra. Lo scopo di questa pratica è quello d'imparare a muovere l'energia ubicata nella parte più bassa dell'essere verso l'alto, in modo da entrare così nell'infinito, nel dominio del tempo e dello spazio: il regno dell'amore. La donna, per la sua peculiare natura, riesce a spingersi fino a quel recinto ed è per questo che sa cos'è l'amore. L'uomo fa fatica a raggiungere quella dimensione; lui sa che l'amore esiste ma non lo conosce. E questa è la nostra missione: fare in modo che l'uomo conosca l'amore. Ma per riuscirvi una donna deve prepararsi, perfezionando, in primo luogo, il senso del tatto. L'atto sessuale è una sensazione tattile e l'erotismo è il gioco che permette di perfezionarla. Ma solo con intuito, dolcezza e tenerezza una donna può riuscire a condurre l'uomo attraverso la dimensione dell'amore. Ma il cammino che porta a questa conoscenza è lungo e faticoso, occorre liberarsi di tutti i tabù imposti dalla società ed essere disposta a rischiare.

«Io sono disposta ad andare fino in fondo» disse Kantu con convinzione.

«Se sei davvero decisa hai già vinto la tua prima battaglia.» Mama Maru si interruppe e si rimise al lavoro.

Tutto ciò che avrebbe imparato dagli *Amaru runakuna* le avrebbe permesso di usare il suo potere e di accrescere il suo fascino femminile per fare in modo che Juan rimanesse al suo fianco. E, dal più profondo del cuore, desiderava ardentemente che ciò accadesse.

Di fronte al silenzio della giovane, la curandera riprese il discorso: «Per essere felice una coppia deve saper usare le proprie differenze allo scopo di creare un'unità e non per frazionare ulteriormente la loro unione o per stabilire delle rivalità. Se la donna sa come creare quest'unità, potrà usare la propria energia interiore per indurre dei cambiamenti nell'uomo».

Kantu pensò a diverse coppie che conosceva, sia nella sua comunità che in città, alle centinaia di coppie che convivevano o che si sposavano, ognuna di esse con una propria storia particolare. Ricordò che la curandera le aveva detto che uomo e donna dovevano completarsi a vicenda, e chiese: «Se uomo e donna non sono uguali, quale di loro è il più forte?».

«Continui a pensare come un uomo. Quando parli di superiorità pretendi di opporre un essere vivente a un altro. L'ideale non è separare l'uomo dalla donna, ma scoprire, piuttosto, come possono completarsi a vicenda. La complementarietà non cerca opponenti. Ci sono popoli in cui il rispetto per la donna è reale, popoli in cui le donne vengono trattate alla stregua di dee, mentre ve ne sono altri in cui fra gli esponenti dei due sessi si è creato uno status di superiorità contrapposto a uno d'inferiorità» rispose Mama Maru.

«Com'era la donna andina prima dell'arrivo degli spagnoli?» chiese Kantu.

«Secoli fa la donna andina partecipava attivamente con il suo lavoro alla formazione e all'organizzazione della società. Oltre ad avere accesso anche ad altre attività, il suo ruolo fondamentale era quello di educare e di formare le generazioni future. Poteva occuparsi anche di molte altre cose, ma la sua vera realizzazione era nell'essere madre e sposa. La donna andina viveva con un uomo come sua compagna, amica, maestra. Il suo universo non era circoscritto alla casa, ma contemplava anche il mondo esterno: prendeva parte non solo alle festività e al lavoro, ma partecipava anche alle elezioni dei rappresentanti della comunità. Conduceva una vita attiva, conforme al suo ingegno e alla sua arguzia ed esprimeva la sua opinione su qualsiasi argomento. Quella donna, aliena al concetto dell'*io*, si esprimeva in termini d'integrità dell'essere, in termini di *noi*.

Era se stessa e non quello che i suoi genitori avrebbero voluto che fosse. La donna india era libera, lavorava come qualsiasi altro membro della società e le sue opinioni e le sue idee venivano rispettate. In alcune zone le donne potevano addirittura arrivare a essere dei capi che risolvevano i problemi quotidiani e gestivano la distribuzione del lavoro.

La loro unica guida era l'amore. Prima di accettare un uomo come loro compagno di vita lo dovevano conoscere attraverso un periodo di convivenza; solo così sapevano poi accettare la persona così com'era, con tutti i suoi pregi e i suoi difetti, consce del fatto che si sarebbero potuti arricchire reciprocamente. Nelle Ande una madre biologica non era padrona dei propri figli; condivideva il fatto di essere madre con tutte le altre madri. Il nuovo nato era considerato come il figlio di tutte le donne della comunità; tutte gli facevano da madre e anche le donne sterili avevano il diritto di coccolarlo, di accarezzarlo. Non esistevano vocaboli che designassero il possesso materno; il bambino era considerato un essere che dava prestigio al principio della maternità e della crescita umana. Anche l'educazione dei figli era un compito comune; la nuova creatura aveva delle necessità biologiche e psicologiche che solo la madre naturale poteva soddisfare, ma l'educazione in sé, l'istruzione in generale, gli era data dalla mamma come dalle altre donne del gruppo. Tutte insieme insegnavano al bambino i valori fondamentali: in primo luogo, a essere se stesso, a rispettarsi e ad amarsi perché, per amare gli altri, bisogna prima amare se stessi. Se non impariamo ad amare noi stessi non possiamo insegnare ad amare agli altri. Non possiamo dare ciò che non abbiamo e non possiamo nemmeno insegnare ciò che non abbiamo imparato e sperimentato. Poi gli insegnavano che il primo dovere di un indio era quello di amare tutti i suoi simili altrimenti rischiava di vivere condannato alla solitudine, alla disperazione, alla distruzione. Fu un tempo di progresso e di sviluppo perché venivano rispettate le differenze fra l'uomo e la donna e si coltivava un modo di pensare e di agire di tipo collettivo.»

Quando ebbe finito di parlare la curandera tacque e ritornò alla sua occupazione quotidiana. Kantu, invece, si soffermò a ripensare a quelle parole. Involontariamente chiuse gli occhi e, guardando con gli occhi dell'anima, vide Mama Maru risplendere della luce dell'amore.

# 14
# SAPER DOMINARE L'ENERGIA INTERIORE

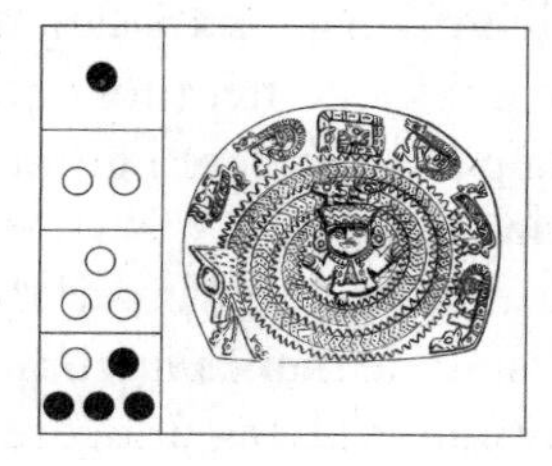

Come se avesse saputo che la preparazione di Kantu era ormai giunta al suo termine, Condori ritornò. Portava un carico di steli d'orzo ancora verdi che appoggiò a uno steccato. Quindi, a passi decisi e silenziosi, si avvicinò al posto in cui si trovavano Mama Maru e Kantu e, come un ragazzino, affacciò il suo volto sorridente alla porta.

«Nonna, ho portato della biada per i tuoi animali e questo per te» disse estraendo dalla voluminosa sacca che portava sulle spalle una serie di regali che prese a porgerle uno a uno. «Vediamo un po' come sta la ragazzina che ti affidai.»

«All'inizio avevo dubitato che potesse arrivare là fin dove una donna può giungere, ma ora devo ammettere che ci troviamo di fronte a una donna disposta a tutto e, come mi avevi chiesto, te la restituisco completamente trasformata» rispose Mama Maru sorridendo.

Non appena vide Condori, Kantu gli si avvicinò, lo osservò a lungo e infine gli sorrise. «Mi fa davvero piacere rivederti» disse commossa e felice. «Ho pensato molto a te.»

Condori la guardò negli occhi e subito si accorse di quanto fosse cambiata. Nel suo sguardo non vi era più paura, ma accettazione, serenità. Persino il suo viso era cambiato: le sue labbra non erano più tese e tutta la sua muscolatura era più rilassata. Un'armonia interiore e una bellezza speciale nascevano da dentro di lei: pareva circondata da una tenue aura.

«Adesso sì che c'è il fuoco nei tuoi occhi e il calore nella tua voce. Sei pronta per affrontare i grandi rischi della vita» affermò nel salutarla.

«Non ancora» lo interruppe Mama Maru. «Per completare il suo apprendistato le manca ancora la pratica e l'esperienza che le consentiranno di raggiungere la sessualità sacra. Dovrai completare tu l'opera iniziata. Dobbiamo fare di lei una colonna d'energia, un tempio vivente, una *Qoya.* Dovrai insegnarle e spiegarle cosa trasforma gli esseri umani in esseri di luce. E affinché possa proseguire il suo cammino è necessario che conosca il *Pachachaka*, il ponte d'energia e di luce che si tende fra un uomo e una donna quando si uniscono.»

Kantu ascoltò in silenzio ciò che Mama Maru diceva. L'anziana donna le aveva accennato che il *Pachachaka* era legato all'energia vitale e alla sessualità e che quell'energia non risiedeva esclusivamente negli organi genitali, ma che era diffusa in tutto il corpo. Si trattava di un'energia estremamente potente che lei avrebbe potuto usare in diverse situazioni, anche estranee al contatto fisico con un uomo. Anche Condori le aveva parlato dell'esperienza sessuale come di una sensazione tattile interna collegata a una sensazione tattile esterna. Grazie a quella esterna lei aveva già sperimentato sentimenti e sensazioni mai provati prima d'allora: piacere, dolore, tristezza, timore, sicurezza, affetto, tenerezza, passione. Per quanto riguardava quella interna, ricordava che quando era un'adolescente, aveva giocherellato talvolta toccandosi, ma non l'aveva più fatto perché le avevano detto che era una cosa immonda. Da allora, di tanto in tanto, aveva fatto scivolare il dito medio fra le pieghe della vagina provando una sensazione assai gradevole ma, ogni volta, veniva assalita dal rimorso, dal senso di colpa, dalla vergogna di aver fatto qualcosa di sporco e peccaminoso.

I due curanderos si allontanarono un po' da lei parlando fra loro mentre Kantu rimase a pensare alle sfide che avrebbe dovuto affrontare in futuro. I due chiacchieravano a bassa voce scambiandosi dei regali; l'anziana curandera parlava e Condori l'ascoltava attentamente. Poco dopo, ritornando verso di lei, Mama Maru le ordinò: «Raccogli le tue cose; è ora che tu torni da Condori». E, rivolgendosi all'uomo aggiunse: «Termina ciò che io ho cominciato affinché possa diventare una vera donna».

Kantu cominciò a radunare le sue cose e, mentre si pettinava, pensò a come sistemare tutto in una sola sacca. Stese il suo *Llijlla* multicolore per terra e vi adagiò sopra tutte le sue cose. Lo annodò per le due estremità e se lo sistemò sulla schiena legandosi altre due sacche più piccole davanti.

«Questi sono per il viaggio» disse la curandera consegnando loro una borsa con i viveri. «E questo è un regalo per te» aggiunse, porgendole una piccola borsa variopinta.

«Grazie Mama Maru» rispose lei emozionata, aprendo il suo regalo: un serpente d'argento. Lo sistemò subito sul petto.

Condori prese il poncho, lo arrotolò legandolo con la corda che portava alla cintura e se lo mise attorno al collo come una sciarpa. «Nonna, tornerò a farti visita. Ora dobbiamo andare perché presto farà buio e si alzeranno vento e freddo. Arrivederci...» disse, avviandosi verso l'uscita.

L'addio fra Mama Maru e Kantu fu di poche parole: si guardarono a lungo e poi si strinsero in un forte abbraccio. In tutto quel tempo avevano avuto modo di conoscersi bene e fra loro era nato un affetto profondo. Mama Maru era stata capace di spazzare via la sua paura dell'ignoto e della morte e aveva saputo trasformarla in una donna sicura di sé.

«Buona fortuna, ragazza» le disse. «Stai per intraprendere un cammino che io in gran parte ho già percorso. Avrai bisogno di molta pazienza e di molto intuito.»

«Grazie, Mama Maru. Sei stata una grande maestra; ti porterò sempre nel mio cuore. Spero di rivederti, un giorno» rispose Kantu con la voce rotta dall'emozione, prima di uscire seguendo Condori.

Mama Maru li seguì con lo sguardo fino a quando scomparvero dietro le montagne, quindi chiuse per un istante gli occhi, si girò su se stessa e rientrò in casa. Per molte settimane aveva avuto una figlia ed era stata una madre esigente perché voleva solo il meglio per lei. La vita era troppo complicata, troppo bella per lasciarla all'improvvisazione; per questo era stata tanto rigida, seguendo attentamente ogni singolo passo del suo apprendistato.

Kantu procedeva in silenzio, immersa nei suoi pensieri, un po' triste per aver dovuto lasciare quella grande donna. Con gratitudine ripensò alle dure prove alle quali l'aveva sottoposta.

Quando giunsero alla fenditura fra le due rocce, saltò con sicurezza, senza commettere errori. Durante il cammino il suo passo era stato più deciso, prova evidente che nella dura scuola delle curanderas il suo carattere si era temprato: aveva conosciuto una curandera dell'acqua, una *Amaru*, una donna serpente.

Pensò che la sua preparazione non si era ancora conclusa e che sarebbe continuata con Condori. Osservò l'uomo che camminava davanti a lei. Lo conosceva; aveva toccato il suo corpo, esplorato il profilo dei suoi muscoli, sentito la consistenza della sua pelle, percepito il suo calore, annusato il suo odore. All'inizio le era parso un sacrilegio, un peccato toccare quel corpo, allo stesso modo in cui le era parsa una violazione alla sua intimità venire esplorata e toccata dalle mani di lui. Mano a mano che avevano avanzato con gli esercizi per sviluppare e risvegliare le sensazioni tattili, aveva cominciato a conoscerlo e ad apprezzarlo. Ora le risultava familiare, sentiva affetto per lui.

Davanti a lei, il curandero procedeva agile: la schiena forte, eretta, le spalle poderose, le braccia muscolose, il collo massiccio. Condori marciava a passi cadenzati, muovendo alternativamente le braccia. Sotto quei semplici indumenti il suo corpo era quello di un guerriero.

In quell'istante provò il desiderio di essere abbracciata, di sentirsi trasportare da quelle possenti braccia, di stringersi a quel petto. Cosa le stava accadendo? Non riusciva a spiegarsi da cosa nascesse quel desiderio di averlo accanto. Lo aveva cercato affinché l'aiutasse a sposarsi con Juan, ma si stava innamorando di lui anche se lo aveva più volte sentito dirle che non doveva dipendere emotivamente da lui.

Quasi come se avesse trasmesso telepaticamente i suoi pensieri a Condori, lui si fermò, si girò e le si avvicinò con il viso e gli occhi ridenti: «Lascia che ti aiuti a portare tutto questo peso. Abbiamo ancora parecchie ore di cammino davanti e dobbiamo arrivare prima che il sole si perda dietro l'orizzonte».

«Non è necessario. Ce la faccio» gli rispose.

«Facciamo un po' per uno» disse slegandole la sacca e gettandosela dietro le spalle.

Liberata da quel peso Kantu sospirò di sollievo, in piedi di fronte a quel petto muscoloso. Se avesse deciso di cingerla in un abbraccio, non avrebbe opposto resistenza, vi ci si sarebbe rifugiata. Ma non accadde nulla, lui si girò, mentre le diceva: «Mama Maru ha fatto un gran bel lavoro con te; ti ha trasformata in una vera donna. Il cammino che rimane da percorrere per completare il tuo apprendistato sarà più facile e più breve».

Kantu si limitò ad annuire. Ripresero il viaggio lungo lo stretto sentiero che costeggiava la montagna. Kantu contemplò il paesaggio che li circondava, costituito da massi, rocce, terreni sterili, piccoli arbusti, piante spinose e pascoli aridi. Di tanto in tanto piccole frange verdi sulle sponde di minuscoli torrenti interrompevano il paesaggio desertico. Nell'alto del cielo azzurro, dietro le grigie alture delle Ande, le nuvole parevano rincorrersi.

Il giorno successivo, dopo aver eseguito gli esercizi ed essersi ristorata con un bagno nelle calde acque termali, Kantu ripensò alle ragioni che l'avevano spinta fin lì. Anselmo le aveva detto che era una donna dotata di un grande potere che doveva imparare a utilizzare. Sapeva che prima o poi sarebbe iniziata un'altra parte importante della sua preparazione, quella che le avrebbe insegnato a guidare la propria energia per conquistare un uomo. E decise di affrontare direttamente il problema.

«Condori, dimmi, quando mi insegnerai a utilizzare la mia energia? Credo di essere pronta» gli disse guardandolo negli occhi, senza alcun timore. Mama Maru le aveva insegnato ad andare diritta per la sua strada. Mentre parlava Condori la guardò in silenzio, studiando ogni sua reazione.

«Cominceremo l'apprendistato fra qualche giorno; per il momento continueremo con l'esplorazione tattile. Vediamo quanto hai progredito stando con Mama Maru.»

Kantu riprese gli esercizi che aveva già eseguito più volte. Nel buio della sua stanza si spogliò. Le sue dita percorsero tutto il suo corpo ripetendo uno a uno tutti i diversi esercizi allo scopo di ricordare tutte le sensazioni precedentemente sperimentate.

Lavorò per diversi giorni e, ogni volta, le sembrava che un fuoco si accendesse dentro di lei. Nel toccare il proprio corpo provò sensazioni che aveva provato solo il giorno in cui aveva conosciuto Juan.

Il giorno in cui lei e Condori iniziarono a eseguire quegli stessi esercizi l'uno sul corpo dell'altra, nel toccare il corpo muscoloso dell'uomo provò il desiderio di unire il suo corpo a quello di lui, di sentirsi sua. Condori percepì il suo desiderio, ma non fece nulla. Fu Kantu a prendere l'iniziativa. Iniziò a massaggiare lentamente, dolcemente il corpo di lui cercando di suscitargli lo stesso piacere, la stessa eccitazione che provava lei quando era lui a percorrere con la punta delle dita tutto il suo corpo. Il tocco delle sue dita parve però non suscitare alcuna reazione nell'altro. Allontanò allora le mani dalle parti più intime e, senza cambiare i suoi movimenti, continuò a massaggiare le altre parti del corpo. Non appena conclusero l'esercizio, mentre si rivestivano, Condori disse: «Kantu, ho sentito che con il tuo massaggio m'invitavi ad avere un contatto intimo con te, anche se hai subito compreso che io non ero disponibile. Stavo tenendo sotto controllo il mio corpo. Il controllo fisico e mentale sono una parte essenziale di queste esercitazioni. Solamente quando sarai pronta e quando capirai che stiamo praticando non il semplice atto in sé come fanno migliaia di persone, ma qualcosa destinato a muovere la tua colonna d'energia, potrai tendere il ponte verso l'eternità. Solo allora cominceremo a maneggiare il *Pachachaka*. Oggi l'energia vitale, la sessualità, il sesso, sono intesi come un atto puramente genitale. Tutti credono che sia qualcosa di associato unicamente al piacere e alla procreazione e non capiscono che, invece, si tratta del flusso di un'energia vitale che raggiunge anche gli angoli più reconditi del nostro essere. È l'energia che favorisce l'unione del mondo visibile con quello invisibile e che non contempla semplicemente l'atto della riproduzione fine a se stesso. È un atto che dona salute, creatività, ispirazione. Il sesso, in quanto energia, modella il nostro atteggiamento sociale, psicologico, morale nei confronti dell'altro e di noi stessi, stabilisce i limiti della coscienza e della responsabilità».

Lei ascoltava con attenzione, poi decise di chiedere qualcosa che non aveva mai osato chiedere a un uomo: «Ma, che cos'è il sesso in sé?».

«Il sesso è il modo in cui l'energia vitale si manifesta negli esseri viventi» le rispose Condori. «Tutti gli esseri viventi rispondono a determinate leggi che trovano la loro origine proprio nel sesso. La differenza fra uomo e donna, fra maschio e femmina, sembra condurre a estremi opposti; in realtà, questi estremi incarnano delle differenze che servono solo a farci ricordare che esiste un'unità superiore basata sulla bisessualità che può tendere verso uno dei due estremi a seconda dell'inclinazione: più verso il maschio, oppure più verso la femmina.

Inizialmente la manifestazione di quest'energia è fondamentalmente femminile. Tutto ciò che esiste a partire dalla creazione, dalla riproduzione, dalla gestazione del nuovo essere è femminile. L'uomo feconda, ma è la donna quella che crea e sviluppa la vita. Perciò la parte femminile è la colonna, il punto iniziale della vita.»

«Non capisco» disse Kantu un po' disorientata dai concetti che Condori stava esprimendo.

«È molto semplice. In questa parte definita *chaka*,» disse indicando la zona compresa fra l'osso sacro e il monte di Venere «risiede l'energia vitale che, nella donna, è un'energia creativa molto potente. È per questa ragione che la donna possiede una sessualità e un'energia molto più forti di quelle dell'uomo, ma delle quali non è cosciente perché su di lei gravano tutta una serie di condizionamenti e di tabù culturali, che, a loro volta, mascherano interessi economici, politici, sociali e religiosi. Alcuni uomini hanno tentato in ogni modo di degradare la condizione della donna, di dominarla, di soggiogarla. Il sesso femminile è temuto e invidiato; solo i veri uomini imparano a rispettare e a valorizzare questa parte intima della donna.»

La parole di Condori erano dirette e scioccanti al tempo stesso. Kantu, conscia del fatto che prima o poi avrebbe dovuto imparare a muovere la propria energia interiore, domandò: «So che fra qualche giorno intraprenderemo il cammino della *Pachachaka*, ma perché non iniziare fin da subito?».

«Visto che sei così decisa a cominciare questa nuova tappa del tuo apprendistato lo faremo, ma prima ti spiegherò qualcosa sugli organi genitali perché è con essi che lavoreremo. Noi curanderos chiamiamo l'organo genitale femminile *Paqarina*, che significa "luogo della nascita", o *Pakarina* "luogo in cui si custodisce il destino dell'umanità". Un altro nome è *Ullana*, ossia "luogo della conoscenza" e per questo lo consideriamo sacro. Lì l'uomo potrà comprendere le leggi universali, immutabili e sovrane, che vanno al di là del tempo e dello spazio terreni o umani e che dipendono dalla divina coscienza che esiste in ognuno di noi.»

Kantu aveva sentito parlare di un linguaggio segreto usato da un gruppo eletto di curanderas, curanderos e uomini di conoscenza, che lo trasmettevano a loro volta ai discepoli. Probabilmente i vocaboli che Condori utilizzava in quel momento erano parte di quell'antico linguaggio segreto. Mama Maru gliene aveva parlato dicendole che si trattava di un mezzo di trasmissione che risaliva a tempi immemorabili ed era patrimonio degli *Qhapaqkuna*[1], un'antichissima confraternita spirituale andina i cui adepti operavano in segreto per mantenere viva la luce della spiritualità sulle Ande.

Dopo averle parlato della *Paqarina*, Condori osservò la reazione di Kantu e, nel vedere che rimaneva tranquilla con lo sguardo fisso su di lui, proseguì: «L'uomo che si avvicina a una donna deve farlo con un atteggiamento quasi di adorazione, di contemplazione, perché solo attraverso la porta femminile, potrà tendere all'infinito. E la donna, dal canto suo, dovrà tendere il ponte di energia esistente fra il suo sesso e il suo cuore. *Pacha* è il termine che il nostro popolo usa per designare il tempo e lo spazio, oltre che per designare la terra come un ente spirituale. *Chaka* significa ponte, qualcosa costruito fra due punti di appoggio, ed è la parola usata per indicare il punto d'incrocio fra la linea verticale e quella orizzontale, mentre *Chacana*[2] è l'osso sacro. In questa cavità giace attorcigliato su se stesso *Amaru*, il serpente d'energia che s'innalza o discende lungo la colonna vertebrale mettendo in contatto e in funzione determinati centri di potere del nostro corpo...».

E fu così che ebbero inizio quegli insegnamenti che avrebbero permesso a Kantu di muovere in modo consapevole la propria energia. Il primo passo fu reimparare a respirare. Condori le spiegò che coloro che vivono lontani dalla natura spesso perdono il ritmo naturale della respirazione, come era accaduto anche a lei. «Dovrai ritrovare il ritmo del tuo respiro», le disse «solo così potrai operare quei cambiamenti all'interno del tuo corpo che faciliteranno il conseguimento dei tuoi obiettivi.

1 Confraternita esoterica delle Ande che opera per risvegliare il sole interiore che esiste dentro ognuno di noi.

2 Punto d'incontro, centro della creazione divina, osso sacro.

Per normalizzare la respirazione esegui quest'esercizio: chiudi gli occhi e inspira profondamente cercando di concentrare la tua attenzione su ciò che accade dentro di te. Appena sentirai la necessità di espellere l'aria, fallo lentamente, fino a quando non ne avrai espirato la maggior quantità possibile. Nel momento in cui vedrai che il tuo organismo ha nuovamente bisogno d'aria, inspira ancora, quindi fai una pausa fino a quando non sentirai ancora il desiderio di espirare. La cosa più importante, in quest'esercizio, è che tu prenda coscienza del tuo respiro. In seguito potrai variare il ritmo della respirazione, se lo vorrai.»

Condori fece una pausa e poi riprese a spiegare: «Prima di iniziare a muovere la tua energia dovrai eseguire anche alcuni esercizi per i polmoni. In piedi, con il corpo eretto e i pugni chiusi appoggiati ai seni, inspira lentamente e a fondo fino a riempire completamente i polmoni. Una volta fatto ciò, spingi lentamente i gomiti all'indietro fino a quando i pollici non toccheranno le ascelle. A quel punto espira riportando le mani alla posizione primitiva e facendo sempre attenzione che la massima espirazione coincida con il ritorno delle mani sullo sterno. Esegui lo stesso esercizio per dieci volte facendo una pausa fra inspirazione ed espirazione.

Quest'altro esercizio ti servirà invece per liberare le vie respiratorie: in piedi, le mani appoggiate sull'addome, inspira lentamente e profondamente. Quando avrai riempito completamente d'aria sia l'addome che il torace, fletti lentamente il corpo in avanti ed espira esercitando una leggera pressione sull'addome con le mani per facilitare la fuoriuscita dell'aria. Non appena avrai espulso tutta l'aria, e ciò accadrà solo quando sarai ben piegata in avanti, torna nella posizione di partenza senza respirare sino a quando il corpo non è perfettamente eretto. Esegui questo esercizio dieci volte, con una pausa di trenta secondi fra l'uno e l'altro.

Poi, per abituare il tuo corpo a respirare in modo naturale e completo, in posizione eretta, inspira lentamente mentre sollevi le braccia in modo da formare un angolo retto con il tuo corpo. Trattieni il respiro e poi, mentre allunghi le braccia flettendoti in avanti fino a toccarti i piedi con le mani, espira. Spingi quindi con forza il corpo all'indietro e ritorna nella posizione di partenza. Ripeti quest'esercizio dieci volte, ma ricordati di inspirare quando alzi le braccia e di espirare mentre le abbassi.

Vi è infine un altro esercizio che vorrei insegnarti: in piedi, con il corpo eretto, le braccia lungo il corpo e la testa leggermente all'indietro, inspira lentamente al massimo della tua capacità toracica e poi, senza trattenere il respiro, espira lentamente tutta l'aria. Ripeti l'esercizio fino a quando la respirazione non si sarà sincronizzata con il ritmo del tuo cuore».

Nei giorni successivi Condori le insegnò altre tecniche di respirazione per aiutarla a ritrovare il ritmo naturale del suo respiro. Kantu comprese che la respirazione è vita e che è una parte fondamentale nel controllo della nostra energia sessuale.

Ogni volta che Condori la istruiva nella pratica della sessualità sacra la trattava come una dea, con una gentilezza e una dolcezza squisite. Fu lui a farle conoscere per la prima volta, passo dopo passo, le differenti sensazioni che irradiano due corpi quando entrano in contatto, cosa che le permise di comprendere le differenze sessuali fra uomo e donna. L'atteggiamento e i contatti intimi che aveva avuto con Juan non erano stati uguali a quelli che ora sperimentava con Condori. Le sacre pratiche sessuali le permisero di sperimentare diverse forme di percezione. Imparò a giocare con l'energia sessuale come giocano le onde del mare che si rincorrono sulla sabbia della spiaggia e da una più piccola ne nasce una più grande e, da questa, altre sempre più grandi. Era un'esperienza a lei sconosciuta e non poté impedirsi di chiedere un giorno a Condori: «Perché le sensazioni che provo ora sono diverse da quelle che ho vissuto con Juan?».

«Perché ciò che hai vissuto con Juan si riduceva tutto alla ricerca del piacere» le rispose. «Noi non ci muoviamo in quella direzione; noi stiamo lavorando alla contemplazione e alla percezione di quello stesso piacere. Sii sempre un'osservatrice del tuo corpo e scoprirai che esso è come un sofisticato strumento musicale con il quale un musicista, a seconda della sua abilità, potrà ricavare autentiche sinfonie, semplici accordi oppure semplici suoni. La vera arte del muovere l'energia è quella di riuscire a ottenere una sinfonia capace di unirti all'universo: una sinfonia d'amore, di espansione verso l'alto.»

«Ma ora dovrai imparare alcuni esercizi per rafforzare la tua muscolatura interna ed esterna» le disse Condori mentre le mostrava come farli. «Questo serve per rinvigorire il bacino: con il corpo eretto e le mani sui fianchi, inspira profondamente e poi trattieni il fiato. Allontana la gamba destra più che puoi, poi richiamala espirando lentamente. Fai lo stesso con la gamba sinistra. Ripeti l'esercizio dieci volte per ogni gamba.

Quest'altro serve per rafforzare la zona sacra: sdraiata supina, inspira a lungo e profondamente, mentre sollevi le gambe. Divaricale più che puoi verso l'esterno e poi riportale alla loro posizione iniziale. Dovrai fare in modo che il movimento completo disegni un cerchio dall'esterno verso l'interno e poi dall'interno verso l'esterno. Con un po' d'allenamento riuscirai a ottenere parecchi risultati sia sui muscoli che sul bacino e sulla regione sacra.

Poi ci sono alcuni esercizi che daranno al tuo corpo una maggiore elasticità. In piedi, in posizione eretta con i piedi uniti e le braccia lungo i fianchi, fletti il busto in avanti senza piegare le ginocchia e lascia che le braccia cadano di peso sino a toccare il pavimento con le mani. Ritorna, poi, alla posizione iniziale e inarcati un po' sulla schiena fino a che le tue braccia non cadranno all'indietro. Le mani devono restare tese. Ripeti questo movimento cinque volte cercando di fletterti sempre di più sia in avanti che all'indietro; riposa un poco quindi ripetilo per altre cinque.

Ve ne è anche un altro che aiuta a rendere flessibile il busto: inginocchiata sul pavimento, spingi il busto in avanti, stirandolo il più possibile. Appoggia il dorso delle mani vicino ai piedi e appoggia la faccia per terra. Solleva quindi il busto e ritorna alla posizione iniziale. Ripetilo dieci volte, facendo sempre una breve pausa fra l'una e l'altra.

Quest'altro esercizio, invece, ti aiuterà a flettere il busto all'indietro: inginocchiati sul pavimento con le mani sui fianchi, fletti leggermente il busto all'indietro e poi raddrizzalo, quindi ripeti lo stesso movimento cercando di piegarti sempre più all'indietro. Se dovessi sentirti affaticata, riposa un po' e poi ripeti l'esercizio altre tre volte.

E infine quest'ultimo, sempre per il busto: inginocchiata, spingiti in avanti allungando gli avambracci per terra, davanti a te. In questa posizione fai oscillare il corpo in avanti e all'indietro, spingendoti il più possibile. Ripeti tre volte l'esercizio, riposa un po' e poi ripetilo altre tre.»

Kantu iniziò a eseguire gli esercizi cercando di memorizzarli. Alcuni dei movimenti li conosceva già e si concentrò quindi su quelli nuovi, perché Condori non ripeteva mai i suoi insegnamenti. Trascorsi i pochi minuti concessi, l'uomo proseguì: «Ora ti spiegherò alcuni esercizi che ti permetteranno di raggiungere il massimo controllo della zona pelvica. Dovrai eseguire tali movimenti fino a quando non otterrai la coordinazione necessaria a muovere tutta la zona relativa agli organi sessuali in avanti, indietro, verso i lati, in alto, obliquamente verso destra e verso sinistra. Se li eseguirai correttamente, in poco tempo sarai in grado di realizzare le più diverse combinazioni di movimenti in pochi minuti e secondo il ritmo e l'intensità che vorrai, passando dal più lento al più veloce, dal più delicato al più forte.

Sono esercizi che servono anche a facilitare il movimento della tua energia interiore. In posizione eretta, appoggia la schiena al muro tenendo piedi e talloni uniti, la nuca appoggiata alla parete. Contrai il ventre spingendo l'intestino verso l'alto e muovendo leggermente i glutei verso il basso, cercando di far aderire il più possibile la regione lombare e sacrale al muro. È la posizione corretta per riuscire a muovere il bacino in avanti e indietro. Per ottenere, invece, il movimento del pube verso il basso, inarca le reni spingendo il più possibile i glutei verso l'alto. Alternando questi due movimenti e forzandoli al massimo, poco a poco riuscirai a muovere il bacino. Esegui una serie di cinque esercizi, una breve pausa e poi un'altra serie di cinque.

Per l'esercizio successivo sdraiati in posizione supina con le gambe e le ginocchia allungate, le braccia lungo il tronco con il palmo delle mani rivolto verso il pavimento; solleva il bacino prima verso l'alto, poi verso il basso, come se fossi appoggiata al muro. Ripeti il movimento dieci volte.

Poi, sempre in posizione supina con le ginocchia piegate e i piedi appoggiati a terra, solleva i glutei e mantienili in questa posizione durante l'intero esercizio. Le braccia dovranno rimanere stese lungo il corpo con il palmo della mano rivolto verso il basso, all'altezza dei glutei. Muovi quindi il bacino verso l'alto e poi verso il basso, sollevando e abbassando tutta la zona pelvica, appoggiandoti solo sui piedi e sulle spalle. Una variante potrebbe essere quella di inarcare il più possibile tutto il corpo mantenendo schiena, testa, braccia e mani appoggiate a terra. Se rimarrai in questa posizione muovendo il bacino, vedrai che i tuoi muscoli interni si rassoderanno in breve tempo.

Ci sono ancora altri esercizi importanti che dovrai imparare e che ti aiuteranno a muovere e dirigere la tua energia interiore» disse Condori terminando la sua lunga spiegazione.

Kantu eseguì tutti i diversi movimenti per vari giorni. Poco a poco sentì che la sua muscolatura si irrobustiva, che acquisiva maggior elasticità e controllo sui suoi movimenti. Ogni volta che ripeteva gli esercizi sentiva la propria energia scorrere lungo tutta la pelle, sentiva che sensazioni e sentimenti si accordavano con i movimenti del suo corpo. Alcuni movimenti erano sensuali, altri decisamente erotici; quando ne eseguiva alcuni provava il desiderio profondo di far fluire tutta l'energia che sentiva dentro di sé. Percepiva una sorta di calore che si espandeva per tutto il corpo provocandole una sensazione di piacere e di benessere. Altri esercizi, invece, l'aiutavano a muovere muscoli rimasti immobili per anni. Cominciava a poter muovere la muscolatura interna, che raramente uomini e donne imparano a controllare. Talvolta le sembrava di camminare sulle nuvole, altre volte le sensazioni che provava erano talmente intense da lasciarla senza fiato.

Il suo corpo imparava a ripetere il movimento dolce delle onde del mare o quello sinuoso dei serpenti. Condori le insegnò inoltre a stimolare volontariamente determinati muscoli che lei non aveva mai neppure sognato di poter muovere e la consapevolezza che i muscoli rispondevano alle sue sensazioni e ai suoi pensieri le infondeva maggiore sicurezza in se stessa.

Erano esercizi faticosi quelli che doveva eseguire, che le occupavano molte ore; ma Kantu non si arrese e continuò a lavorare per settimane intere cercando di perfezionarli sempre di più. Al termine dei suoi esercizi, con il corpo madido di sudore, si recava a lavorare un po' nei campi. Approfittava dei momenti di riposo per riflettere sul senso della vita, cercando di capire perché una donna innamorata fosse disposta a fare grandi sacrifici, a pagare un prezzo molto alto pur di stare con l'uomo che amava. E ormai, ogni volta che ripensava a Juan e a come si era comportato con lei, non provava più collera, ma comprensione.

Condori seguiva l'apprendistato di Kantu sottoponendola a continue prove per assicurarsi dei suoi progressi. Non appena fu sicuro dei risultati e si accorse della sua capacità di eseguire gli esercizi in modo pressoché automatico, le disse: «Ci siamo! Hai imparato a creare e a muovere le onde di energia. Ora lavoreremo insieme per fare in modo che il serpente d'energia che giace dentro di te, inizi a salire». Poi continuò: «È arrivato il momento di obbligare *Amaru* ad alzarsi. Questo serpente si sveglia e si muove sulla base dei nostri pensieri, dei nostri sentimenti e delle nostre azioni, sollevandosi fino al capo. *Amaru* è in constante movimento: si alza o si abbassa seguendo gli impulsi che noi gli diamo. Per mezzo di determinate pratiche fisiche, mentali e spirituali siamo in grado di elevare quest'energia verso l'alto ma, allo stesso modo, siamo anche in grado di sprofondarla fino al livello più basso. *Amaru* è un'energia di fuoco della quale ci serviamo per bruciare tutti i difetti fisici, mentali e spirituali del nostro corpo e per convertirci in esseri di energia pulita e pura, la sola che ci consentirà di avvicinarci al Grande Spirito. Quanto più in alto riuscirai a elevare questa tua energia, tanto più la sensazione che sperimenterai ti avvicinerà al Divino».

«Mi è difficile comprendere le tue parole», confessò la giovane.

«È difficile spiegare tutto questo a parole; per capirlo è necessario viverlo, essere coscienti delle sensazioni che si provano quando l'energia inizia a muoversi. Colui che riesce a usare questa energia secondo la propria volontà acquisisce la capacità di usare tutto il potere di cui la natura lo ha dotato. Grazie a essa potrai compiere miracoli, fare cose che sembrano impossibili. In misura diversa, ogni persona possiede questa energia. Tu, per esempio, ne hai una buona quantità, ma non la sai ancora utilizzare. Ma io ti insegnerò e potrai raggiungere l'obiettivo che ti sei prefissa.» Condori fece una breve pausa e poi aggiunse: «Adesso chiudi gli occhi. Mettiti in ginocchio, rilassa i glutei e appoggiali ai piedi e muovili poi a un ritmo regolare. Contrai la parte inferiore della muscolatura del perineo, poi inspira profondamente ed espira lentamente. Ripeti quest'esercizio molte volte».

Kantu si mise nella posizione indicatale, chiuse gli occhi e fece una lunga serie di inspirazioni ed espirazioni fino a quando sentì che qualcosa si muoveva dentro di lei: era una vibrazione che si ripercuoteva sul palmo delle mani, trasformandosi, poi, in un leggero formicolio. Quella stessa sensazione si spostò poi alla colonna vertebrale e successivamente, alle spalle.

Era una sensazione a lei sconosciuta, non aveva mai sperimentato nulla di simile. Sentì che qualcosa si stava sollevando dentro di lei. Era come un termometro sul quale, a seconda della respirazione e della concentrazione mentale, l'energia saliva arrampicandosi sulla scala delle sue vertebre. Al principio riuscì a far salire l'energia solo fino all'osso sacro, poi, continuando a esercitarsi duramente, riuscì a farla salire lungo tutta la colonna vertebrale. Le ci volle parecchio tempo prima di riuscire a controllarla completamente.

Non appena Condori fu certo che Kantu controllava ormai tutti quegli esercizi, decise che era giunto il momento di passare a una nuova fase del suo apprendistato. Fu così che iniziarono una serie di esercizi e di pratiche sessuali durante le quali Kantu, con l'aiuto del compagno, sentiva di poter spingere la propria energia ancora più in alto. Sentiva tutta l'intensità di quel termometro d'energia alzarsi o abbassarsi lungo la sua colonna vertebrale.

Nei giorni seguenti, Kantu provò sensazioni mai vissute; era come se la sua pelle si fosse fatta infinitamente più sensibile e potesse percepire ogni sensazione tattile con maggior intensità e chiarezza. Quando si esercitavano insieme e lei eseguiva alcuni dei movimenti imparati, sentiva la sua energia scivolare lungo tutta la sua colonna vertebrale, per poi diffondersi in tutte le diverse parti del corpo. Ogni volta che ciò accadeva, uno strano formicolio la percorreva dalla punta dei piedi sino a quella dei capelli, una sensazione di calore correva lungo tutto il corpo e tutto il suo essere vibrava come se stesse entrando in contatto con un oceano di energia.

La giovane passava buona parte del suo tempo ripetendo gli esercizi e, quando riposava, pensava al maestro. Incuriosita da lui, cercava di capirlo. A volte le pareva un essere misterioso: parlava poco, osservava molto, analizzava ogni cosa. Vi erano momenti in cui il suo viso indio sembrava ringiovanire, in altri invecchiare. Da ciò che Mama Maru e lui stesso le avevano raccontato, Kantu arrivò alla conclusione che doveva aver vissuto con una donna di Calca; aveva cresciuto i suoi figli donando loro tutto ciò che un padre responsabile può dare e, a quanto sapeva, doveva aver lavorato molto.

Per alcuni di coloro che occasionalmente andavano a farsi curare da lui, Condori era come un padre, un uomo che aveva rinunciato alla propria famiglia per seguire la sua strada di curandero. Aveva lavorato sodo per molti anni per poter lasciare alla compagna e ai figli tutto ciò di cui avrebbero potuto aver bisogno, poi si era ritirato sulle montagne. Amava ripetere che occorre dare il massimo di sé e che ciò che conta non è ottenere, ma donare, che l'importante non è servirsi degli altri, ma servirli.

# 15
# SIAMO ESSERI DI LUCE

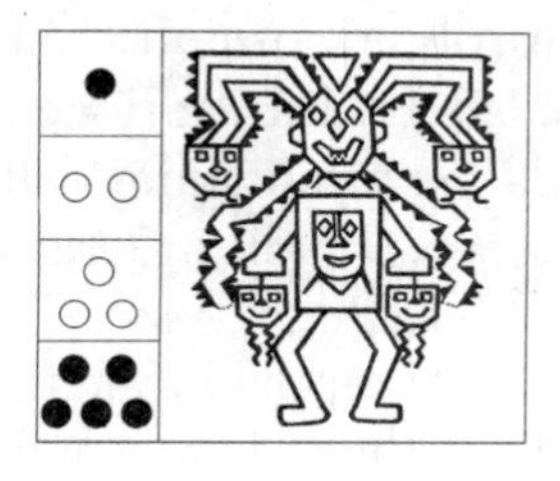

Per tutto il tempo in cui rimase con lui, Kantu poté osservare nel suo maestro cambiamenti fisici che la sconcertavano. Era un *Amaru Runa* e, forse proprio per quello, aveva acquisito le capacità tipiche dei serpenti. Era difficile stabilire la sua età. Lui non le aveva mai detto quanti anni avesse e Kantu non glielo aveva mai chiesto. A volte sembrava che lui vibrasse quando lei toccava il suo corpo; altre volte sembrava non provare assolutamente nulla.

Da quello che aveva potuto osservare, aveva un enorme controllo del proprio corpo e della propria mente; una volta le aveva detto che un buon sistema per risparmiare energia era quello di mantenere corpo e mente sotto controllo. Non si trattava di esercitare una repressione, ma di ricorrere a un sistema che permetteva di far fluire la massima quantità d'energia con il minimo movimento. Kantu lo aveva visto sottoporsi a esercizi fisici estenuanti, eseguire per ore i lavori più faticosi, eppure il suo aspetto era sempre riposato. Non accusava mai la benché minima stanchezza; gli bastavano appena dieci minuti di riposo per ritornare in forze.

Condori le aveva parlato a lungo dell'esistenza nel corpo di sette punti di potere e di otto punti di controllo, così come le aveva anche parlato di punti forti e punti deboli. Questi punti non erano distribuiti in modo uniforme e uguale in ogni essere umano; la loro distribuzione dipendeva dai movimenti realizzati da ogni individuo, dall'attività svolta, da ciò che questi pensava e, soprattutto, dagli ideali che si proponeva.

«È importante che tu sappia localizzare questi punti» le aveva detto un giorno. «Quando tocchi il corpo di un uomo dovrai saperli riconoscere al tatto perché, grazie a loro, saprai come si muove l'energia all'interno del suo corpo.»

«Come potrò individuare i punti deboli, come farò a cercarli?» gli aveva chiesto.

«Dovrai sensibilizzare la punta delle dita e percorrere con esse il corpo dell'uomo varie volte. Quando avvertirai dei punti pieni, quelli saranno i punti di potere, mentre, se saranno vuoti, allora avrai individuato quelli deboli. Dovrai esercitarti molto. Continueremo con l'esplorazione tattile» le aveva risposto lui. E infatti, grazie a un esercizio costante, Kantu aveva imparato a individuare i punti di potere e i punti deboli del corpo di Condori.

A volte si fermava a osservare l'andatura compassata, agile, quasi felina di Condori. I suoi movimenti erano delicati e decisi al tempo stesso, veri rivelatori di tutta la bellezza del corpo umano. Se chiudeva gli occhi poteva proiettare la propria mente su quel corpo; poteva vedere i punti di forza, che risaltavano come luci colorate, segno del fluire della sua energia. Aveva provato a individuare quei punti a occhi aperti e aveva scoperto una sorta di simpatia fra gli occhi e quelle zone e aveva imparato che un essere umano non è pura fisicità ma che, tutt'intorno alla massa corporea, vi è una zona energetica, una sorta di emanazione. Comprese la necessità di studiare la relazione fra il corpo fisico e la manifestazione dell'energia.

Anche il comportamento sessuale di Condori l'aveva molto sorpresa; sebbene non avesse molta esperienza e fino ad allora il suo unico uomo fosse stato Juan, le sue esperienze sessuali con Condori erano state profondamente diverse. Con Juan il piacere provato era molto intenso, ma di breve durata, non più di una manciata di minuti. Con Condori, invece, le sensazioni si prolungavano per molto più tempo, sino a due o tre ore. Avvertiva un senso di quiete, pace, tranquillità e un flusso continuo di energia. *Amaru* saliva, vertebra per vertebra, sempre più in alto. Con Juan i rapporti erano come le onde dell'oceano che si avvicinano alla spiaggia avanzando velocemente, una dietro l'altra fino a quando non ne arrivava una enorme che spazzava via tutto e, dopo la burrasca, il mare si placava. Con Condori, invece, le onde avanzavano continuamente portando con sé un messaggio che l'arricchiva. E, solo quando entrambi volevano raggiungere il grande orgasmo potevano elevare quelle onde a loro piacere. Così le aveva insegnato Condori: dovevano cercare la contemplazione del piacere, non il piacere in sé.

Spesso s'interrogava sulla natura umana, sulla sessualità, sulle relazioni fra uomo e donna, chiedendosi anche se Condori fosse stato amato da molte donne o se avesse avuto molte esperienze. Probabilmente era stato iniziato da una curandera. «Una donna, per sapere se è una vera donna, ha due strade diverse di fronte a sé: quella individuale, della solitudine e dello studio di sé oppure quella della cooperazione, che passa per la condivisione delle sue esperienze con l'altro sesso. L'uomo ha bisogno della donna e la donna dell'uomo: è questa la legge della natura» le aveva già spiegato Mama Maru.

Condori era un uomo taciturno; parlava solo quando lo riteneva necessario e in questi casi poteva anche parlare a lungo, ma poteva rimanere in silenzio per ore, senza sentire il bisogno di emettere un solo suono.

Mentre Kantu era immersa in questi suoi pensieri sul maestro, la voce di lui la riportò alla realtà: «Ritengo che tu abbia fatto molti progressi e che sia giunto il momento di lavorare insieme. È giunto il momento di insegnarti come un'energia può cavalcare sull'altra».

Felice di aver fatto un ulteriore passo in avanti verso la riconquista del proprio potere, Kantu ricordò le parole di Condori: «La natura, a volte, si serve di trucchi e piccole trappole per costringere una donna a conoscere e usare il proprio potere». Con lei aveva utilizzato una strategia particolare: l'aveva fatta innamorare follemente di un uomo per renderla disponibile a percorrere la sua strada. Conscia di quel meccanismo, si stava liberando poco a poco dalla catena che le era stata imposta. Mano a mano che procedeva nel suo apprendistato diveniva sempre più padrona del proprio destino. Per questo guardandolo direttamente negli occhi e inclinando la testa disse a Condori: «Ascolto e obbedisco. Quando vuoi, io sono pronta».

Condori sorrise. La ferrea disciplina alla quale l'aveva sottoposta stava dando i suoi frutti. Un albero storto ha bisogno di un sostegno, di un elemento d'appoggio che lo raddrizzi; a una donna innamorata è necessario fornire gli strumenti di conoscenza che le permettano di ritrovare la sua piena libertà.

Iniziarono così gli esercizi di congiungimento delle loro energie: entrambi si muovevano a un ritmo e a un'intensità concordati e stabiliti in precedenza. Se, prima, l'intera responsabilità degli esercizi ricadeva solamente su Kantu, ora la coordinazione del ritmo e del movimento era responsabilità di entrambi. Gli esercizi che realizzavano congiuntamente davano a Kantu la sensazione che la sua energia aumentasse. Era come se due fiumi cominciassero a fluire e giocare dentro di lei. I loro movimenti ricordavano la danza d'accoppiamento che i serpenti eseguono prima di unirsi. Quella che ascendeva non era più una sola energia ma erano due; l'una spingeva l'altra ed entrambe si aiutavano reciprocamente a salire e a scendere. Le sensazioni che provava in quei momenti erano incredibili: vedeva colori, udiva suoni che non sapeva da dove provenissero, sentiva un formicolio diffuso in tutto il corpo. Alcuni movimenti, leggere pressioni che Condori esercitava su determinate parti del suo corpo facevano in modo che la sua energia si proiettasse istantaneamente verso l'alto.

«Tutti gli esercizi eseguiti finora hanno un unico obiettivo: farti entrare in contatto con te stessa, farti viaggiare attraverso il tempo e lo spazio verso la *Paqarina*, la vera dimensione dell'amore. Solo nel momento in cui riuscirai a raggiungere questo luogo per ricaricarti di amore, potrai cominciare le pratiche per guidare un uomo nel suo viaggio verso l'infinito e sarai in grado di farlo giungere alla *Paqarina*, dove dimora la *Pachamama*, la dea dell'amore» le spiegò Condori.

Kantu rimase in silenzio, limitandosi a guardarlo negli occhi e annuendo con il capo.

«Il passo successivo sarà capire che tu sei un essere di luce, che ha bisogno di purificare il suo essere nell'oceano di energia. Ti ho già spiegato che tutti gli esseri viventi sono avvolti da un'aurea di energia sprigionata dal corpo. Questo corpo di energia e di luce è in connessione con l'oceano di energia presente nella natura e può essere messo in moto mediante determinati esercizi di respirazione, esercizi fisici, mentali e spirituali. Per imparare a muovere la tua energia e a distribuirla in modo equilibrato in tutto il corpo dovrai per prima cosa riuscire a controllare la respirazione.»

Nei giorni successivi Condori le insegnò alcune tecniche per migliorare la respirazione. Il curandero controllava attentamente il modo in cui le eseguiva e non si stancava mai di ripeterle: «Mantenere una corretta respirazione è fondamentale perché con questi esercizi non stai inspirando solamente aria, ma energia cosmica. Sono fondamentalmente due i tipi di energia che entrano nel tuo corpo per equilibrare e purificare la tua energia personale: dalla narice di destra entra energia lunare, da quella di sinistra energia solare».

Poi rimase per qualche istante in silenzio come se stesse cercando di scegliere le parole adatte per rendere i concetti più comprensibili e, infine, riprese: «Se vuoi ottenere il massimo beneficio dall'energia solare dovrai alzarti presto e attendere il sorgere del sole. Non appena il re di tutti gli astri avrà raggiunto la linea dell'orizzonte dovrai aprire gli occhi, inspirare guardando verso il sole e poi chiuderli mentre espiri. Dovrai ripetere quest'esercizio dieci volte. Potrai eseguirlo seduta o in piedi, come vorrai, anche se forse è preferibile in piedi. Dovrai imparare a guardare gradualmente il sole in modo tale che la sua luce non ferisca le tue pupille. Ricorda: socchiudili leggermente quando inspiri e chiudili quando espiri.

Quando guardi la luce del sole non vedi solo il suo splendore, ma ne distingui anche la forma, lo sfondo, il colore. Saper assorbire ognuno di questi elementi attraverso gli occhi fa in modo che la tua energia prenda a fluire dentro di te e tu possa percepire te stessa come un essere di luce» aggiunse Condori. «Innanzitutto dovrai imparare a estrapolare dalla luce del sole i colori a te necessari; dovrai imparare a selezionarli nel momento in cui inspiri l'aria, chiudendo gli occhi e pensando al colore che più desideri».

Kantu obbedì. Con gli occhi chiusi rivolti verso il sole poté distinguere determinati colori che si sovrapponevano l'uno all'altro e, con sua immensa sorpresa, si rese conto che un colore dominava su tutti gli altri. Come se Condori potesse vedere con i suoi occhi, le disse: «Stai percependo una serie di colori ma ve n'è uno in particolare che emerge sugli altri. Dimmi che colore è».

«Il verde.»

«Quello che stai vedendo è il tuo colore ciclico di luce» le spiegò. «In questo momento stai giocando con questo ciclo. Una volta che ne avrai assorbito una quantità sufficiente, vedrai che il colore dominante non sarà più il verde, ma un altro. L'uomo assorbe costantemente determinati colori che facilitano il fluire di certi suoi canali di energia e che danno forza a determinati organi mettendo in funzione i meccanismi di cui lo spirito ha bisogno. Per questo è importante che la persona viva in contatto con il sole, con le piante, con i corpi animati e inanimati che esistono in natura.

Ti sarai forse chiesta perché gli alberi e i pascoli sono verdi, perché certi frutti sono arancioni oppure verdi o color caffè, perché gli oceani sono azzurri. Tutto, in natura, è impregnato e irradia colore; i colori non sono che vibrazioni percepite dai sensi dell'uomo. Imprimi nella tua mente i colori e diverrai ancora più potente. I colori ti aiuteranno a ricaricarti.»

Lo sguardo di Kantu cambiò direzione perdendosi nell'orizzonte. Era come se i colori che aveva isolato all'interno del sole fossero esplosi nel cielo, regalando a tutta la natura la pace delle loro vibrazioni. La voce di Condori la catturò nuovamente: «Per riuscire, invece, ad assorbire la luce lunare, più consona alla tua natura, dovrai utilizzare la luna come elemento di luce. Il sole è una costante fonte di vita e la sua energia è molto importante per l'esistenza materiale mentre, per quella immateriale e magica, è la luna l'elemento indispensabile. L'energia lunare è potente pur essendo impercettibile. È un'energia femminile e proprio per questo ha maggiore affinità con la donna che con l'uomo. Ti sembrerà strano ma questa energia è più potente di quella del sole. Mi spiego: la luna è come lo specchio che riflette tutte le forze del Cosmo e, proprio per questo, può far giungere sulla terra un'energia sottile ma molto potente. I nostri padri sapevano come utilizzarla nella vita quotidiana». S'interruppe un momento cercando di riordinare i suoi pensieri quindi proseguì: «Ciò che sto per dirti è molto importante. Quando sentirai la necessità di possedere una maggiore energia lunare, dovrà essere la luna la fonte di luce. Dovrai saper riconoscere in che fase si trova perché ogni suo ciclo ha una relazione precisa con il tuo ciclo biologico. Dovrai tenere sempre presente i flussi delle maree e, soprattutto, verificare in che posizione la luna si trova rispetto al sole e al resto dei corpi celesti del nostro sistema solare. Sono tutti dati importanti quando intendi ricaricarti attraverso la respirazione, soprattutto se, per raggiungere il tuo obiettivo, hai bisogno di maggiore capacità intuitiva, di ricorrere alla tua intelligenza più che alla tua forza. In una notte di luna piena volgi gli occhi alla luna, e tenendoli ben aperti tappa la narice sinistra e inspira con quella destra; poi chiudi gli occhi ed espira tappando la narice destra. Esegui questo tipo di respirazione a lungo e vedrai cosa accadrà dentro di te. Per aumentarne l'effetto, quella stessa notte lascia un recipiente non metallico colmo d'acqua all'addiaccio e la mattina successiva ti laverai con quella stessa acqua prima che sorga il sole. Quando avrai fame, mangerai "alimenti lunari" o cibo lasciato all'aperto la notte prima.

Se vuoi aumentare la tua bellezza, migliorare il magnetismo della tua pelle, per alcuni giorni all'alba lavati il viso con l'acqua del plenilunio del mese di novembre e vedrai come il tuo volto supererà in attrazione tutti gli altri. Non ti si formeranno più rughe e la tua pelle si manterrà tersa e fresca».

Fece qualche passo avanti, eseguì alcuni movimenti emettendo una serie di suoni quindi continuò: «Altri elementi che ti permetteranno di caricarti d'energia per fare di te un essere di luce, sono i suoni. La natura è una sinfonia di suoni. Ogni corpo presente nell'universo emette vibrazioni che producono, a loro volta, dei suoni. Il vento che corre in mezzo alle rocce o che scuote gli alberi, le onde che s'infrangono contro gli scogli, gli uccelli e tutti gli altri animali emettono suoni. Non sono semplicemente un mezzo di comunicazione ma servono per assorbire l'energia di cui il corpo ha bisogno o per espellere quella che eccede.

Per assorbire i suoni ti servirai delle orecchie, uno strumento delicato, attraverso il quale potrai captarne un'ampia gamma. Ma attenzione: di tutti i suoni esistenti in natura alcuni sono costruttivi e ricaricano, mentre altri sono negativi e debilitano.

Molte delle composizioni musicali ideate dall'uomo possono ricaricare, ma molte altre, anziché trasmettere pace, quiete, forza ed energia, sprofondano nel caos e nella confusione. Vi sono suoni che curano e suoni che fanno ammalare: questi ultimi sono creazioni artificiali, mere imitazioni della sinfonia naturale. Solo i suoni naturali, in realtà, ricaricano d'energia ed è per questo che bisogna sapere quali ascoltare per scegliere, poi, quelli che possono aiutarci».

Kantu domandò: «E come posso scegliere i suoni?».

«Dovrai imparare a essere, a volte, molto ricettiva, altre sorda perché, come ti ho già detto, ci sono suoni che possono creare caos e confusione, quando quello che tu stai perseguendo è l'unità del tuo essere. Quanto più stretto sarà il tuo rapporto con la natura e con i suoi suoni, tanto più sarai vicina alla tua meta. Quanto più ascolterai suoni artificiali, più ti allontanerai dalla tua unità.»

«Ciò significa che i suoni che si odono in città non sono positivi» osservò Kantu.

«La maggior parte dei suoni urbani sono nefasti per l'essere umano: feriscono la mente e debilitano il corpo. Se tocchi un uomo che vive in città e un uomo che vive a contatto della natura, potrai renderti conto che la loro energia è qualitativamente diversa: il secondo possiede sicuramente più energia rispetto al primo.»

Kantu ripensò al suono del clacson, al rumore delle macchine, allo strepitio delle motociclette, al suono stridente di alcuni apparecchi musicali, alla musica assordante trasmessa in discoteca. Ripensò allo sguardo e all'espressione delle persone che ascoltavano quella musica e capì perché era davvero indispensabile selezionare i suoni.

Condori le insegnò inoltre a imitare l'ululare di certi animali o il gorgheggiare di alcuni uccelli. «Devi imitare il suono di animali domestici come il gatto, il cane, il gallo, la gallina, il cavallo, l'asino e di tutti gli altri animali che conosci; impara a ripetere il canto degli uccelli.»

Kantu ci provò con costanza e tenacia e dopo qualche giorno comprese di essere in grado non solo di riprodurre semplicemente dei suoni ma di riprodurre musica, ritmo, cadenza e intensità. Ora si rendeva conto che la voce di Condori acquisiva modulazioni molto diverse; lui sapeva utilizzare i suoni della natura e la parola come elemento per aumentare l'energia. Durante la conversazione normale usava il linguaggio comune a tutti ma, durante le pratiche della sessualità sacra, lui era in grado di modulare suoni capaci di creare una serie di impulsi che aumentavano l'energia della compagna. Kantu non capiva ancora qual era il meccanismo che permetteva di far salire la propria energia attraverso il sussurro, il sospiro o il gorgheggio; al momento era solo consapevole del fatto che l'energia si muoveva.

Il lavoro di purificazione nell'oceano di energia continuò per ore e ore, per giorni e giorni infondendo in Kantu una sensazione di pienezza, di forza e d'energia che pareva irradiare da tutti i pori della sua pelle. Si sentiva rigenerata, potente, capace di spostare le montagne.

Quando scendeva in paese notava che gli umili contadini potevano percepire quest'energia nei suoi occhi, nel suo modo di parlare. Brígida, la mamma di Inés, se ne accorse immediatamente. Era una donna di mezza età, piuttosto grassa e con un difetto osseo che la costringeva a zoppicare; i suoi occhi neri erano sempre intenti a scrutare tutti. Quando incontrò Kantu le disse: «Sei molto cambiata. Condori ti sta trasformando in una donna decisa; stai imparando da lui tutto quello che sa. Le sue conoscenze t'infonderanno un grande potere. Non sei più la ragazzina che conobbi la prima volta; ora sei una donna forte, dal passo sicuro, che sa imporsi con dolcezza sugli altri».

Kantu non rispose; si limitò ad ascoltarla sorridendo. Per uscire quel giorno Brígida si era avvolta in un mantello sostenendo di avere freddo e di soffrire di reumatismi. Aveva indossato diverse gonne una sull'altra e si era infilata dei grossi calzettoni di lana. Kantu sapeva che si considerava una vittima della vita, delle circostanze, del marito. Si lamentava costantemente degli altri, non c'era mai nulla che le andasse bene. Il suo era un atteggiamento decisamente pessimista, ma aveva sviluppato una grande capacità: quella di capire la gente.

Condori l'aveva avvisata di non farsi condizionare troppo dai commenti di quella donna, quindi preferì interrompere il loro incontro dicendole: «Grazie, Brígida, hai sempre una spiegazione per tutto e mi fa piacere starti a sentire, ma ora devo proprio andare». Quindi si avviò per la sua strada tra la simpatia e l'ammirazione degli uomini e delle donne, che erano stati testimoni del cambiamento verificatosi in lei.

Non appena Condori fu certo che Kantu controllasse gli esercizi atti a dimostrare che l'essere umano è un essere di luce, diede inizio alla pratica della *Pachachaka*. Una notte riscaldò con cura la stanza nella quale si esercitavano e chiuse ermeticamente le piccole finestre e tutte le fessure dalle quali poteva penetrare anche un solo filo di luce, immergendola così nelle tenebre più assolute. Poi con Kantu si sedettero sul solito, morbido tappeto.

«Ora eseguiremo degli esercizi che ci permetteranno di far vorticare l'energia dentro di noi. Più ruoterà e più ci ripulirà dalle impurità fisiche, mentali e spirituali...»

Dopo aver eseguito i movimenti rituali preliminari, cominciarono a lavorare con l'energia. Quella volta Kantu sperimentò una sensazione grandiosa, magnifica: avvertì un'espansione e una contrazione che sprigionava un'infinità di luci lampeggianti che alla fine si estinguevano. Fu come un impressionante spettacolo di fuochi d'artificio, seguito poi dalla serenità, dalla pace, dalla calma più assolute...

Kantu se ne stava lì con gli occhi aperti e, quando si portò la mano destra alla testa per sistemarsi i capelli, si rese conto con immensa sorpresa che poteva vederla sebbene la stanza fosse completamente avvolta nelle tenebre. Percorse con lo sguardo il braccio, le spalle, il profilo del suo corpo che pareva illuminato da una luce azzurrognola sprigionata dall'interno: una sorta di aura avvolgeva tutto il suo corpo. Vide che anche il corpo di Condori, steso accanto a lei, sembrava circondato da un alone di luce bianca che immediatamente assunse una colorazione argentata e poi dorata. Qualche istante dopo la luce che emanava dai loro corpi sfumò lentamente immergendoli in una profonda oscurità. Prima di ritirarsi Kantu disse: «Ho visto il tuo corpo circondato da un alone di luce e anche il mio».

«Questo è il nostro corpo di luce» le rispose Condori con

naturalezza. «Ora sai il grande segreto: noi siamo esseri di luce solo che, molto spesso, non riusciamo a vederla perché non sappiamo aprire il nostro occhio interiore e vedere l'energia. È una luce che ognuno di noi possiede. Al di là del nostro corpo, vi è una luce che nasce dentro di noi e che ci rende divini perché anche noi siamo parte della *Pachamama* e dei *Wiracocha*, i nostri padri divini.»

Nei giorni che seguirono Condori continuò a istruirla sul mistero della *Pachachaka* insegnandole alcuni esercizi psicofisici. A ogni sessione Kantu sentiva che l'intensità del rilassamento e del piacere che provava aumentavano sempre più. Sentiva quelle sensazioni trasformarsi in onde che giocherellavano con le acque dell'oceano che bagnano la spiaggia, avanzando e indietreggiando ritmicamente, dolcemente. Quando lo desideravano potevano fare in modo che quelle onde si elevassero fino a raggiungere un'altezza e delle dimensioni inaspettate. Non appena Kantu iniziò a controllare questa pratica, Condori le ordinò delicatamente: «È il momento. Concentra tutte le tue forze e spingi la tua energia verso l'alto e poi, lasciati andare...».

Kantu si concentrò, respirando in modo ritmico e contraendo i muscoli interni, spinse con tutte le sue forze verso l'alto. All'improvviso sentì che dentro di lei tutto girava vorticosamente: si produsse una sorta d'esplosione di mille soli diversi, vide luci e stelle di ogni colore che si contraevano per poi espandersi; si vide proiettata verso lo spazio interstellare, verso l'infinito. Le parve che una specie di enorme utero si schiudesse per accoglierla dentro di sé: un'ineffabile sensazione di amore e di felicità l'avvolse. Immediatamente seppe di essere entrata in contatto con l'amore divino e supremo. S'immaginava Dio come un calice al quale affluivano tutti i fluidi dell'universo. Poco a poco quella sensazione svanì e Kantu rientrò nel proprio corpo e nella propria coscienza.

«Hai eseguito bene il tuo viaggio verso l'infinito» le disse Condori. «Sei riuscita a tendere il ponte d'energia e a raggiungere il Grande Spirito, la *Gran Paqarina*. Ora dovrai imparare a giocare con quest'energia in modo da riuscire a giungere sempre alla *Paqarina*. In questo ponte, che sei riuscita a tendere fra il tuo sesso e il tuo cuore, risiede il potere che sempre potrai usare per dare amore.»

A partire da quel giorno, alla fine di ognuna di quelle sessioni, Kantu godeva di una sensazione d'amore infinito e sentiva la sua esperienza spirituale aumentare sempre più. Aveva raggiunto un'espansione della propria coscienza e ogni cosa le sembrava bella: i passeri, i fiori, gli esseri viventi. Il suo amore non conosceva limiti né frontiere; si sentiva libera, immune dai capricci del tempo e dello spazio. Il suo modo di percepire il mondo stava cambiando. Capì che amare era la cosa più importante e che l'amore era uno stato di trascendenza che conduceva alla spiritualità. Comprese che avrebbe dovuto costruire il cammino che l'avrebbe portata a essere libera dall'uomo che l'aveva soggiogata.

Continuò a esercitarsi fino a quando, un giorno, Condori le disse: «Ormai possiedi un grande controllo su te stessa e hai imparato a usare il tuo corpo e la tua mente utilizzando la tua stessa energia. Finora abbiamo spinto l'energia insieme, ma ora dovrai imparare a farlo da sola perché non sempre incontrerai un compagno con il quale poter seguire queste stesse pratiche o qualcuno capace di dare impulso alla tua energia. Finora abbiamo remato insieme su un'imbarcazione che ci conduceva allo stesso porto; ora io mi farò trasportare e tu dovrai remare da sola, facendo ricorso alle tue sole forze!» le disse sorridendo mentre le accarezzava la schiena.

Lentamente Kantu imparò a spingere le onde d'energia da sola e si rese conto che poteva mettere in movimento l'energia e dirigerla in qualsiasi direzione, raggiungendo così nuovi gradi di conoscenza.

Lavorando ogni giorno con costanza in poco tempo imparò a stimolare l'energia dell'uomo anche quando questi non voleva. Nel corso di quello che sarebbe stato il loro incontro decisivo, dimostrò a Condori che era ormai capace di tendere quel ponte di energia e di condurlo in una dimensione sconosciuta, al centro dell'universo. Fece ricorso a tutte le sue forze per provargli che aveva assimilato perfettamente tutti gli insegnamenti relativi al *Pachachaka* e, di fronte al risultato, Condori non poté che esclamare soddisfatto: «Perfetto, sei stata stupenda! D'ora in poi potrai usare la tua energia anche senza l'aiuto di un uomo. Ora sei degna di possedere ciò che solo le donne coraggiose e decise, intrise di amore infinito, ricevono in dono».

Si diresse verso un armadio a muro, prese un piccolo involucro di cuoio dal quale estrasse un cristallo con molte punte e poi disse: «Questa è la *Hanan Khuya*[1], il grande ponte stellare. Colui che riesce a raggiungere il centro della creazione merita questo regalo. Con te ho potuto viaggiare verso mondi lontani, vedere soli distanti, esplorare il centro dell'universo, entrare in contatto con la Madre Divina. Ho visto la grande luce, il principio della vita. Non c'è più nulla che ti possa insegnare. Puoi considerarti pronta per vincere. Ti sei preparata per la guerra perché vuoi la pace; solo chi vince ed è cosciente di questo terribile potere può vivere nella vera pace. Potrai usare il potere che hai per dare la vita, per portare dei figli sulla terra che non saranno semplici figli,

1 Cristallo di molti colori. Secondo la tradizione chi ne entra in possesso potrà usufruire di illimitate possibilità di crescita.

ma esseri nei quali si reincarneranno gli spiriti eletti; e tu sarai una madre, amata e venerata. Ma se non vorrai avere figli, potrai usare quella stessa energia per curare chi ha bisogno di te, perché sarai una curandera. Le tue mani saranno balsamo per le ferite e rimedio contro i mali; sarai la voce e l'energia di molti popoli e la tua parola sarà un ordine. Il giorno in cui dirai pioggia, pioverà perché la tua voce è creazione e compimento; fai quindi attenzione a ciò che dirai, fai in modo che dalla tua bocca escano solo parole di speranza, d'affetto, d'amore e non di odio, di rancore o di pessimismo. Il tuo verbo è creazione e forza di quella stessa creazione. E quando userai il tuo corpo per condurre l'uomo verso la sua realizzazione, usalo con cautela, ricordandoti che ora fai parte del gruppo delle *Mamakuna* viventi, le colonne di energia del grande tempio della *Pachamama*. *Punchau* e *Pajsi*, i nostri padri celesti, vivono in te perché ora sei una *Qoya*. Ti chiamo così perché sarai la madre di una nuova umanità» e, nel dirle ciò, Condori si inchinò in segno di riverenza.

«Ora intraprenderai il cammino delle viandanti celesti, con i piedi sulla terra e gli occhi rivolti verso il cielo. Perché, ormai, sei un essere di luce, una donna speciale, una curandera, una maestra che userà con saggezza le sue conoscenze.»

«Kantu, ora tu sei la maestra e noi i discepoli» le disse Condori. «Io sono semplicemente un istruttore. Ricorda: noi uomini possiamo essere istruttori ma non potremo mai essere maestri dell'amore. I mentori, i veri maestri della vita e dell'amore, sono sempre state donne come te, donne che si sono spinte sino ai confini dell'universo, che hanno visto in faccia il volto di Dio, che sono entrate in contatto con il Divino diventandone una parte. Sei una creatura divina che è riuscita a riconquistare il potere che gli uomini le avevano sottratto, che ha saputo domare il serpente e che è riuscita a ricreare un ponte di energia tra il Cielo e la terra.»

Nell'udire quelle parole Kantu si emozionò tanto che scoppiò a piangere. Erano lacrime di grande felicità, le sue; lei, con determinazione e coraggio, aveva raggiunto la meta che si era prefissa. Era riuscita a riconquistare il potere, a risvegliare e dominare quella forza interiore che ogni donna possiede. La sua visione del mondo si era amplificata. Ripensò a come si erano sviluppati i suoi sensi, ora così ricettivi da permetterle di capire molti aspetti del carattere, della personalità, delle idee, delle passioni e dei vizi di una persona toccandole semplicemente una mano. Era come se le persone fossero un libro aperto per lei. I suoi sensi, ora più acuti, le avevano permesso di conoscere meglio la natura, di penetrare nell'ignoto, di navigare nell'infinito e di scoprire, così, nuovi universi, nuovi mondi. Maestro e discepola si erano spinti più in là della teoria: avevano oltrepassato il mondo della parola e del gesto ed erano entrati nel mondo del silenzio e della contemplazione. Avevano avuto accesso al segreto della *Pachachaka*, il cui dominio concedeva poteri infiniti alla donna che lo esercitava, permettendole di recuperare la propria divinità, la propria creatività.

Ricordò le parole di Condori: «Nella donna l'energia sessuale è un potere terribile che la natura le ha donato per vincere senza dover combattere, per ottenere ciò che desidera solo con amore e tenerezza, con forza e coraggio. È un'energia che permette di modellare e creare il proprio corpo affinché vi possa albergare lo spirito che desidera visitare la terra; è un'energia che permette di essere l'artefice della propria vita, di curare se stessi e gli altri ristabilendo l'equilibrio naturale. È un'energia che consente di raggiungere l'immortalità non solo sulla terra ma in tutto l'universo. Ma è fondamentalmente un'energia che ti permetterà di acquisire determinate conoscenze, di visitare universi lontani, mondi mai visti, paesaggi inesistenti sulla terra. Ma ti avverto, questa stessa energia male impiegata può portare morte, caos, dolore, sofferenza, ignoranza, malattie, disgrazie».

Evocò anche gli insegnamenti del *Khuyay*[2], del *Muchay*[3] e del *Cheqay*[4], i pilastri della spiritualità andina. Aveva lavorato sodo per riuscire a domare la propria energia; quell'energia che nei libri sacri veniva rappresentata con un serpente, il serpente d'energia delle scuole esoteriche. Aveva mosso i primi passi verso il sentiero spirituale del *Qhapaqriy*, il sentiero dai trentatré scalini di luce, la via degli illuminati e degli immortali. L'uso erroneo della sessualità apparteneva al passato; aveva imparato a distinguere fra amore e passione, fra ordine e caos, fra pace e violenza, fra salute e malattia e, soprattutto, fra conoscenza e falsità. Condori l'aveva obbligata a giungere oltre i limiti umani, a donarsi completamente quando muoveva la propria energia. Intere settimane di esercizi in solitudine o con Condori le avevano dato la giusta misura del proprio potere. Una sensazione di felicità profonda la invase quando Amauta Condori le annunciò che i suoi insegnamenti si erano ormai conclusi.

«Ormai sei già pronta. Sei una vera donna con un assoluto dominio di sé, una guerriera dell'amore, una semidea. Ora potrai affrontare qualsiasi uomo, vincerlo dolcemente per poi insegnargli l'amore, la pace, la fratellanza e l'ordine. Potrai fare di lui ciò che vorrai» aveva concluso Condori.

Il giorno della sua partenza era una magnifica giornata: il cielo completamente terso si stagliava sulle montagne argentate o ancora coperte di neve, solo in lontananza un tenue velo bianco si stendeva sull'azzurro. Kantu e Condori si

2 Amore, compassione.
3 Rispetto, riconoscenza.
4 Verità, certezza, saggezza.

guardarono a lungo, in silenzio. Il viso enigmatico e quasi sempre gaio di Condori per un momento si fece triste, come il volto di chi vede partire la donna che ha amato. Kantu gli si avvicinò e lo abbracciò alla maniera inca, un abbraccio lungo, inclinando la testa in segno di riverenza. Provò una grande tristezza nel lasciarlo. Rimase ferma e in silenzio per un istante, come ad opporsi alla separazione; i suoi abiti da città avevano sostituito i vestiti tipici andini. Dopo tanto tempo indossava di nuovo i suoi blue jeans e le sue scarpe. Se li sentiva strani addosso. Doveva partire e doveva farlo subito. Per celare tutta la tristezza che si portava addosso, si strinse forte al petto del suo maestro dicendogli: «Grazie per tutto quello che mi hai insegnato; con te ho compreso il vero senso della vita».

Condori percepiva il profondo dispiacere di Kantu e sapeva che sarebbe rimasta, se solo gliel'avesse chiesto; ma sapeva altrettanto bene che il suo posto era in città, là dove era cresciuta, dove aveva una famiglia, degli amici, un uomo, quindi le disse: «Kantu, potrai tornare ogni volta che lo vorrai e, se un giorno decidessi di venire a vivere qui, la tua stanza ci sarà sempre».

Per non incrociare lo sguardo del suo maestro, Kantu voltò il viso da una parte e, in lontananza, vide quattro donne che camminavano lentamente, senza fretta. Una di loro portava un bimbo sulla schiena e, a debita distanza, un adolescente li seguiva. Più in là, verso l'orizzonte, si scorgevano delle casupole immerse nel verde delle terre coltivate a orzo, a fave e a rape; quella scena la tranquillizzò. Condori, allora, guardò il suo viso rasserenato sul quale lesse determinazione, fermezza, sicurezza. Era passata per la dura scuola del *Warmikay* e ne era uscita donna, una vera donna. Le sorrise come per farle capire che la vita deve seguire il suo corso e che non si può frenare il cammino delle persone.

«Un giorno dovrò ritirarmi e allora tu, se lo vorrai, potrai prendere il mio posto e aiutare la gente di questo posto che ha così tanto bisogno di noi» le disse.

Kantu non gli rispose; si limitò a guardarlo negli occhi mentre si allontanava da lui. La giornata era bella; una leggera brezza giocherellava con i suoi capelli mentre lei contemplava il panorama. La natura le parve più bella che mai: il verde dei campi, il grigio delle montagne, il rosseggiare delle rocce, l'ocra di quelle terre aride, quasi prive di vegetazione. Guardò verso il sole e il re di tutti gli astri esibì la sua aureola di luce, la più bella che avesse mai visto. Illuminandola con tutto il suo splendore, sembrava dirle: «Kantu, ce l'hai fatta, sei riuscita ad accendere il sole che ti porti dentro. Io sarò la luce che t'illuminerà dall'esterno ma, da questo momento, tu avrai la tua luce interiore».

# 16
# SONO LIBERA

Kantu era ritornata molto cambiata dall'esperienza vissuta al fianco di Condori e di Mama Maru: ora sapeva esattamente ciò che voleva e ciò che era in grado di fare. Fisicamente non sembrava molto diversa da prima: ora pettinava i suoi lunghi capelli neri con la riga in mezzo e il suo volto era solo leggermente più abbronzato. Ciò che era davvero cambiato erano i suoi occhi: sebbene le sopracciglia avessero lo spessore di sempre, le sue ciglia si erano allungate e i suoi occhi, ora, avevano uno sguardo più intenso. C'era qualcosa in quello sguardo che soggiogava, che penetrava, che scrutava. Le sue labbra carnose, ancora secche e screpolate dall'aria di montagna, conservavano intatta tutta la loro bellezza. Aveva perso qualche chilo, ma quel calo era più che ricompensato dalle magnifiche proporzioni che il suo corpo aveva acquistato. L'esperienza condivisa con i curanderos aveva modificato il suo modo di pensare, il suo modo di agire, la sua visione della vita. Ora la sua più grande preoccupazione era quella di riabituarsi al ritmo della città.

Un giorno il telefono di casa squillò; sua sorella minore le porse la cornetta dicendo: «È per te».

«Indovina chi sono?» le disse una voce dall'altra parte del telefono.

«Juan, il vagabondo» disse lei con ironia nel riconoscere la sua voce da seduttore incallito. «Uno che va, ritorna e che mai si ferma.»

«Tesoro», le disse lui mostrandosi affettuoso ma esplicito al tempo stesso «sono appena arrivato in città. Mi farebbe piacere vederti. Ci si potrebbe trovare da qualche parte?»

"Che faccia tosta!" pensò Kantu. "Come sempre mi chiama, ci vediamo, stiamo insieme e poi scompare. Ma non sa che sorpresa lo aspetta, questa volta. Penserà di poter fare ancora a modo suo."

Si erano dati appuntamento nel piccolo ristorante dove erano soliti incontrarsi. Come sempre Juan si presentò vestito di tutto punto, esibendo quel suo sorriso da conquistatore e mostrandosi estremamente sicuro di sé.

Kantu era arrivata un po' prima di lui per familiarizzare nuovamente con il posto. Con i suoi occhi neri puntati sulla porta d'ingresso aspettò pazientemente di scorgere la figura di Juan in mezzo agli altri clienti che entravano e prendevano posto ai tavoli accompagnati dai camerieri. Il suo ingresso aveva destato un certo mormorio fra i giovani clienti del locale; una volta sarebbe arrossita per la timidezza mentre ora si sentiva perfettamente padrona di sé.

Aspettò con il mento appoggiato alle mani congiunte, continuando a guardare verso la porta: sembrava un cacciatore appostato, che attende la sua preda. Quando vide Juan avvicinarsi al tavolo, anziché corrergli incontro, come sempre aveva fatto, rimase seduta, tranquilla, serena, sorridente.

«Ciao, amore!» le disse lui dandole un bacio e abbracciandola. «È da molto che aspetti?»

«No» rispose lei, poco loquace.

Juan la osservò attentamente cercando di capire l'effetto che provocava su di lei la sua presenza e poi disse: «Sei magnifica, bellissima, una vera meraviglia, ma c'è qualcosa di diverso in te; i tuoi occhi si sono fatti ancora più belli e il tuo viso rispecchia serenità, armonia. Il tuo sguardo si è fatto più penetrante; oserei quasi dire che mi sta stregando».

«Sciocchezze», disse lei ridendo «è tutto frutto della tua immaginazione o forse è arrivato il momento di andare da un oculista.»

«No», insistette lui «c'è uno strano potere nei tuoi occhi.»

«Smettila, dai» disse fingendo di non capire a cosa si stesse riferendo.

«Anche la tua voce è cambiata» insistette Juan. «Tra l'altro, nei miei viaggi precedenti ti ho cercata ma nessuno ha saputo dirmi dov'eri. Mi hanno detto che non eri più a Cuzco.»

Kantu lo fissò per qualche istante negli occhi e poi, schiudendo leggermente le labbra, spiegò: «In effetti non ero qui. Avevo delle cose da fare lontano da Cuzco» disse senza aggiungere altro.

«Dove sei stata e perché non mi hai avvertito?» chiese con tono inquisitivo.

«Ma guarda un po', vedo che vorresti prendere nota di tutti i miei spostamenti. Ti ho forse domandato dove sei stato ultimamente?»

«La mia è una questione diversa, si tratta di lavoro» disse lui cercando di difendersi ma Kantu contrattaccò: «Anche la mia era una questione di lavoro, una questione molto personale».

«Senti, cerchiamo di non litigare. L'unica cosa che mi interessa è vederti e stare con te. Ti sono mancato?» chiese cercando di capire se fosse realmente contenta di vederlo oppure no.

«Mi sei mancato molto e speravo di vederti molto prima.»

«Anche tu mi sei mancata. Non ho smesso di pensare a te un solo istante» disse Juan fingendosi profondamente innamorato.

Kantu si accorse della falsità che si nascondeva dietro quelle dolci parole pronunciate da chi l'aveva sempre considerata come un oggetto di sua proprietà. Fino a quel momento gli aveva sempre raccontato tutto quello che faceva, ma ora non avrebbe fatto parola di ciò che aveva vissuto lontano da Cuzco.

«In tutti questi mesi ti ho chiamata diverse volte, ma nessuno sapeva darmi tue notizie» riprese Juan, cercando di rompere il silenzio.

«Ho viaggiato» disse enigmatica.

Juan le prese la mano, gliela strinse delicatamente e la guardò negli occhi, cercando di sedurla come sempre aveva fatto. Poi le sussurrò teneramente: «Sei bellissima! Non so come ho potuto restare lontano da te. Avevo così tanta voglia di vederti».

«Smettila di fare il galante» lo riproverò sorridente. «Anch'io avevo voglia di vederti.»

«E allora, cosa facciamo qui come due sciocchi?» chiese lui. «Andiamocene in un posto più bello, più intimo.»

«No, prima mangiamo qualcosa» disse facendo segno che stavano occupando un tavolo.

«E va bene», disse lui un poco contrariato «ma poi ce ne andremo in un posto dove poter stare soli.»

«Come sempre, hai fretta. Potremmo vederci di più se tu lo volessi, ma sostieni sempre di essere così occupato, di avere così tanto lavoro.»

«Il mio lavoro è così. Non so come farei senza; è tutto quello che so fare. Mi piace viaggiare; la vita di città non fa per me.»

«Immagino che non faccia nemmeno per me» disse lei sicura di sé, sorseggiando ciò che aveva ordinato.

Quando uscirono dal ristorante camminarono a lungo. Juan la teneva stretta a lui. D'un tratto si fermò davanti a una porta e, mostrandole una chiave, le disse: «È la casa di mia sorella. Vive qui, ma ora è in viaggio. Sono certo che ti piacerà; è un posto molto intimo».

«Vedremo.»

Kantu camminava a passi decisi, sicura di sé, come chi sa cosa sta per accadere. Non aveva fretta; Condori e Mama Maru le avevano insegnato a comprendere la natura umana. Ora avrebbe verificato la validità degli insegnamenti dei suoi maestri. Aveva sempre pensato che Juan fosse la sua anima gemella, l'uomo della sua vita e ora era giunto il momento di verificare se era davvero così, oppure se l'amore che provava per lui era soltanto un'illusione, un gioco della fantasia.

Juan, ostentando la sicurezza di chi si appresta a godere del proprio balocco, diede inizio ai soliti giochi amorosi. Non si rese nemmeno conto che lei lo stava studiando. Scivolarono verso il letto, lui l'aiutò a spogliarsi, baciandola, accarezzandola, poi iniziò a sfilarsi i vestiti rapidamente. Kantu finì di spogliarsi con calma e, nuda, si strinse a lui. Quando i loro corpi si unirono e i loro pensieri, i loro sentimenti e il loro desiderio si fusero gli uni dentro gli altri, la passione sembrò accendersi. Si scambiarono baci e carezze ma, quella volta, Kantu si prodigò nel dimostrare tutto il suo amore e tutta la sua tenerezza. Esplorò il corpo dell'amato cercando di leggere nella sua pelle i pensieri, i sentimenti, i desideri. Fece ricorso a tutti i suoi sensi per riuscire a capire infine chi fosse Juan realmente. Con la pratica che aveva acquisito, le fu semplice. Comprese i suoi veri sentimenti; ora non era più la ragazza inesperta ma una maestra capace di scoprire i punti deboli e quelli forti dell'uomo che le aveva fatto perdere la ragione.

Juan amava giocare con le donne: le seduceva, le usava e, quando alla fine si stancava, le lasciava senza alcuno scrupolo, senza alcun rimpianto. Ma, sfortunatamente per Juan, Kantu non era più una donna comune ma una donna speciale, capace di intrappolarlo nelle reti dell'amore, capace di usare le sue conoscenze e la sua energia e regalargli sensazioni mai provate. Dopo l'amore, Juan, stanco e affascinato da quella nuova Kantu, esclamò stupito: «Kantu, sei stata incredibile! Non ti avevo mai vista così. Sei magnifica. Ora so che sei la mia vita, che non posso più stare senza di te».

Ma lei, che sapeva leggere nel suo cuore, sapeva che in quel momento sarebbe stato capace di prometterle tutto l'oro del mondo, ma poi se ne sarebbe dimenticato e avrebbe continuato a usarla come sempre aveva fatto.

Lo guardò, gli sorrise e disse: «Dovrai deciderti: d'ora in poi o starai solamente con me oppure con le altre. Decidi tu».

«Perché mi dici così, amore mio?» le chiese Juan all'improvviso inquieto, come un cacciatore che si sente sfuggire la preda quando era sicuro di averla tra le mani.

«Dovrai imparare a vivere senza di me, Juan, o a stare con me, sempre. Questa potrebbe essere l'ultima notte che passiamo insieme» affermò Kantu sicura di sé.

«Io amo la campagna, non so vivere in città» ribatté, cercando di difendersi.

«E va bene» lo assicurò lei. «Anche a me piace la vita di campagna.»

«Sì, ma io non ti posso portare nei posti in cui andrò.»

«Certo, non appartengo alla tua classe, forse non sono nemmeno il tuo tipo; a te basta approfittare del mio amore, del mio affetto» rispose Kantu esplicita.

«Potremo continuare a vederci come abbiamo fatto fino a ora. Perché cambiare se stiamo bene così?» rispose Juan disarmato.

Dai suoi gesti e dalle sue parole Kantu si accorse che voleva evitare a ogni costo una separazione che gli doveva sembrare ormai inevitabile.

«Questa volta no, Juan. Ho capito, ormai. Tu vuoi solamente il mio corpo; ti approfitti dei miei sentimenti. Per te l'amore non ha alcun valore.»

«Non è vero. Se non ti amassi, non ti cercherei, e invece, guarda, ritorno sempre da te.»

«Ritorni perché mi desideri, non perché mi ami.»

«No, non è vero e tu lo sai. Devi sapere che per me non c'è nessuna come te.»

«Sì, ma tu hai sempre giocato con i sentimenti delle donne, e passi dalle braccia dell'una a quelle di un'altra.»

«Sì... è vero. Ma qualunque donna non vale te. Non c'è nessuna come te. Devi credermi, amore mio, io ti amo» disse Juan ricorrendo a tutte le armi di seduzione di cui era capace.

Kantu si scostò da lui, scese dal letto, si versò un bicchiere d'acqua e, mentre sorseggiava, gli disse risoluta: «Questa sarà la nostra ultima notte d'amore, Juan, la nostra notte d'addio. Sigilleremo con un fermaglio dorato il nostro incontro che non ha portato a nulla».

«Cosa vuoi dire?» chiese Juan. «Che alla fine di questa notte tutto sarà finito tra di noi?»

«Io ti amo molto, ma non posso continuare così. O meglio, non voglio vivere così. Questa non è una vita d'amore.»

«Vuoi dire che dovremo vivere insieme? Ascoltami, io non ho mai avuto la forza di volontà necessaria per vivere con una donna. Kantu, starò con te tutte le volte che lo vorrai; per il momento è tutto ciò che posso darti» disse Juan confuso, cercando di porre fine alla conversazione. Si sentiva sicuro di sé, delle sue doti da seduttore. Pensava che quel suo atteggiamento determinato avrebbe finito con l'evolversi a suo favore.

«E va bene» disse lei serenamente. «Facciamo in modo che questa notte sia interminabile perché sarà il nostro addio!»

Si amarono. Kantu fece in modo che quella notte fosse una notte d'amore indimenticabile. Si donò completamente, regalandogli tutto il suo amore, la sua tenerezza, la sua passione. Fece fluire tutta la sua energia fino a tendere il *Pachachaka* e fece in modo che Juan attraversasse quel ponte. Era la prima volta che lui viveva un'esperienza di una tale intensità. Lo condusse dal piacere carnale verso la dimensione dell'amore, della spiritualità facendolo entrare in uno stato in cui non riusciva a riconoscersi: per la prima volta lui perse il controllo che, fino ad allora, era sempre riuscito a mantenere. Gridò e gemette spaventato quando, proiettato verso l'infinito, giunse sino al grande utero dell'universo dove assistette all'esplosione di luci. Un'infinità di lampi e di fulmini lo illuminarono, la sua coscienza si espanse e si fece luce per lui. Solo allora comprese cos'era l'amore, qualcosa che aveva sempre cercato senza sapere cosa fosse e che non aveva mai trovato nei suoi frequenti incontri sessuali. Era una ricerca che aveva intrapreso da molto tempo, cercando disperatamente senza sapere cosa desiderasse davvero trovare. Tutte le donne che conosceva gli procuravano semplicemente piacere, senza riuscire però ad appagarlo completamente e, ogni volta che troncava la relazione con una di loro, si sentiva in colpa. Eppure continuava a sentirsi assetato d'amore, d'affetto, di sesso, di qualcosa che non riusciva a soddisfare. Quella notte con Kantu era riuscito a trovare tutto ciò che aveva sempre cercato; per la prima volta in vita sua capì che quello che inseguiva era qualcosa di tangibile, di concreto, qualcosa che esisteva davvero. Sentì che, al di là del piacere, al di là del contatto tattile, i suoi cinque sensi si erano fusi facendogli conoscere una dimensione sconosciuta. Aveva provato qualcosa difficile da spiegare o da descrivere, qualcosa che intuiva appena. Oltre a essersi incontrato con se stesso aveva incontrato la donna in grado di fargli vivere momenti indimenticabili.

Stava vivendo un'espansione che andava oltre i limiti umanamente conoscibili, un'esperienza che non conosceva barriere né frontiere. Si sentiva sciogliere, come ghiaccio che si squaglia in acqua e poi si espande per tutta la terra dando origine a ruscelli, fiumi, lagune, mari per sfociare infine in un grande oceano. Inaspettatamente qualcosa dentro di lui era cambiato, era avvenuto il miracolo, quel cambiamento che aveva sempre cercato: ora, finalmente, capiva cos'era l'amore. Alla fine di quell'esperienza cadde in un sonno profondo, senza accorgersi che Kantu si rivestiva allontanandosi per sempre da lui.

Stava già albeggiando quando tornò a casa. L'esperienza della *Pachachaka* era stata troppo per Juan. Kantu trascorse tutto il giorno fuori di casa e, quando rientrò, trovò un'infinità di messaggi che dicevano di chiamare un certo numero.

«Chiama. È qualcuno che ti sta cercando disperatamente» le disse la sorella, ignara di quanto fosse successo. «Dev'essere urgente.»

Kantu, sicura che si trattasse di Juan, esitò un momento e poi lo chiamò. Quasi immediatamente dall'altra parte del telefono udì la sua voce: «Pronto?».

«Juan? Sono Kantu. Mi hanno detto che hai chiamato» disse cercando di mantenere le emozioni sotto controllo consapevole che, in quel momento, metteva in gioco tutta la sua felicità e la sua realizzazione come donna.

«Amore mio! Sei proprio tu?» disse lui con voce commossa.

«Sì, sono io. Dimmi Juan, e senza chiamarmi amore, che cosa vuoi?» domandò lei senza esitare, dopo aver fatto un breve pausa.

«Kantu, posso venire a trovarti adesso?» chiese con voce titubante.

Lei rimase in silenzio, senza trovare il coraggio di rispondergli.

«Dammi dieci minuti e poi vieni» si sorprese a dire.

«Grazie, Kantu.»

Arrivò alla casa di lei prima dello scadere dei dieci minuti. Disperato all'idea di averla perduta, avrebbe cercato di riconquistarla. Bussò alla porta, non più così certo delle proprie doti di seduttore. Quando Kantu aprì, la seguì all'interno. Ostentando una calma che non aveva mai posseduto prima, lei si allontanò per preparare qualcosa da bere.

«Ebbene, cosa volevi dirmi?» domandò Kantu. «Eravamo rimasti d'accordo che quella di ieri sarebbe stata l'ultima notte.»

«No, no» disse Juan. «Io e te ci apparteniamo. Non può finire così.»

«Non so» disse Kantu sorridendo. «Credo che le nostre strade si siano incrociate, ma ora, probabilmente, si stanno separando.»

«Non può essere! Io ho bisogno di te!» disse lui sconsolato per il fatto che le sue parole non avessero più l'effetto che sempre avevano avuto.

«Juan, sembri disperato» disse Kantu.

Juan la prese per un braccio costringendola a sedersi accanto a lui.

«Sei bella, affascinante, pericolosa e ora sono nelle tue mani» esclamò con gli occhi fissi al pavimento.

«Non scherzare. Sono sempre stata io quella nelle tue mani, quella che mendicava il tuo amore, quella che aspettava pazientemente le tue chiamate, i tuoi ritorni. Per amore ho rinunciato alla mia vita, alla mia dignità...»

Juan la strinse a sé: «Sono venuto per dirti che ho bisogno di te. Ti prego».

«Mi spiace, Juan» disse lei con la voce rotta dall'emozione e con gli occhi pieni di lacrime. «Quella di ieri è stata la nostra ultima notte. Ora so che l'unica cosa che vuoi da me è il piacere, che t'interessa solo il mio corpo, che non t'importano né i miei sentimenti né la mia vita. Io sto inseguendo l'armonia dei sentimenti, la felicità dello spirito e non è cosa che si ottiene con il piacere o con la passione. Solo l'amore può colmare quel vuoto. È giunto il momento di lottare contro i miei stessi sentimenti.»

«Ma io voglio stare con te, non posso lasciarti.»

«Adesso sono io quella che non vuole stare con te. Mi sono donata completamente a te, ma ora mi rendo conto di tutto quello che ho perduto.»

«Cosa stai dicendo, Dio mio! Non ti capisco, stai dicendo che non mi ami?» disse lui alzando la voce e stringendola più forte.

«Certo che ti amo, ti ho sempre amato! Il mio amore è assoluto» esclamò lei turbata.

«Anch'io ti amo, ti ho sempre amata e ora ti amo ancora di più» le fece Juan nel disperato tentativo di tenerla a sé.

«Come fare a credere che mi ami se non hai mai cercato di convincermi a stare al tuo fianco?»

«Ma io sono venuto da te tutte le volte che ho potuto.»

«Sto parlando d'amore, non delle briciole» rispose lei con risolutezza. «Non sono più disposta a mercanteggiare il tuo amore, a supplicarti di tornare, a implorarti di amarmi. D'ora in poi non ti cercherò più, non mi umilierò più aspettando che ti venga la voglia di vedermi, Juan. Ma dovresti saperlo: io ti amo, ti ho sempre amato.»

«Kantu anch'io ti ho amata; è per questo che sono qui» rispose Juan cercando di persuaderla.

«E allora, perché stiamo parlando per l'ennesima volta della stessa cosa?» chiese lei con aria di sfida e lo sguardo colmo di comprensione. «Ora sei qui e voglio che tu decida che ne sarà della nostra storia.»

«Ma la mia vita è lì, sulle montagne» disse lui cercando disperatamente di giustificarsi.

«Io ti parlo di amore e di scelte di vita e tu mi parli di lavoro e di spostamenti. In amore bisogna fare progetti comuni, stare insieme. L'amore è un sentimento, ma per te è soltanto un gioco!»

Juan rimase senza parole. Non era disposto a rinunciare alla sua libertà, ma, al tempo stesso, non voleva perderla.

Kantu gli prese le mani e, guardandolo serenamente, gli disse: «Juan, è troppo tardi. So come sei fatto, ormai. Torna sulle tue montagne, vivi la tua vita, gioca con i sentimenti di qualche altra donna. È questo il tipo di vita che hai scelto».

Uscì dalla casa in silenzio, rattristato, infastidito. Kantu avrebbe voluto corrergli dietro, ma sapeva che se lo avesse fatto, tutto sarebbe andato perduto. Juan si allontanò a passo lento. Il suo volto appariva contrariato, era sempre stato lui a mettere fine a una relazione, non era abituato a perdere.

Kantu lo lasciò andare. Perché non le aveva chiesto di andare con lui sulle montagne? Lei sarebbe sempre stata disposta a seguirlo. Se le avesse proposto di lasciare Cuzco e di andare a vivere con lui in un qualsiasi posto, avrebbe accettato senza esitare. Ma ormai sapeva che l'amore si dona, non si mendica.

Mentre tornava verso casa, Juan ripensò alla notte precedente: era stata la più bella, la più intensa di tutta la sua vita; mai, prima di allora, aveva provato nulla di simile. Ripensò a tutte le notti passate inutilmente al fianco di altre donne. Kantu era uscita dalla sua vita e ora lui cercava di convincersi che, forse, avrebbe dovuto concedersi l'opportunità di provare a starle accanto... Forse la soluzione era proprio quella! Aveva ragione lei: non erano altro che due naufraghi della vita che avevano bisogno l'uno dell'altra. Ora che rischiava di perderla irrimediabilmente, cominciava a capire sensazioni e sentimenti: senza di lei non era nessuno e mai lo sarebbe stato.

Si sedette su una panchina del parco. Tentò di mettere ordine nei suoi pensieri, di definire i suoi obiettivi, di comprendere cosa lo aspettava per il futuro. Ripensò a Kantu e, all'improvviso, una luce si accese dentro di lui: stava cominciando ad amarla, non poteva permettersi di perderla perché, se fosse uscita dalla sua vita, non l'avrebbe ritrovata mai più. Come spinto da una molla balzò in piedi e si diresse verso la casa di Kantu. Conscio che ogni minuto era troppo importante, iniziò a correre a perdifiato, senza fermarsi fino a quando non fu di nuovo davanti alla casa. Bussò con forza alla porta. I minuti d'attesa si trasformarono in istanti di agonia. Non appena Kantu aprì la porta, la cinse con le braccia e la strinse a sé con tutta la sua forza, mentre le sussurrava deciso: «Sono tornato per dirti che starò sempre con te. Ti porterò in montagna, mi seguirai ovunque io vada, condivideremo il nostro amore come se fosse il pane di ogni giorno, di ogni secondo, staremo sempre insieme...». Quindi, prendendole il viso fra le mani e guardandola intensamente negli occhi per dimostrarle che nelle sue parole non vi era menzogna, proseguì: «Ti voglio bene, ti amo. Ora capisco che la mia vita non è vita senza di te».

Kantu lo guardò e vide che il sentimento d'amore atteso per tanti anni ora esisteva davvero. Si strinse forte a lui e con gli occhi colmi di lacrime esclamò: «Ti amo, ti amo dell'amore più puro».

«Faremo di ogni secondo un'ora. Non ci separeremo mai

più. Starò dove tu sarai e tu starai dove io sarò» disse lui baciandola e abbracciandola come mai aveva fatto.

Un'aura di luce avvolse i due amanti che, in quel momento, entrarono in una dimensione alla quale solo pochi giungono, laddove il tempo si fonde con lo spazio. Al di là delle passioni terrene, esiste una luce che illumina tutti coloro che inseguono l'amore come loro meta, come loro ideale.

Kantu e Juan erano riusciti a fondersi in un solo essere e si sarebbero amati per tutta la vita. Juan non capiva cosa gli stesse accadendo; sentiva solo che le ultime ventiquattro ore lo avevano cambiato, che un sentimento d'amore e di dedizione per l'altro aveva sradicato il suo egoismo e aveva preso il suo posto.

Per ottenere quel miracolo, Kantu aveva dovuto usare in modo cosciente quel potere che ogni donna possiede dentro di sé, ma che molte hanno scordato di avere. Eppure quel potere è sempre lì, in attesa di essere liberato. Solo il sapere, la conoscenza, il coraggio d'osare e d'agire possono riscattarlo, esprimerlo ed elevarlo verso l'amore che non opprime. Il vero amore esiste solo nel momento in cui due esseri capiscono che l'Amore è dedizione, esperienza, conoscenza. E la *Pachamama*, come a voler benedire l'unione di questi suoi figli, li incoraggiò a volgere lo sguardo verso Venere, l'astro degli innamorati che brilla al di sopra di tutti gli altri.

# EPILOGO

Come tante altre volte Kantu si mise a contemplare il paesaggio dalle pendici della montagna: era una splendida giornata, il cielo completamente terso. Guardò verso l'Apu Ausangati che, colpito dai raggi del sole, in lontananza, sembrava un quarzo bianco e trasparente costellato da minuscoli diamanti. Volse lo sguardo verso l'albero e lì, a un centinaio di metri, distinse i profili di mamma Brígida, di Inés e Siskucha; mamma e figlia se ne stavano sedute per terra mentre Siskucha riposava comodamente adagiato sulla schiena della madre e Tactu, il cane, dormicchiava al fianco di Inés.

Da quando aveva deciso di stabilirsi in casa di Condori, madre e figlia le davano una mano: Inés andava a fare la spesa in paese o svolgeva altre faccende consone alla sua età e la madre, dopo che Kantu l'aveva guarita dalla malattia reumatica che l'aveva afflitta per molti anni, faceva di tutto per far sentire la giovane curandera a suo agio. Sopra ogni cosa, la circondava di tutta la sua amicizia perché credeva che una donna giovane e bella non dovesse vivere da sola; e su questo era pienamente d'accordo anche Juan che lavorava in una compagnia mineraria a otto ore dal villaggio e tornava a casa solo i fine settimana.

Era quasi mezzogiorno e presto sarebbero arrivati tutti e tre che, ormai, erano diventati parte della sua nuova famiglia; persino Tactu che, fin dal primo giorno aveva cominciato a distribuire equamente il suo affetto fra lei e Inés, le faceva le feste ogni volta che la vedeva. Stavano ancora pascolando le pecore, ma Kantu sapeva che fra poco sarebbero stati lì con lei, soprattutto Brígida che si sarebbe affrettata a cucinare mentre lei avrebbe continuato a classificare le erbe. Da quando Condori se n'era andato si era presa cura di tutte le persone che, per anni, si erano affidate alle mani del curandero.

Le tornò alla memoria il pomeriggio in cui si era recata da Condori per ringraziarlo e per dirgli che tutti i suoi sogni si erano trasformati in realtà e che era finalmente riuscita a conquistare l'amore di Juan. Si sentiva euforica, piena di entusiasmo. Aveva approfittato dell'assenza di Juan per andare a trovare il suo maestro. Durante il lungo viaggio si era immaginata ciò che gli avrebbe detto, pensando e ripensando a come sarebbe stato il loro incontro. Ma, quando era arrivata sul posto, tutti i suoi pensieri erano svaniti di fronte a un arcobaleno che, proprio dalla casa di Condori, s'innalzava verso il cielo. Era un pomeriggio sereno; il cielo aveva assunto una tonalità violacea e le montagne erano coperte da un sottile velo che celava i profili grigi e bianchi. Quel fenomeno luminoso che sembrava partire proprio dalla casa di Condori era impressionante: un'ampia frangia colorata che iniziava con il viola e terminava con il rosso si elevava nitida verso l'alto disegnando un enorme arco. A un centinaio di metri dalla casa, alieni e indifferenti a quello straordinario spettacolo, mucche e buoi pascolavano tranquillamente.

Grazie agli insegnamenti di Mama Maru, Anselmo e Condori, Kantu sapeva che l'arcobaleno è un ponte di comunicazione attraverso il quale alcuni esseri diventano spirito e si elevano al cielo mentre altri diventano materia e ridiscendono verso la terra. Condori le aveva insegnato che la natura comunica, che parla e che era importante saperla ascoltare. Che cosa le voleva dire con quel segnale? Presto lo avrebbe saputo.

Immersa nei suoi pensieri, si era avvicinata alla casa a lei tanto familiare: il sentiero, le mura conservavano troppi ricordi, erano parte del suo passato. Avanzò silenziosa pensando di fare una sorpresa a Condori, ma lo trovò nel patio insieme a un altro uomo. I due uomini, entrambi robusti, lo sguardo sereno, parevano avere la stessa età; erano vestiti di bianco e indossavano grezzi gilè grigi. Portavano al collo le collane dei cantori e, tra i capelli bianchi, avevano legato nastri viola dal bordo blu. Si assomigliavano tanto da sembrare fratelli. Lo sconosciuto l'aveva guardata con uno sguardo talmente penetrante che sembrò leggerle il pensiero.

«Tata Condori, sono venuta a trovarti» gli aveva detto estraendo dallo zaino ciò che gli aveva portato. «Ti ho portato questo» aveva aggiunto porgendogli un pacchetto.

Condori aveva messo il pacchetto da una parte senza aprirlo e si era limitato a dirle: «Grazie. Ti presento Tata Qori Inka con il quale partirò fra poco per raggiungere l'Ausangati. Stavamo proprio parlando di te. Ti stavamo aspettando perché lui, dopo aver saputo che grazie ai miei insegnamenti hai intrapreso il cammino degli *Amaru Runa*, aveva il desiderio di conoscerti».

Lo sconosciuto le si era avvicinato. «Sono lieta di conoscerla, Tata Qori Inka» gli aveva detto lei abbracciandolo secondo l'usanza andina.

«Condori mi ha detto che sei una donna coraggiosa e

determinata e, ora che ti vedo, posso confermare le sue parole» le aveva risposto lui con grande solennità abbozzando un ingenuo sorriso. E, rivolgendosi al curandero, aveva annunciato amorevolmente: «Il nostro ritiro è aperto per te. Potrai venirci quando vorrai; ora devo andare» e, volgendosi verso Kantu, aveva detto con voce dolce e serena: «Alla prossima volta, donna valorosa; se esistessero almeno cento donne come te, queste terre ritornerebbero a germogliare come facevano secoli fa» e pronunciando quelle parole, si era accomiatato.

Una volta soli, Kantu e Condori si erano guardati a lungo. Lo sguardo sognante di Condori non permetteva di distinguere se fosse un uomo o un bambino; era il volto di un uomo maturo con il sorriso da bambino. Il suo aspetto era magnifico, come sempre. Anche Kantu conservava intatta la sua bellezza, gli occhi brillanti, lo sguardo tenero e attento al tempo stesso e una serenità che poteva scorgersi sin da lontano. Il suo volto era quello di una donna che accarezzava con lo sguardo, ma che contemporaneamente infondeva rispetto; il suo sguardo quello di una donna soddisfatta della propria vita. La lunga frangia accentuava ancora di più la bellezza degli occhi, il mento alzato, il corpo ben eretto, il suo aspetto era quello di una donna sicura e padrona di sé.

Poi si erano stretti in un lungo abbraccio e lei gli aveva detto: «Mi sei mancato molto, ho pensato tanto a te. Questa casa è piena di ricordi e mi ci sono affezionata; sono tornata per passarvi qualche giorno, se me lo permetti».

Condori le aveva risposto sorridendo: «Qui sarai sempre la benvenuta. E c'è di più: presto partirò per le montagne dell'Ausangati per proseguire il mio cammino spirituale sulla via del *Qhapaq riy*. Pensavo di lasciarti la casa e tutto ciò che contiene pregandoti solo di occuparti delle persone che vengono fin qui in cerca di sollievo».

«Ma io non sono una curandera, non posso prendere il tuo posto» aveva protestato lei.

«Sei una curandera perché sei stata discepola di curanderos; e possiedi il controllo sul *Kallpay*[1], il che è sufficiente per imparare a curare; ti devo solo spiegare qualche altra cosa e di tanto in tanto tornerò per continuare a istruirti in quest'arte.»

Non aveva saputo cosa rispondere; quell'offerta l'aveva colta di sorpresa.

Ora la casa di Condori era la sua casa. Di tanto in tanto pensava al suo maestro, al nuovo cammino che aveva intrapreso. Era partito per raggiungere gli *Qhapaqkuna*, una confraternita esoterica molto segreta. Molti anni dopo aver sollecitato il permesso per entrarvi, finalmente glielo avevano concesso. Da quel poco che era riuscita a verificare, Kantu sapeva che quello del *Qhapaq riy* era un apprendistato duro e molto difficile. Per esperienza personale sapeva che il cammino degli *Amaru Runakuna*, quello degli uomini e delle donne serpente, era durissimo, ma la via che ora aveva intrapreso il suo maestro era cinque volte più difficile. Desiderava con tutta se stessa che Condori avesse la costanza, la forza, la pazienza e l'intelligenza per affrontarla; glielo augurava di tutto cuore perché aveva imparato a provare per quell'uomo un amore che oltrepassava qualsiasi esperienza umana.

Tornò con il pensiero a Juan; era cambiato molto. All'inizio le aveva chiesto di sposarlo; aveva insistito molto, ma questa volta era stata lei, che ormai la pensava diversamente rispetto al matrimonio, a rispondergli: «Non m'interessa sposarmi perché il matrimonio è solo un impegno, una formalità che, a volte, finisce col trasformarsi in una catena. Io

1 Energia cosmica.

voglio amarti liberamente; voglio che il nostro amore continui a essere bello».

«Ma se davvero ci amiamo così tanto, non vedo perché non possiamo sposarci» aveva obiettato lui.

«Finiremmo col litigare e, forse, anche con l'odiarci mentre, se continueremo a vivere liberamente insieme, cresceremo nell'amore» aveva ribattuto lei. «E poi, visto che te ne sei accorto, è giunto il momento che io ti spieghi cosa ho dovuto affrontare per cambiare tanto.»

E così gli aveva parlato delle sue esperienze con Mama Maru e con Tata Condori, di com'era riuscita a conoscere quello che, fino a pochi mesi prima, era stato un mistero per lei e continuava a esserlo per miliardi di donne in tutto il mondo.

Avevano fatto un patto: lui poteva lavorare sulle montagne e passarvi tutto il tempo necessario; era libero di farlo come lei lo era di trasferirsi nella casa di Condori, che ora sentiva come sua, e lì avrebbe cominciato a svolgere il suo compito di curandera. Fra loro si era stabilito un ponte di comunicazione perché avevano un interesse, degli obiettivi concreti, degli ideali comuni e, soprattutto, perché sapevano di amarsi e di aver bisogno l'uno dell'altra. Erano consapevoli del fatto che entrambi avevano un compito da svolgere sulla terra, che ognuno di loro aveva un proprio ruolo.

Non appena aveva un momento libero Juan tornava da Kantu e lei lo aspettava con piacere. Quando lei doveva occuparsi degli altri, lui capiva e la lasciava sola. Ma nei momenti liberi stavano insieme nella casa di Condori oppure a Cuzco dove Juan aveva comprato una casa che simpaticamente definiva "Il nostro nido d'amore". Per salvare le apparenze di fronte a parenti e amici, dicevano di essersi sposati in segreto.

Il loro era un amore senza riserve, un amore assoluto. Juan aveva capito che la sua compagna era una vera donna e sapeva di essere il discepolo al quale lei stava insegnando ad amare.

Le riflessioni di Kantu furono interrotte dalla voce di Mama Brígida che era ormai giunta fin sulla porta di casa portando con sé delle vivande.

«Mia cara, ho portato il pranzo.»

«Non ho ancora fame» rispose la giovane curandera. «Se avete fame, servitevi pure.»

«No» disse risolutamente Mama Brígida. «Mangeremo tutti insieme, siamo qui per prenderci cura di te che ogni giorno curi tante persone e ti affatichi molto.»

«Quando si serve il prossimo la stanchezza passa in fretta, specie se lo si fa con molto amore» esclamò Kantu aggiungendo: «Me lo hanno insegnato Mama Maru e Tata Condori come parte di una profezia che dovrà raggiungere il cuore di ogni donna. La nostra missione sulla terra è seminare amore ovunque perché solo attraverso l'amore condurremo l'umanità lungo il cammino dello spirito, avvicinandoci così alla presenza di colui che guida l'universo. La profezia si sta già compiendo: molte sono le donne che stanno percorrendo questo cammino, alcune sono già arrivate, altre si stanno risvegliando».

Brígida osservò la curandera. Nella tenue luce che penetrava nella stanza, un'aura si stagliava dal corpo di quella giovane donna e, nel veder quel bagliore, comprese che si trovava di fronte a una donna illuminata che aveva scelto di servire l'umanità. Kantu guardò l'amica con occhi colmi d'amore e le regalò il suo più bel sorriso, mentre attorno a lei si respirava un'atmosfera di sacralità. Non era più una semplice donna: ormai era una Dea dell'Amore.

# PROGETTO DELL'UNIVERSITÀ DELLA VITA E DELLA PACE

## *Scienze, tecnologie, arte e spiritualità per l'evoluzione umana in un mondo di armonia e pace*

Il progetto dell'Università della vita e della pace è un progetto molto importante per il futuro stesso dell'umanità. Per comprenderne appieno la filosofia e le finalità riteniamo doveroso riportare alcuni passaggi della conferenza del professor H.H. Mamani dal titolo: «Necessità di una nuova educazione».

*Dopo essere entrato in contatto con la cultura occidentale, e dopo averla studiata e sperimentata a lungo confrontandola con la visione culturale del Perú Antico, sono giunto alla conclusione che le nostre conoscenze sull'universo femminile potrebbero aiutare l'uomo moderno a ritrovare la sua strada verso una società di pace e benessere. Sono cosciente del fatto che, in questo stesso momento in cui sto parlando, la terra corre il pericolo di essere degradata e distrutta dall'uomo.*

*Un gruppo di governanti della società contemporanea, smaniosi come sono di arricchirsi, non prestano attenzione ai considerevoli danni che stanno causando all'ambiente. Uomini del tutto privi di morale, applicano le scoperte scientifiche e tecnologiche senza tenere in considerazione gli effetti futuri dei loro atti.*

*Quando gli interessi scientifici, tecnologici o economici di un gruppo ristretto di uomini trionfano e si impongono sul bene di inte-*

*re società è un chiaro segno che quello che impera è un autentico disprezzo per la vita.*

*Mi chiedo se questi uomini siano consapevoli che con il loro operare stanno minacciando la completa estinzione del genere umano. Questi uomini, che avanzano in modo così irresponsabile, sono incapaci di provare amore e rispetto per la vita e per la terra.*

*Intanto la maggioranza degli esseri umani subisce la minaccia di annichilimento collettivo attraverso la contaminazione ambientale provocata dai detriti chimici, radioattivi, dalla fuoriuscita di petrolio nel mare, dall'uso di pesticidi e dalla desertificazione di estese aree verdi.*

*O prevale l'egoismo di una minoranza o vince la saggezza e la consapevolezza di una maggioranza di esseri umani. Quando scruto la vita frenetica della maggioranza delle persone che ogni giorno si recano al lavoro, comprendo che sacrificano la qualità della loro vita perché vivono oppressi da paure, dolore, tristezza, solitudine o preoccupazione.*

*Mi chiedo: quale può essere la soluzione? Ci ho pensato tante volte e sono sempre più convinto che, o cambiamo i nostri attuali modi di pensare, agire e vivere nel mondo, oppure il genere umano è destinato a sparire dalla faccia della terra.*

*Ho sempre pensato che per risolvere questo problema servirebbe un'educazione creativa basata sull'amore, la ricerca della verità e il rispetto di tutti gli esseri viventi.*

*Per questo scopo bisogna fare un grande salto di consapevolezza e così creare una nuova istituzione educativa che completi e migliori quella già esistente.*

*Questa nuova istituzione educativa dovrà mirare a sviluppare la creatività, la coscienza, la dimensione spirituale e sacrale dell'esistenza tendente a percepire la vostra amata terra come organismo vivente, di cui siamo parte.*

*La mia esperienza di insegnante tanto in Perú quanto in Europa, mi ha permesso di analizzare i problemi che affronta l'attuale educazione:*

a) *l'educazione umana è rimasta indietro rispetto allo sviluppo della scienza e della tecnologia;*

b) *l'istruzione attuale è amorale, nozionistica e massificante. Non esiste sufficiente spazio per la creatività;*

c) *l'educazione e l'istruzione è superficiale ed esterna, diretta al materialismo e allo spreco consumistico;*

d) *non esistono molte istituzioni educative rivolte verso l'interiorità e lo sviluppo della coscienza e della spiritualità;*

e) *le istituzioni culturali, scientifiche, tecnologiche, artistiche, spesso contribuiscono allo sfruttamento della terra;*

f) *si concede più valore al denaro che alla vita.*

*Per preparare un nuovo uomo nel* III *millennio e assicurare la pace, la fratellanza e la giustizia nel mondo bisognerebbe mettere a disposizione delle persone interessate metodi preziosi di educazione che sviluppino la natura umana verso la sua unità, armonia e benessere, mettendo in evidenza la cooperazione, la tolleranza, il rispetto per tutti gli esseri umani e una convivenza armonica con la natura. Per fare questo dobbiamo privilegiare le seguenti discipline:*

*1.* Educazione alla pace e alla coscienza cosmica;

*2.* Scienza di vita e costruzione: *uso razionale delle energie per difendere la vita e preservare l'ambiente*;

*3.* Medicina olistica *rispettando le tradizioni dei popoli*;

*4.* Scienza agricola *mirata a difendere la concatenazione ecologica*;

*5.* Educazione alimentare *basata sulla scienza degli alimenti e l'arte di prepararli*;

*6.* Sviluppo e trasformazione umana: *gruppo di crescita, creatività, meditazione ed evoluzione spirituale*;

*7.* Arte e creatività: *musica, arte, teatro, pittura*;

*8.* Educazione familiare *per sviluppare una società solidale*;

*9.* Scienza della comunicazione *per migliorare l'informazione nell'interesse di tutti gli uomini*;

*10.* Piscologia umana: *psicologia applicata mirata a utilizzare quel 90% delle capacità che ancora non utilizziamo*;

*11.* Studi di tutte le culture e religioni del mondo;

*12.* Economia e demografia *per una società che risponda ai bisogni essenziali di ogni essere umano*;

*13*. Amministrazione e uso razionale delle risorse naturali con il minimo inquinamento;

*14*. Ingegneria ecologica *per risolvere i problemi d'inquinamento.*

*Insegnando e applicando queste discipline con rispetto verso tutti gli esseri viventi della terra, siamo capaci di creare una società giusta, pacifica e solidarista per più di 10 miliardi di esseri umani senza un grande inquinamento, usando la tecnologia attuale unita a quella che avevano sviluppato gli uomini delle Ande, delle culture preincaiche e incaiche del Perú.*

*Per questo noi indiani sudamericani, creatori di una cultura di vita nei secoli passati, con il medesimo spirito di fede, entusiasmo e creatività stiamo progettando la creazione di una istituzione educativa orientata a sviluppare la spiritualità dell'uomo. La nostra cultura aveva sviluppato una scienza e un'arte che si basavano non solo sulla capacità analitica dell'uomo, ma soprattutto sulla qualità dell'immaginazione e sull'intuizione delle donne.*

*La cultura andina era una cultura femminile che permise di risolvere problemi sociali, politici, economici, educativi attraverso due istituzioni: l'*"Yachaywasi" *e l'*"Akllawasi".

*Nella prima l'educazione era rivolta verso l'esterno ed ebbe un'influenza sullo sviluppo materiale della società.*

*La seconda era un'istituzione mirata a un'educazione interiore per lo sviluppo della spiritualità. L'*Akllawasi *sette secoli fa preparò le donne peruviane che ispirarono poi il governo del Tawantinsuyo. Questa era una società globale che propugnava lo sviluppo dei valori materiali e spirituali dell'uomo. A quello scopo diede vita a una scienza, a un'arte e a una tecnologia che miravano a tutelare la vita e a garantire la pace di tutti i popoli delle Ande. Lo spirito di quelle donne sagge fu l'ispirazione, il motore e l'impulso che diede origine a una delle società umane più giuste e solidali della terra. Sfortunatamente quella istituzione, una vera e propria università in seno alla quale le donne peruviane godevano di uno status al quale le donne moderne stanno giungendo solo ora, fu sovvertita da un gruppo guerriero che per vari secoli non portò che caos, distruzione e morte nelle Ande. L'*Akllawasi *fu definitivamente annientata dagli invasori spagnoli.*

*Se oggi, per contrastare il caos imperante nel mondo moderno,* *volessimo regalare all'uomo, oltre al confort, la pace, la tranquillità e l'evoluzione spirituale, sarebbe necessario creare un'istituzione simile all'*Akllawasi.

*Sono assolutamente convinto che solo un'istituzione di tale natura potrebbe aiutarci a trovare soluzioni responsabili ai problemi economici, ambientali che ci affliggono.*

*Nella mia qualità di educatore ho cercato la chiave che potesse aiutarmi a creare una siffatta istituzione e ora, sono certo che è giunto il momento di ricreare proprio l'*Akllawasi, *ovvero una vera università nella quale formare l'aspetto femminile della umanità.*

*Questa è la sfida cruciale di questo secolo e il futuro dell'essere umano dipenderà dal modo in cui affronteremo l'educazione e l'istruzione di uomini e, fondamentalmente, di donne.*

Questo discorso del professor Mamani ci ha toccato il cuore per la sua estrema sensibilità. Lo vogliamo ringraziare per averci fatto conoscere la cultura femminile esistita in Sud America e l'opera creatrice e costruttiva delle donne dell'antico Perú.

Abbiamo scelto il suo discorso per la chiarezza dell'analisi, il metodo e i valori che bene illustrano la ricerca di una nuova educazione che possa risolvere il problema che stiamo affrontando di depauperazione e svalutazione dell'educazione dell'essere umano, oggi.

A quanto è stato da lui detto vogliamo solo aggiungere che per un sogno così grande e fantastico è facile farsi travolgere dall'onda dell'entusiasmo e desiderare che si realizzi in poco tempo. Siamo consapevoli che per portare avanti un progetto di tale natura occorre speranza, perseveranza, fede, azione ma soprattutto amore.

L'Università della vita e della pace sorgerà sulle Ande dove ha avuto le sue origini e dove è necessario fare rivivere l'espressione più alta della Cultura Andina. Molte donne che hanno conosciuto queste nostre idee hanno detto che anche l'Italia e le altre nazioni europee hanno bisogno di un'istituzione simile che contemporaneamente potrà sorgere in altri luoghi.

L'accoglienza del progetto c'incoraggia e ci convince sempre di più che esso avrà bisogno, come la terra necessita dell'acqua e del sole, di uomini e donne che offrano la loro specifica competenza per concretizzarlo e di fondi economici, non freddi e distanti ma riscaldati dal cuore di coloro che s'innamoreranno di questo sogno.

Con lo spirito idealista che ci caratterizza abbiamo deciso di accettare la sfida e di propiziare la nascita di un'autentica università femminile per la quale abbiamo richiesto la collaborazione del professor Mamani, persuase del fatto che lui è in grado di riconoscere l'importanza del femminile che ha sempre difeso con tutte le sue forze.

LE DONNE DELL'ASSOCIAZIONE INCA

# *INDICE*

**Dello stesso autore**

*Negli occhi dello sciamano*

*La profezia della curandera*

*La donna della luce*

*Inkariy*

*Gli ultimi curanderos*

*I curanderos dell'anima*

*La dea dell'amore*

*L'ultimo viaggio del curandero*

*Il libro dell'amore universale*

Finito di stampare presso Grafica Veneta
Via Malcanton, 2 – Trebaseleghe (PD)

Prova d'acquisto
978-88-6836-649